1871 – Fragen an die deutsche Geschichte

Historische Ausstellungen im Reichstagsgebäude in Berlin und in der Paulskirche in Frankfurt am Main aus Anlaß der hundertsten Wiederkehr des Jahres der Reichsgründung 1871

Die Ausstellungen werden von der Bundesregierung der Bundesrepublik Deutschland veranstaltet und stehen unter der Schirmherrschaft des Bundespräsidenten Dr. Gustav W. Heinemann

Die Besinnung auf die eigene Geschichte, zu der die hundertste Wiederkehr des Jahres der staatlichen Einigung des deutschen Volkes 1871 einen besonderen äußeren Anlaß bietet, kann in unserer gegenwärtigen Lage und im Rückblick auf die vergangenen Jahrzehnte, auf zwei Weltkriege und die Zeit der nationalsozialistischen Gewaltherrschaft, nur eine sehr nachdenkliche sein. Sie erscheint mir jedoch gerade heute besonders nötig. Denn zum Selbstverständnis eines jeden Staates und eines jeden Volkes gehört das geschichtliche Selbstverständnis untrennbar hinzu, und wo dieses unsicher und gebrochen ist, wird es jenes auch sein. Ein geschichtliches Selbstverständnis, das tragfähig ist, ist freilich nur zu gewinnen durch eine ebenso nüchterne wie kritische Auseinandersetzung mit der eigenen Geschichte, nicht mit der Beschwörung angeblich besserer Zeiten und ihres äußerlichen Glanzes.
Einer derartigen kritischen Selbstbesinnung wollen diese Ausstellungen dienen. Ihr Anlaß sind die geschichtlichen Ereignisse des Jahres 1871, ihr eigentlicher Inhalt ist die Frage nach den demokratischen und liberalen Traditionen Deutschlands, nach dem Schicksal der Bestrebungen, die auf einen neuen Staat, den parlamentarisch regierten Rechtsstaat, und auf eine neue Gesellschaft hinzielten, die auf den Prinzipien der sozialen Gleichheit und der sozialen Gerechtigkeit beruhen sollte. Diese Frage erlaubt weder einfache noch bequeme Antworten. Sie verlangt vielmehr von dem Besucher Engagement und intensive Beschäftigung mit den geschichtlichen Problemen. Daß möglichst viele, gerade auch der jungen Generation, davor nicht zurückscheuen, wünsche ich den Ausstellungen.

Hans-Dietrich Genscher

Bundesminister des Innern
Beauftragter der Bundesregierung für die Vorbereitung und Durchführung der historischen Ausstellungen

Planung und Durchführung

Wissenschaftliche Planung,
Ausstellungsleitung und Katalog:

Prof. Dr. Lothar Gall (Universität Gießen), Generalsekretär beim Bundesminister des Innern für die historischen Ausstellungen

Generalsekretariat:

Barbara Duden
Christine Haßkamp
Dr. Monika Richarz
Jörg Riegel

Mitarbeiter:

Jochen Bußmann (Verfassungstafeln)
Dr. Elisabeth Fehrenbach (Assistentin des Generalsekretärs)
Dieter Gütt und Heinz-Werner Hübner (Beratung bei der Textgestaltung)
Prof. Dr. Hans-Dietrich Kahl, Universität Gießen (Münzen und Medaillen)
Ragnar Leunig
Hermann-Josef Rupieper

Wissenschaftlicher Beirat:

Prof. Dr. Theodor Schieder, Universität Köln (Vorsitzender)

Prof. Dr. Booms, Direktor am Bundesarchiv Koblenz

Prof. Dr. Walter Bußmann, Universität Karlsruhe

Prof. Dr. Wolfram Fischer, Freie Universität Berlin

Prof. Dr. Andreas Hillgruber, Universität Freiburg

Dr. Wolfgang Mommsen, Präsident des Bundesarchivs Koblenz

Prof. Dr. Thomas Nipperdey, Freie Universität Berlin

Prof. Dr. Stephan Waetzold, Generaldirektor der Staatlichen Museen Stiftung Preußischer Kulturbesitz, Berlin

Produktion, Durchführung und Betrieb der Ausstellungen:

Quadriga GmbH & Co. KG, Design- und Werbeagentur Rottach-Egern

Gestaltung und künstlerische Leitung:

Claus-Peter C. Groß DID

Produktions-Management:

Joachim Böhm

Grafik-Design:

Bernd Hildebrandt
Wieland Schütz
Detlef Weiß

Mitarbeiter:

Leslye Fay
Jan Huber
Barbara Venohr

Dekorationsmodelle (Raum I und III)

Fabius von Gugel

Film:

Rudi Flatow, R.C.F. Film GmbH, Berlin

Leihgeber und Bildarchive

Bankhaus Wilhelm Ahlmann, Filiale Kiel der Deutschen Bank AG

Akademie der Künste, Berlin

Altonaer Museum in Hamburg

Archiv der Deutschen Burschenschaft, Frankfurt/Main

Archiv Gerstenberg, Frankfurt/Main

Archiv für Kunst und Geschichte, Berlin

Associated Press, Frankfurt/Main

Augustinermuseum der Stadt Freiburg i. Br.

Badisches Generallandesarchiv, Karlsruhe

Badisches Landesmuseum, Karlsruhe

Bayerischer Schulbuch-Verlag, München

Bayerisches Hauptstaatsarchiv, München

Bayerische Staatsbibliothek, München

Bayerische Verwaltung der Staatlichen Schlösser, Gärten und Seen München

Bergbau-Museum, Bochum

Walter Berger, Jevenstedt

Berliner Post- und Fernmeldemuseum

Otto Fürst von Bismarck, Friedrichsruh

Dr. Hans Bock, Oberkirch

Dr. Günter Böhmer, München

Bundesarchiv, Außenstelle Frankfurt/Main

Bundesarchiv Koblenz

Bundesarchiv – Militärarchiv – Freiburg i. Br.

Bundespostmuseum Frankfurt/Main

Bundesverkehrsministerium, Wertzeichenarchiv

Bundesverwaltungsgericht, Berlin

Bundeszentrale für politische Bildung, Bonn

J. Darchinger, Bonn-Endenich

Kurt Desch Verlag, München

Deutsche Bundesbank, Frankfurt/Main

Deutsche Presse-Agentur, Bildarchiv, München

Deutscher Bundestag

Deutsches Museum, München

Deutsches Spielkarten-Museum, Bielefeld

Deutsches Zinnfigurenmuseum, Kulmbach-Plassenburg

Friedrich-Ebert-Stiftung, Karl Marx Haus, Trier

Elbschiffahrtsmuseum, Lauenburg/Elbe

Erkenbert-Museum des Frankenthaler Altertumvereins, Frankenthal/Pfalz

Barbara Ernst, Korntal

Dr. Kurt Garnerus, Bad Salzuflen – Schötmar

Geheimes Staatsarchiv Preußischer Kulturbesitz, Berlin

Tessen von Gerlach-Parsow, Hohenstein

Germanisches Nationalmuseum, Nürnberg

Hauptstaatsarchiv Düsseldorf

Heimatmuseum der Kreisstadt Sinsheim

Der Herold, Verein für Heraldik, Genealogie und verwandte Wissenschaften, Berlin

Dr. Uwe Hesch, Berlin

Hessisches Hauptstaatsarchiv Wiesbaden

Hessisches Staatsarchiv Darmstadt

Hessisches Staatsarchiv Marburg

Leihgeber und Bildarchive

Historisches Museum am Hohen Ufer, Hannover

Historisches Museum der Stadt Frankfurt am Main

Historisches Museum der Stadt Hanau

Hoffmann-von-Fallersleben-Museum, Fallersleben

Institut für Hochschulkunde, Würzburg

Institut für Zeitgeschichte, München

Institut für Zeitungsforschung, Dortmund

Internationaal Instituut voor Sociale Geschiedenis, Amsterdam

Internationales Zeitungsmuseum, Aachen

Kurt Jaeger, Korntal

Graf von Kanitz, Freiherr-vom-Stein-Archiv, Schloß Cappenberg

Rudolf Kretschmer, Großen Linden

Kunstbibliothek der Staatlichen Museen Preußischer Kulturbesitz, Berlin

Kunstgewerbemuseum, Staatliche Museen Preußischer Kulturbesitz, Berlin

Kunsthalle Karlsruhe

Kunstsammlungen der Veste Coburg

Kurpfälzisches Museum der Stadt Heidelberg

Landesarchiv Berlin

Landesbildstelle Berlin

Landesmuseum für Kunst- und Kulturgeschichte, Münster

Lippische Landesbibliothek, Detmold

Der Magistrat der Stadt Aachen

Der Magistrat der Stadt Butzbach

Wilfried Matthias, Bronzekunstwerkstatt, Berlin

Münchener Stadtmuseum, München

Murhardsche Bibliothek der Stadt Kassel und Landesbibliothek – Brüder Grimm Museum –

Museen der Stadt Köln

Museum der Grafschaft Mark auf Burg Altena

Museum der Stadt Regensburg, Reichstagsmuseum

Museum für deutsche Volkskunde Preußischer Kulturbesitz, Berlin

Museum für Hamburgische Geschichte, Hamburg

Museum für Kunst- und Kulturgeschichte der Stadt Dortmund, Schloß Cappenberg

Niedersächsische Staats- und Universitätsbibliothek, Göttingen

Oberharzer Heimatmuseum, Clausthal-Zellerfeld

Österreichisches Staatsarchiv, Abteilung Haus-, Hof- und Staatsarchiv, Wien

Ostfriesisches Landesmuseum, Emden

Pfälzische Landesbibliothek, Speyer

Politisches Archiv des Auswärtigen Amtes, Bonn

Propyläenverlag, Berlin

Hanns Reich Verlag, München

Rheinisches Landesmuseum, Trier

Hans Roos, Düren

Scherz Verlag, München

Schiller-Nationalmuseum, Marbach

Schleswig-Holsteinische Landesbibliothek, Kiel

Erna Schmidt, Berlin

Linni Schneider, Gießen

Dr. Erich Schwan, Darmstadt

Leihgeber und Bildarchive

Staatliche Graphische Sammlungen, München

Staatliche Museen Preußischer Kulturbesitz, Berlin

Staatsarchiv Detmold

Staatsarchiv Hamburg

Staatsarchiv Koblenz

Staatsarchiv Münster/Westf.

Staatsarchiv Speyer

Staatsbibliothek Preußischer Kulturbesitz, Bildarchiv, Berlin

Staatsbibliothek Preußischer Kulturbesitz, Kartenabteilung, Marburg

Stadtarchiv Frankfurt/Main

Stadtarchiv Heppenheim a. d. B.

Stadtarchiv Kaiserslautern

Stadtarchiv Konstanz

Stadtarchiv Mainz

Stadtarchiv München

Stadtarchiv und Ritterhaus-Museum Offenburg

Stadtbibliothek Mainz

Stadtmuseum Ludwigshafen

Stadt- und Landesbibliothek Dortmund

Stadtverwaltung Neustadt an der Weinstraße

Städelsches Kunstinstitut, Frankfurt/Main

Städtisches Museum und Lottehaus Wetzlar

Städtisches Reiss-Museum, Mannheim

Süddeutscher Verlag, Bilderdienst, München

Tricks, Vereinigte Spielwaren, Nürnberg

Ullstein Bilderdienst, Berlin

Universitätsbibliothek der Freien Universität Berlin

Universitätsbibliothek Freiburg

Universitätsbibliothek Heidelberg

Velhagen & Klasing, Kartographische Anstalt GmbH, Bielefeld

Verkehrsmuseum Berlin

Verkehrsmuseum Nürnberg

Verwaltung der Staatlichen Schlösser und Gärten, Berlin

Dr. Rudolf Vock, Schriesheim

Wehrgeschichtliches Museum, Schloß Rastatt

H. J. Weineck, Verlag Dokumentation, Heidelberg-Ziegelhausen

Werner-von-Siemens-Institut, München

Georg Westermann Verlag, Braunschweig

Westfälisches Landesmuseum, Münster

Ilse Wichmann, Böblingen

Württembergisches Landesmuseum, Stuttgart

Bildnachweis zum Katalog

Archiv der Deutschen
Burschenschaft, Frankfurt/Main
37

Archiv Gerstenberg, Frankfurt/Main
IX (farbig)
1, 7, 10, 11, 16, 19, 21, 23, 24, 26, 29, 32, 33, 36, 38, 40, 43, 44, 48, 49, 50, 51, 54, 55, 56, 57, 58, 64, 67, 69, 70, 71, 72, 73, 74, 78, 79, 82, 87, 88, 90, 92, 98, 99, 108, 110, 111, 125, 127, 128, 133, 137, 140, 141, 142, 143, 144, 150, 153, 154, 155, 157, 158, 165, 167, 168, 169, 171, 174, 175, 190, 193, 194, 195, 196, 200, 201, 202, 203, 204, 205, 206, 207, 208, 210, 226, 228, 246

Badisches Generallandesarchiv,
Karlsruhe
52, 146, 147, 148, 149

Bayerisches Hauptstaatsarchiv,
München
59, 124

Dr. Günter Böhmer, München
VII (farbig)

Bundesarchiv, Außenstelle
Frankfurt/Main
X (farbig)
3, 20, 34, 104, 107

Bundesarchiv Koblenz
232

Bundespostmuseum Frankfurt/Main
5

Kurt Desch Verlag, München
224

Deutsche Presse-Agentur,
Bildarchiv, München
242

Deutscher Bundestag
XV (farbig)

Deutsches Museum, München
42

Geheimes Staatsarchiv Preußischer
Kulturbesitz, Berlin
132, 172, 183, 191

von Gerlach-Parsow, Hohenstein
161, 162

Germanisches Nationalmuseum,
Nürnberg
IV, VI, VIII (farbig)
15, 27, 30, 80, 81, 93, 96, 118

Historisches Museum der Stadt
Frankfurt/Main
I, XI, XIV (farbig)
101, 106, 117, 151

Historisches Museum der Stadt
Hanau
53

Institut für Zeitgeschichte, München
235

Internationaal Instituut voor Sociale
Geschiedenis, Amsterdam
159

Kladderadatsch
115, 145, 152, 156, 163, 166, 170, 192

Kunstbibliothek der Staatlichen
Museen Preußischer Kulturbesitz,
Berlin
14, 22, 28, 184

Kunstsammlungen der Veste Coburg
9

Kurpfälzisches Museum der Stadt
Heidelberg
60, 61, 62, 75, 76

Landesarchiv Berlin
113

Landesbildstelle Berlin
191

Leipziger Illustrierte Zeitung
41, 68, 84, 85, 86, 89, 94, 97, 100, 103, 109, 112, 114, 116, 119, 121, 123, 126, 130, 131, 135, 136, 139

Bildnachweis zum Katalog

Murhardsche Bibliothek der Stadt Kassel und Landesbibliothek
– Brüder Grimm Museum –
65

Museum der Grafschaft Mark auf Burg Altena
13

Museum der Stadt Regensburg, Reichstagsmuseum
2

Museum für deutsche Volkskunde Preußischer Kulturbesitz, Berlin
12

Österreichisches Staatsarchiv, Abt. Haus-, Hof- und Staatsarchiv, Wien
25

Politisches Archiv des Auswärtigen Amtes, Bonn
177, 179, 197, 199

Propyläenverlag, Berlin
18

Hanns Reich Verlag, München
243

Rheinisches Landesmuseum, Trier
45, 46

Scherz Verlag, München
198

Linni Schneider, Gießen
182

Dr. Erich Schwan, Darmstadt
178

Staatliche Graphische Sammlungen, München
17

Staatsbibliothek Preußischer Kulturbesitz, Bildarchiv, Berlin
II, III, V, XIII (farbig)
6, 47, 105, 120, 134, 160, 173, 176, 180, 181, 185, 186, 187, 188, 189

Stadtarchiv Frankfurt/Main
91, 102, 129

Stadtarchiv Konstanz
83

Stadtarchiv München
95

Stadtarchiv Neustadt an der Weinstraße
77

Stadt- und Landesbibliothek Dortmund
8

Städtisches Museum und Lottehaus, Wetzlar
4

Städtisches Reiss-Museum, Mannheim
31

Süddeutscher Verlag, Bilderdienst, München
248, 249

Ullstein Bilderdienst, Berlin
XVI (farbig)
35, 138, 164, 209, 211, 212, 213, 214, 215, 216, 217, 218, 219, 220, 221, 222, 223, 225, 227, 229, 230, 231, 233, 234, 236, 237, 238, 239, 240, 241, 244, 245, 247

Universitätsbibliothek der Freien Universität Berlin
39, 63, 66

Universitätsbibliothek Heidelberg
122

Wehrgeschichtliches Museum, Schloß Rastatt
XII (farbig)

Katalog

Gesamtplan der Ausstellungsräume im Reichstagsgebäude

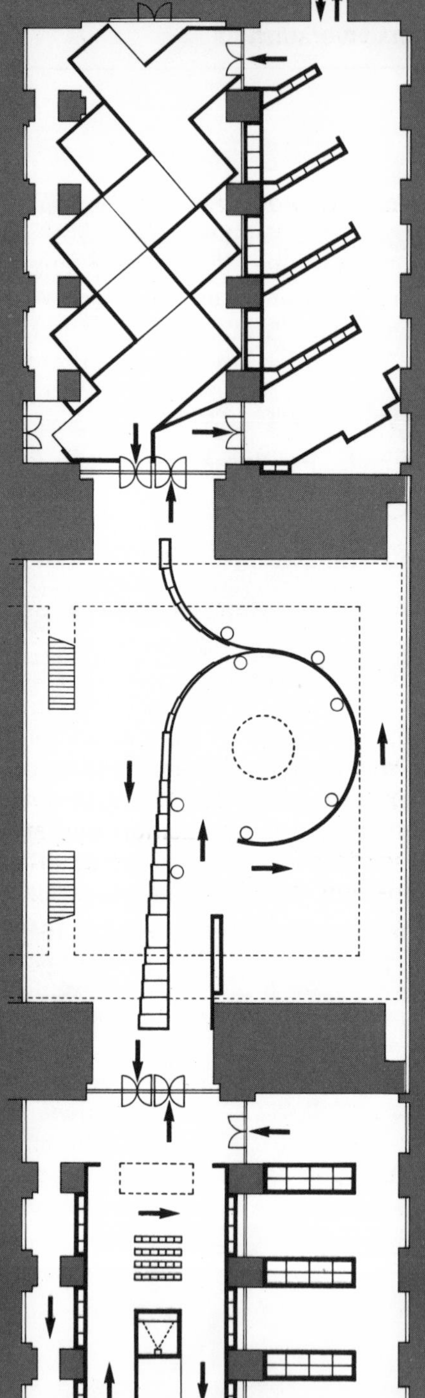

Raum V
Entscheidungsjahre deutscher Geschichte 1918/1933/1945

Raum IV
Die Reichsgründung

Raum III
Die Revolution von 1848

Raum I
Politischer Aufbruch und Wiener Kongreß

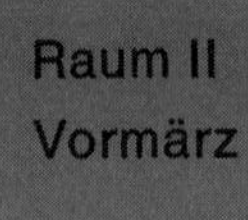

Raum II
Vormärz

Dieser Katalog beschreitet insofern einen ganz neuen Weg, als darauf verzichtet wurde, die einzelnen Exponate, nach Nummern geordnet, aufzuführen und zu beschreiben. Ein solches Unternehmen hätte bei einer Zahl von über 3000 der verschiedenartigsten Exponate nicht nur jeden Rahmen gesprengt – es wäre auch vom Charakter der Ausstellung her gesehen wenig sinnvoll gewesen. Denn diese Ausstellung zielt nicht bloß darauf, eine Epoche in Selbstzeugnissen und Bildern anschaulich zu machen, sondern Akzente zu setzen, bestimmte Linien zu ziehen, Zusammenhänge aufzuzeigen, geleitet von einer Reihe von Fragen, die sich aus dem besonderen Anlaß, der hundertsten Wiederkehr des Jahres der Reichsgründung 1871, ergeben. Das einzelne Exponat – Bild, Dokument, Karikatur, Gegenstand – hat daher jeweils nur eine dienende Funktion. Sein Eigenwert tritt – von einigen Schlüsseldokumenten abgesehen – zurück hinter seinem Illustrationswert für bestimmte Vorgänge und historische Prozesse, die auf diese Weise verdeutlicht werden sollten. Aus diesem Grunde schien es wichtiger, in diesem Katalog noch einmal die großen Komplexe und die einzelnen Zusammenhänge unter summarischem Verweis auf die einzelnen Bildtafeln und unter Hervorhebung besonders wichtiger, charakteristischer oder anschaulicher Bild- und Schriftdokumente (eine Auswahl von ihnen ist dem Katalog beigegeben) beschreibend nachzuzeichnen, als in üblicher Form den Einzelnachweis zu geben. Auf diese Weise sollte zugleich ein allgemeinverständlicher Überblick über die mit dem Thema zusammenhängenden Fragenkomplexe gegeben werden, der ebenso der Vorwegorientierung vor dem Besuch der Ausstellung oder vor der Besichtigung einzelner Teile dienen soll wie der nachträglichen Vertiefung. Diesem Ziel dienen auch die beiden zusammenfassenden Darstellungen am Anfang und am Ende des Katalogs.

Die »deutsche Frage« im 19. Jahrhundert

von Lothar Gall

Eine Ausstellung aus Anlaß der hundertsten Wiederkehr des Jahres der Gründung des Deutschen Reiches von 1871 bedarf ohne Zweifel heute der besonderen Begründung, um einerseits Mißtrauen auszuräumen und andererseits keinen falschen Beifall zu finden. Sie erinnert an einen Vorgang, der in einem spezifischen, ja, man kann sagen: prekären Sinne Geschichte geworden ist, d. h. der durch die Entwicklung der letzten hundert Jahre vielfach überholt und dessen praktische Ergebnisse zutiefst in Frage gestellt oder gar völlig zerstört worden sind, der jedoch zugleich bis zum heutigen Tage eine außerordentlich starke bewußtseinsformende Kraft behalten hat: »Deutschland«, das ist für viele, ob man es wahrhaben will oder nicht, immer noch jene politische Einheit, die 1871 geschaffen wurde. Daß diese Ausstellung versuchen werde, gerade dies zu betonen und das andere in den Hintergrund zu drängen, wird sich manchem, entweder in hoffnungsvoller Erwartung oder in ablehnendem Mißtrauen, von vornherein als Vermutung aufdrängen. Von einer solchen Absicht kann jedoch keine Rede sein. Die Ausstellung will nicht, in mehr oder weniger harmonisierender Form, bloß darstellen, wie das Deutsche Reich von 1871, der deutsche Nationalstaat entstanden ist. Sie will vielmehr vor allem die Antriebe dieses Prozesses aufzeigen und damit zugleich deutlich machen, in wie unterschiedliche Richtungen diese Antriebe gingen und wie demgemäß das Deutsche Reich wie alle historischen Gemeinschaftsbildungen das Ergebnis vielfältiger Kompromisse, zum Teil sehr unbefriedigender und schon bald nach neuen Lösungen verlangender Kompromisse gewesen ist. Mit anderen Worten: sie will – und darum liegt auch ihr Schwerpunkt auf den Jahrzehnten vor 1871 – fragen nach dem Verhältnis von Zielen und Erreichtem und damit sehr bewußt den Blick darauf lenken, daß die sogenannte »deutsche Frage« immer zugleich ein soziales, ein verfassungspolitisches, ein außenpolitisches und auch ein wirtschaftliches und kulturpolitisches Problem gewesen ist, wobei diese Probleme in sehr wechselnder und sich in unterschiedlichster Form überlagernder Beziehung zueinander standen: daß es sich also nicht nur um das isolierte Problem und Ziel der politischen

Einigung der Mehrheit der Deutschen in einem Staat handelte.
Damit verfolgt sie eine sehr klar formulierbare Absicht. »Fragen an die deutsche Geschichte« heißt hier nicht, die deutsche Geschichte nach Rezepten, insbesondere für die Wiederherstellung der politischen Einheit, zu befragen, sondern einerseits sehr nüchtern immer wieder die Frage zu stellen nach dem Preis der tatsächlichen Entwicklung und des tatsächlich Erreichten im Hinblick auf die ursprünglichen vielfältigen Erwartungen der verschiedenen politischen und sozialen Gruppen und damit andererseits in jedem einzelnen Besucher die Frage zu provozieren nach den Prioritäten, nach der Rangordnung der einzelnen Zielvorstellungen auf sozialpolitischem, auf wirtschaftlichem, auf kulturpolitischem, auf dem Gebiet der Außenpolitik und dem der inneren Struktur und Verfassung des Staates – Zielvorstellungen, wie sie in den vergangenen 150 Jahren deutscher Geschichte entwickelt worden sind und, wenngleich natürlich in oft wesentlich modifizierter Form, auch das politische Leben unserer Gegenwart bestimmen. Diejenigen, die diese Ausstellung geplant und vorbereitet haben, waren sich dabei bewußt, daß sie mit dieser Zielsetzung einen ebenso anspruchsvollen wie für den Besucher unbequemen Weg gewählt haben: nicht darum, bloß zu zeigen, »wie es eigentlich gewesen ist«, ging es ihnen, oder gar darum, mehr oder weniger bequeme Antworten zu formulieren, was man etwa aus der Geschichte lernen könne oder im Sinne der »Bewältigung der Vergangenheit« schon gelernt habe. Das eigentliche Ziel war vielmehr, zum Nachdenken zu provozieren, Geschichte darzustellen nicht als das so oder so Abgetane, sondern als etwas, was gerade von den Problemen der Gegenwart her zu unmittelbarer Auseinandersetzung und zu individueller und gemeinsamer Entscheidung zwingt. Nicht ein zufälliges Jubiläum soll also gefeiert werden. Dazu ist kein Grund. Es soll vielmehr ein Anlaß benützt werden, um zum Teil sehr brennenden Gegenwartsfragen ihre geschichtliche Dimension auch im Bewußtsein einer breiteren Öffentlichkeit wiederzugewinnen. Damit will die Ausstellung zugleich dazu beitragen, Illusionen zu zerstören, zu zeigen, daß die Geschichte, wenn etwas, dann das lehrt: daß alle Erwartungen, Wünsche und Ziele auf einmal zu erreichen, niemals möglich war, und der einzelne und die Gemeinschaft um eine Entscheidung über das jeweils Vorrangige nicht herumkommen.

Was aber war in diesem Verständnis und in dieser Dimension gesehen die »deutsche Frage«, um die es aus dem gegebenen Anlaß in dieser Ausstellung vornehmlich geht? Die Übersteigerung des rein machtstaatlichen Denkens in den Jahrzehnten nach 1871 und seine schließliche Entartung in einen militanten Chauvinismus, gipfelnd in der rassistischen Eroberungspolitik des Dritten Reiches, hat, verständlicherweise, die deutschen Einheitsbestrebungen im 19. Jahrhundert in ein sehr düsteres Licht gerückt. Indem man von der weiteren Entwicklung und von den Ergebnissen ausging, gelangte man dazu, dem ganzen Prozeß, von seinen Anfängen her, natürliche Folgerichtigkeit zuzuschreiben. Man wurde sehr scharfsichtig für die problematischen Elemente in den Vorstellungen schon der frühen Wortführer des nationalen Gedankens, die nur zu leicht in den Dienst nackter machtpolitischer Ziele und egoistischer Gruppeninteressen gestellt werden konnten und die gleichzeitig ein sehr gefährliches und wiederum mißbrauchbares Auserwähltheitsdenken der Deutschen begünstigten.
Das hat zu sehr wichtigen und wertvollen Einsichten geführt. In den Hintergrund gedrängt wurde und wird dadurch jedoch leicht, daß insgesamt gesehen, der Charakter der auf einen deutschen Nationalstaat gerichteten Bestrebungen zunächst ein durchaus anderer war. Diese Bestrebungen richteten sich ursprünglich, im ausgehenden 18. und in den ersten Jahrzehnten des 19. Jahrhunderts, gerade gegen den monarchisch organisierten Machtstaat und gegen eine Gesellschaft, in der das soziale und wirtschaftliche Gruppeninteresse – und das heißt natürlich vor allem das Interesse der herrschenden Gruppen – den Vorrang hatte vor der Idee der Rechts- und Chancengleichheit aller Bürger und dem Gedanken der sozialen Gerechtigkeit. Der monarchisch organisierte Machtstaat aber war in Mitteleuropa nicht das alte »Heilige Römische Reich Deutscher Nation«, das neben vielen anderen Nationalitäten auch fast alle deutschsprachigen Gebiete umfaßte. Das waren vielmehr die einzelnen Staaten im Verbande dieses Reiches mit Preußen an der Spitze, die im Verlauf des 17. und 18. Jahrhunderts in wachsenen Gegensatz zu ihm getreten waren und die nach der Auflösung des Reiches im Jahre 1806 schließlich die volle Souveränität erlangten. Sie verweigerten, im Unterschied zum Reich, zunächst nahezu sämtlich ihren Untertanen die aktive Beteiligung am politischen Leben. Und in diesen Staaten fand zugleich die alte, auf dem mittelalterlichen Feudalsystem be-

ruhende ständische Gesellschaftsordnung weithin ihren zuverlässigsten Verteidiger. Denn das für diese soziale Ordnung charakteristische Vorherrschen von Gruppeninteressen verhinderte, daß sich eine gefährliche, die Standesgrenzen übergreifende Opposition gegen das absolutistische System herausformte.
So wird verständlich, daß sich die Hoffnungen jener, die die bestehende politische und gesellschaftliche Ordnung umgestalten wollten, zunächst auf eine Reform bzw. nach 1806 auf eine zeitgemäße Wiederbelebung des Alten Reiches richteten. Mit restaurativen Tendenzen hatte das nichts zu tun. Vielmehr sollte auf diesem Wege die Macht der Einzelstaaten, die allen Veränderungen hemmend im Wege stand, wieder eingeschränkt und zugleich der äußere Rahmen und die Voraussetzung geschaffen werden für politische wie soziale Reformen großen Stils. Freilich war dazu noch etwas weiteres nötig: ein solches Reich mußte gleichzeitig auf eine völlig neue Basis gestellt, es mußte künftig nicht allein von den Fürsten und den Privilegierten, sondern von allen Bürgern mitverantwortlich getragen werden. Und hier berührten sich die Reichsreformideen zugleich mit einer in jenen Jahrzehnten aufkommenden anderen Forderung, der Forderung nach Bildung einer ganz neuen politischen Gemeinschaft auf Grund eines Prinzips, das von vornherein keine ständischen Grenzen, keine unterschiedlichen sozialen Rechte kannte: des Prinzips der gemeinsamen Sprache und der gemeinsamen Kultur, wie es Johann Gottfried Herder als einer der ersten formuliert und vertreten hat.
Diese Forderung war im Ansatz durch und durch revolutionär und ging in ihrer praktischen Konsequenz weit über die doch noch sehr zurückhaltenden Pläne der sogenannten Reichsreformer des 18. Jahrhunderts hinaus. Ihre Durchsetzung sollte gleichzeitig die Macht des politischen Absolutismus brechen und, in sozialer Hinsicht, den Gedanken der Rechts- und Chancengleichheit aller Bürger verwirklichen. Denn in einer solchen neuen politischen Gemeinschaft, die in erster Linie auf das Prinzip der gemeinsamen Sprache und Kultur gegründet sein sollte – wo man sich auf die gemeinsame Geschichte berief, geschah dies unter sehr betonter Hervorhebung ihrer freiheitlichen und in politischer wie auch in sozialer Hinsicht egalitären Elemente –, mußten folgerichtig alle Untertanen als gleichberechtigte Staatsbürger gelten und alle bloß traditionell begründeten sozialen Unterschiede ihre Berechtigung verlieren.

In diesem Sinne haben sich zunächst alle Kräfte, die auf eine Veränderung der bestehenden politischen und sozialen Ordnung hinarbeiteten, zu den nationalen Bestrebungen bekannt. Demgegenüber schlossen sich die Verteidiger dieser Ordnung noch fester als bisher an die absolutistisch regierten und das alte soziale System schützenden Einzelstaaten an, vor allem wiederum an Preußen und Österreich. Gleichzeitig propagierte man hier nun die Idee einer internationalen Solidarität der »Ordnungsmächte«, der Wortführer des status quo. Ihren konkreten Ausdruck fand diese Idee in der »Heiligen Allianz« der konservativ-monarchischen Regierungen von 1815, gegen die sich dann, in Erkenntnis der Gemeinsamkeit ihrer politisch-sozialen Reformziele, eine Art »Internationale« der nationalen Kräfte – beispielsweise in der Bewegung des »Jungen Europa« – formierte. Einen konservativen Nationalismus hat es demgemäß vor der Jahrhundertmitte kaum gegeben.
Einen neuen Staat, den vom Volk getragenen, parlamentarisch organisierten Rechtsstaat, und eine neue Gesellschaft zu schaffen, die auf der Idee der Rechts- und Chancengleichheit und dem Prinzip der sozialen Gerechtigkeit gründen sollte – das war also zunächst und vor allem das Ziel jener Kräfte, die sich in der nationalen Bewegung nicht nur in Deutschland, sondern in ganz Europa zusammenfanden. Mit größter Aufmerksamkeit und Sympathie verfolgten ihre Vertreter in Deutschland daher auch in der ersten Hälfte des 19. Jahrhunderts die Freiheits- und Einheitsbestrebungen der Spanier und Italiener, der Polen und Griechen, die Reformbemühungen der liberalen Parteien in den schon bestehenden westeuropäischen Nationalstaaten, in Frankreich und England: Denn wo immer in Europa die traditionelle politische und soziale Ordnung ins Wanken geriet, erschien das als ein ermutigender Sieg der eigenen Sache, der den gemeinsamen Gegner schwächte. Dementsprechend hat der teils erfolgreiche, teils vergebliche Freiheitskampf der Spanier, Italiener, Griechen und Polen, haben die Julirevolution des Jahres 1830 in Frankreich und die belgische Revolution vom gleichen Jahr hier wie überall in Europa Wellen des Aufbegehrens gegen die bestehende staatliche und gesellschaftliche Ordnung ausgelöst. Und als sich im Februar 1848 die Pariser Massen unter Führung entschiedener bürgerlicher Liberaler und Demokraten gegen das immer reaktionärer werdende System großbürgerlicher Klassenherrschaft empörten, wie es sich dort nach 1830

entwickelt hatte, da wurde dies auch in Deutschland zum Fanal für die liberalen und demokratischen Kräfte.
Um es scheinbar paradox zu formulieren: bis 1848 war die nationale Frage eine europäische Frage. Nicht nur in dem Sinne, daß auf dem ganzen Kontinent die Völker zum Bewußtsein ihrer Identität erwachten und sich dieser Identität entsprechend in einem Staat zu organisieren suchten, sondern weil die eigentliche Triebkraft der verschiedenen nationalen Bewegungen übernationaler, gesamteuropäischer Natur war: Befreiung aus den politischen, den wirtschaftlichen, den sozialen Fesseln der überlieferten Ordnung, Selbstbestimmung des einzelnen und der »natürlichen« sozialen Gruppen, d. h. jener, die aus freier Verbindung und nicht aus geschichtlich gewordenen hierarchischen Zwangsorganisationen, wie etwa den Zünften, hervorgegangen waren, an ihrer Spitze die größte dieser Gruppen, die alle anderen in einer neuen, überständischen Gemeinschaft zusammenfassen und ihre Freiheit schützen sollte: die Nation. »Was ist die große Aufgabe unserer Zeit?«, notierte Heinrich Heine einmal im Jahre 1828: »Es ist die Emanzipation. Nicht bloß die der Irländer, Griechen, Frankfurter Juden, westindischen Schwarzen oder dergleichen gedrückten Volkes, sondern es ist die Emanzipation der ganzen Welt, absonderlich Europas, das mündig geworden ist und sich jetzt losreißt von dem eisernen Gängelbande der Bevorrechteten, der Aristokratie.« An der Einstellung zu dieser Aufgabe schieden sich jetzt die Geister, nicht mehr an anderen Kriterien, wie beispielsweise der »Nationalität mit ihrer Eitelkeit und ihrem Haß.«
Das, was wir heute gemeinhin unter Nationalismus verstehen, der ebenso irrationale wie militante Glaube an die Überlegenheit des eigenen Volkes und die machtpolitischen Ansprüche, die sich daran knüpfen, wurde von Heine bezeichnenderweise ganz selbstverständlich getrennt von den Bestrebungen jener Kräfte, die sich damals in den verschiedenen nationalen Bewegungen zusammenfanden und die im nationalen Staat vor allem ein Instrument sahen, um ihre politischen und gesellschaftlichen Reformforderungen gegen die Verteidiger des Bestehenden durchzusetzen. Es sollte also auf dem Wege über den Nationalstaat übernational eine neue politische und soziale Ordnung entstehen, wie ja auch die vorrevolutionäre Staats- und Gesellschaftsordnung nicht an einen bestimmten Staat und an eine bestimmte Nation gebunden gewesen war.

»La vita nazionale è lo strumento, la vita internazionale è il fine«, so hat es der geistige Führer der italienischen Nationalbewegung der ersten Hälfte des 19. Jahrhunderts, Giuseppe Mazzini, einmal ebenso präzise wie lapidar formuliert: die Nation, der Nationalstaat solle ein Werkzeug sein zur Arbeit für das Wohl und den Fortschritt der Menschheit.
Von einer ausschließlichen Beschränkung auf die Wünsche und Probleme der jeweils eigenen Nation konnte also bei der frühen Nationalbewegung keine Rede sein und ebensowenig etwa von einer ausgeprägten Bindung an die Interessen einer bestimmten sozialen Gruppe. Im Gegenteil. Da das Bekenntnis zur nationalen Bewegung praktisch identisch war mit dem Bekenntnis zu einer grundlegenden Reform von Staat und Gesellschaft – wobei deren Grundprinzipien in der Tradition der Aufklärung zumeist sehr abstrakt und allgemein formuliert wurden – konnten sich die unterschiedlichsten politischen und sozialen Gruppen in ihr vereinigen. Die nationale Bewegung wurde zu einer Sammlungsbewegung, getragen von zum Teil sehr hochgespannten, ja bisweilen utopischen Zukunftserwartungen.
Bezeichnend für diesen Charakter der frühen Nationalbewegung in Deutschland ist, daß sie ihren Ausgang nahm, einmal, wie schon erwähnt, von den Reichsreformbestrebungen des 18. Jahrhunderts, die auf eine Überwindung des einzelstaatlichen Absolutismus durch das Reich und auf eine stärkere Beteiligung der Regierten am politischen Leben zielten, und zum anderen von den Bemühungen der preußischen Reformer. Diese, der Freiherr vom Stein, Gneisenau, Scharnhorst, Wilhelm von Humboldt, Hardenberg, verstanden sich zwar zuerst als Erneuerer des politischen, des wirtschaftlichen, des sozialen und vor allem auch des geistigen Lebens in ihrem, dem preußischen Staat. Aber sie hatten dabei doch zugleich, wie sie offen bekannten, immer die Nation als ganze vor Augen. Denn eine wirklich durchgreifende Veränderung und Verbesserung der staatlichen und gesellschaftlichen Verhältnisse war ihrer Überzeugung nach nur im nationalen Rahmen möglich, mochte auch Preußen zunächst vorangehen. Waren doch diese Verhältnisse fast überall in Mitteleuropa nahezu die gleichen und ein isoliertes Vorgehen Preußens, zumal angesichts der Zersplitterung seines Territoriums, auf die Dauer kaum erfolgversprechend – eine Ansicht, deren Richtigkeit die nachfolgende Reaktionsperiode in negativer Weise bestätigte. Hinzu kam,

daß die napoleonische Herrschaft in Mitteleuropa allen politischen Reformen im Sinne einer stärkeren Beteiligung der Untertanen am politischen Leben entgegenstand und sich so die Forderung nach einer freiheitlichen und sozialreformerischen Umgestaltung der bestehenden Verhältnisse im Innern unmittelbar verband mit der Forderung nach der Befreiung Deutschlands, der deutschen Nation, von der Fremdherrschaft. Daß diese nach der Befreiung dann wieder, wie im alten Reich, nur womöglich in festerer Form, eine politische Einheit bilden müsse, verstand sich dabei für die Vertreter jener Forderungen von selbst.

Durch die preußischen Reformer hat also die frühe Nationalbewegung in Deutschland zunächst einmal ihre konkrete Zielrichtung erhalten. Mit ihr fügte sie sich zugleich ein in die Bestrebungen aller übrigen Nationalbewegungen in Europa, die nahezu alle im Zeitalter Napoleons geprägt worden waren von der doppelten Erfahrung innerer Unfreiheit und äußerer Fremdherrschaft sowie der Überzeugung, daß dazwischen ein unmittelbarer Zusammenhang bestehe. Dieser Zusammenhang war gerade am Beispiel Preußens besonders deutlich geworden. Unter dem Ansturm der napoleonischen Armeen war der preußische Staat im Jahre 1806 binnen weniger Monate nicht nur in äußerer Beziehung völlig zusammengebrochen. Sehr klar hatte sich hier auch die innere Hohlheit und Brüchigkeit eines nur auf den Adel, auf Bürokratie und Söldnerheer gestützten politischen Systems gezeigt, in dem antiquierte Standesschranken und eine überholte Wirtschaftsordnung zugleich auch alle wirtschaftlich und sozial dynamischen, den materiellen Fortschritt fördernden Kräfte niederhielten. Sollte Preußen fähig werden, das Satellitenverhältnis gegenüber dem napoleonischen Frankreich wieder abzustreifen, sollte der preußische Staat seine Funktions- und Leistungsfähigkeit zurückgewinnen, dann mußte er auf eine ganz neue Basis gestellt werden. Neue wirtschaftliche und soziale, auch neue geistige Kräfte mußten entfesselt und zugleich an den Staat herangeführt werden, um ihn in aktiver Mitwirkung zu tragen. Entfesselt war dabei ganz wörtlich zu nehmen. Sie mußten befreit werden aus den Fesseln der alten Sozialordnung, dem System feudaler Abhängigkeit auf dem Lande, den starren Zunftordnungen in den Städten, dem völlig ungenügenden Bildungswesen, das nur einer schmalen Oberschicht zu einem höheren Ausbildungsstandard verhalf und breite Schichten der Bevöl-

kerung praktisch auf der Stufe des Analphabetentums beließ. Gleichzeig mußten die in ihrer überwiegenden Mehrheit dem politischen Leben fast ganz entfremdeten Untertanen zu mitverantwortlichen Bürgern erzogen werden durch Beteiligung an den politischen Entscheidungen, zuerst im engeren, überschaubaren Raum der Gemeinde, dann aber auch auf der Ebene des Gesamtstaats durch Einführung einer modernen Verfassung. Das aber setzte voraus, daß der Grundsatz der Rechtsgleichheit aller Bürger durchgesetzt wurde. Schließlich mußte auch, im Hinblick auf das Ziel nicht nur der inneren, sondern auch der äußeren Befreiung, das Heerwesen von Grund auf reformiert werden. An die Stelle des von – nahezu ausschließlich adligen – Berufsoffizieren geleiteten Söldnerheeres mußte das auf der allgemeinen Wehrpflicht beruhende Volksheer treten zur Verteidigung des von den Bürgern mitgetragenen und bejahten Staates, wobei zur Führung in dieser Armee, zur Offiziersstellung, nur noch Talent und Leistung, nicht mehr die bloße Herkunft qualifizieren sollten.
Soziale Emanzipation und politische Mitbestimmung – das waren, auf eine Formel gebracht, die leitenden Prinzipien für die Neuordnung von Staat und Gesellschaft, von denen die Reformer bei ihren einzelnen Maßnahmen ausgingen: Gneisenau, Scharnhorst und Boyen bei der Heeresreform, Wilhelm von Humboldt bei der Neuordnung des Schul- und Universitätswesens nach dem Grundsatz der allgemeinen Schulpflicht und der prinzipiellen Gleichheit der Bildungschancen, Stein und Hardenberg bei der Befreiung der bäuerlichen Bevölkerung von der Abhängigkeit von den adligen Grundherren, bei der Festlegung der Gewerbefreiheit und der Freiheit der Berufswahl, bei der Durchsetzung der Idee der gemeindlichen Selbstverwaltung und bei dem, schließlich allerdings gescheiterten, Versuch, der durchgängig reformierten Verwaltung gewählte parlamentarische Kontrollinstanzen zur Seite zu stellen und dies in einer Gesamtstaatsverfassung zu verankern.
Manches hat sich dabei fraglos in der Praxis nicht so ausgewirkt, wie die Reformer hofften, teils weil das Reformwerk insgesamt ein Torso blieb, teils weil man die Konsequenzen eines relativ raschen Vorgehens bei den Agrar- und Wirtschaftsreformen nicht richtig abgeschätzt hatte, in einer Zeit des stürmischen wirtschaftlichen Wandels wohl auch nicht richtig abschätzen konnte. Daher haben sich diese Reformen vor allem im agrarischen Bereich schließlich eher zugunsten der meist

adligen Großgrundbesitzer ausgewirkt, die noch ganz der alten politisch-sozialen Ordnung verhaftet waren, statt, wie beabsichtigt, einen breiten bäuerlichen Mittelstand ins Leben zu rufen. Und auch in der gewerblichen Wirtschaft haben sie, den Tendenzen des sich entfaltenden Kapitalismus entsprechend, mehr den großen Eigentümer und den Unternehmer begünstigt als die mittleren Gewerbetreibenden; in beiden Bereichen entstanden zugleich in verstärktem Maße besitzlose Unterschichten, ein ländliches und ein städtisches Proletariat.
Aber so unerwünscht diese Konsequenzen zweifelsohne waren und so sehr sie, vor allem durch die Stärkung der wirtschaftlich-sozialen und damit zugleich der politischen Stellung des ostelbischen Junkertums, die weitere Entwicklung in Deutschland belasteten – von hier aus auf die Standes- oder Klassengebundenheit der Bestrebungen der Reformer zu schließen, wie das bisweilen geschehen ist, wird ihren eigentlichen Intentionen nicht gerecht. Sicher hat sich der eingeschlagene Weg im nachhinein als in vieler Hinsicht sehr zeit- und situationsgebunden, ja als in manchen Punkten falsch erwiesen. Aber entscheidend für die historische Bewertung muß doch das Ziel als solches bleiben, nicht zuletzt deswegen, weil von ihm und nicht so sehr von den Einzelmaßnahmen die eigentliche Fernwirkung, die fortdauernden Impulse ausgingen. Und dieses Ziel war ganz eindeutig: soziale und das hieß zugleich wirtschaftliche und geistige Emanzipation aller Gruppen des Volkes, Rechtsgleichheit und politische Gleichberechtigung für alle Bürger, fortschreitende Demokratisierung in dem Maße, in dem der Prozeß der Emanzipation selber vorankam.
Das war die Mitgift, die die preußischen Reformer der nationalen Bewegung, die sie selber mit in Gang gebracht und kräftig gefördert hatten, mit auf den Weg gaben. Nie haben die Reformer dabei geleugnet – das hat erst eine spätere, eng nationale Geschichtsschreibung zu tun versucht –, wie stark die Impulse der revolutionären Umwälzung in Frankreich nach 1789, deren Grundsätze für eine politische und gesellschaftliche Neugestaltung auf sie und ihre eigenen Vorstellungen gewirkt hatten, mochte auch der »englische« Weg ruhigerer, aber auf die Dauer gesehen nicht weniger einschneidender Reformen ihnen zu ihrer Durchsetzung der erstrebenswertere erscheinen. Sehr richtig hat Georg Gottfried Gervinus, einer der entschiedensten Wortführer sozialer Emanzipation und politischer Demokratisierung vor 1870, geurteilt: »Preußen ward

seit Steins Verwaltung in den Kreis der Staaten gerissen, die von oben herab durchgreifend reformierten nach Grundsätzen, die die Gesetzgebung ausdrücklich dem Beispiele der französischen Revolution entlehnt zu haben bekannte.«
Gervinus brach in diesem Zusammenhang auch eine Lanze für die gleichzeitigen Reformbestrebungen im deutschen Süden, die, obwohl sie zunächst dem Neoabsolutismus der von Napoleon hier übriggelassenen Fürstenhäuser dienten, doch praktisch in eine ähnliche Richtung wirkten und der hier dann in den folgenden Jahrzehnten besonders starken liberalen und demokratischen und zugleich in dem beschriebenen Sinne nationalen Bewegung den Weg bereiteten. In der Tat haben die ganz vom Geist der Aufklärung geprägten führenden Politiker und Beamten der sogenannten Rheinbundstaaten mit ihrem Kampf gegen die alte soziale Ordnung und für eine Egalisierung der – politisch zunächst freilich noch weitgehend rechtlosen – Untertanen erheblich dazu beigetragen, daß in diesem ehemals völlig zersplitterten und ganz den alten Ordnungen verhafteten Gebiet eine zusammenhängende politische und gesellschaftliche Reformbewegung entstehen konnte. Diese Bewegung stand dabei von vornherein sehr stark unter dem Eindruck der Tatsache, daß größere innenpolitische wie soziale und wirtschaftliche Veränderungen hier erst in dem Augenblick eintraten, in dem eine Vielzahl von kleinen politischen Einheiten zu größeren politischen Komplexen zusammengefaßt wurden. Das hat bewirkt, daß der Gedanke, nur in einer noch umfassenderen politischen Einheit, der nationalen, werde es gelingen, endgültig die Fesseln der traditionellen gesellschaftlichen Ordnung zu sprengen und das überlieferte politische System der Bevormundung abzuschütteln, sich in diesen Gebieten in der Folgezeit noch stärker als im Norden Bahn brach.
Der frühen Nationalbewegung in Deutschland, die sowohl aus den Impulsen der Reichsreformbestrebungen des 18. Jahrhunderts, der preußischen Reformzeit und der gleichzeitigen süddeutschen Veränderungen als auch aus dem Vorbild der französischen Revolution und der besonderen englischen Entwicklung zum parlamentarischen Verfassungsstaat ihre Antriebe erhielt, dieser frühen Nationalbewegung, so kann man zusammenfassend sagen, stellte sich die sogenannte »deutsche Frage« in keiner Weise bloß als das Problem der politischen Vereinigung aller Mitglieder der deutschen Sprach- und Kulturnation dar. Ihr Hauptaugenmerk war vielmehr, wie bei allen na-

tionalen Bewegungen dieser Zeit, zugleich auf jene Fragen gerichtet, die wir heute als rein innenpolitischer Natur betrachten würden: die Umstrukturierung der Gesellschaft, eine grundlegende Veränderung des Wirtschaftssystems, die Reform des Bildungswesens und der politischen Verfassung des Staates. Hierauf konzentrierten sich alle Hoffnungen und Erwartungen, und die Schaffung eines nationalen Staates wurde ganz im Sinne des zitierten Wortes von Mazzini vor allem auch als ein Mittel betrachtet, die Widerstände zu brechen, die sich gegen die angestrebten Veränderungen erhoben und die ganz natürlich in den bestehenden Staatsgewalten, von Ausnahmen abgesehen, ihren stärksten Rückhalt fanden. Ganz konsequent hat sich in diesem Sinne denn auch einer der einflußreichsten Wortführer der politischen und sozialen Reformbewegungen in Deutschland in der ersten Hälfte des 19. Jahrhunderts, der Freiburger Karl von Rotteck, dahingehend ausgesprochen, daß, wenn sich ein einzelner deutscher Staat bereitfinden würde, den Reformforderungen wirklich entgegenzukommen, während gleichzeitig etwa die konservativen Kräfte einen von ihnen bestimmten Staat zu schaffen bereit wären, er ohne Zögern einer freiheitlichen Entwicklung im Einzelstaat den Vorzug geben würde vor einer derartigen nationalen Einheit – was freilich damals eine bloße Konstruktion war: denn die konservativen Kräfte lehnten in dieser Zeit den nationalen Staat aus eben den Gründen ab, aus denen die liberalen und demokratischen ihn erstrebten. Bezeichnend für die damals vorherrschende Auffassung, daß der nationale Staat vor allem auch dazu dienen sollte, die bestehenden politischen und sozialen Strukturen aufzubrechen, ist auch, daß die in der Paulskirche versammelten Revolutionäre von 1848 zunächst alle Aufmerksamkeit auf die Frage der neuzuschaffenden politischen und gesellschaftlichen Ordnung konzentrierten und sich dann erst der »deutschen Frage« im engeren Sinne zuwandten, nämlich welche Staaten und Staatenteile dem künftigen deutschen Nationalstaat angehören sollten.

Sicher, man wird bei all dem nicht übersehen dürfen, daß die nationale Bewegung sich auch in dieser frühen Zeit aus einer Reihe von anderen Quellen nährte. So hat vor allem die unkritische Verherrlichung der eigenen Geschichte und Kultur durch die Romantik, ihr bereits sehr weitgehend irrationaler Kultus der Nation als einer historisch gewachsenen Schicksalsgemeinschaft, der der einzelne zu dienen und der er sich notfalls zu opfern habe, einen antiaufklärerischen und antiindividualistischen Geist in Teile der nationalen Bewegung hineingetragen. Nationale Einheit und nationale Größe drohten hier schon ein Wert an sich zu werden, der das ursprüngliche Ziel einer grundlegenden sozialen und politischen Reform in den Hintergrund rücken ließ, ja, dazu beitrug, daß derartige Reformbestrebungen bisweilen bereits als »undeutsch«, als dem Geist der geschichtlichen Entwicklung der Nation widerstrebend verdächtigt werden konnten. Hier zeigte sich erstmals, daß die nationale Idee, losgelöst aus ihrem ursprünglichen Zusammenhang, auch rückwärtsgewandten, reaktionären Zielen dienstbar gemacht werden konnte. Aber auch auf der äußersten Linken entwickelte sich aus übersteigerten, utopischen Zukunftserwartungen gelegentlich bereits ein missionarischer Glaube an die eigene Nation, der weitgehend irrationale Züge trug. Schließlich ist nicht zu verkennen, daß so sehr gesellschafts- und verfassungspolitische Ziele in der nationalen Bewegung im Vordergrund standen, doch auch schon vor 1848 die Idee einer machtvollen Einheit der Nation auch nach außen, einer besonderen Stellung des geeinten Deutschland im Kreis der europäischen Mächte einen verführerischen Glanz besaß. Nicht zuletzt auch aus dem Gefühl der tiefen Ohnmacht gegenüber dem napoleonischen Frankreich war ja in den ersten anderthalb Jahrzehnten des 19. Jahrhunderts die nationale Bewegung in Deutschland entstanden. Und als im Jahre 1840 die französische Regierung sich anschickte, das alte Ziel wiederaufzunehmen, den Rhein zur politischen Ostgrenze Frankreichs zu machen und dabei von erheblichen Teilen der französischen Öffentlichkeit lebhaft unterstützt wurde, da provozierte dies eine leidenschaftliche nationale Reaktion, die aus dem Gefühl der neuerlichen Ohnmacht gegenüber dem politisch geeinten und militärisch weit überlegenen Frankreich den Wunsch nach einem machtvollen deutschen Nationalstaat sehr in den Vordergrund rückte.

Die sich in dieser sogenannten Rheinkrise zeigende Anfälligkeit der nationalen Bewegung für machtpolitische und machtstaatliche Erwägungen hatte freilich neben den situationsgebundenen auch tiefere Gründe. Sie lassen erkennen, wie die bisher noch weitgehend von recht verschwommen-optimistischen Zukunftserwartungen verschleierte Problematik der »deutschen Frage« nun, zu Beginn der vierziger Jahre, immer deutlicher hervortrat und die verschiedenen Vertreter der nationalen Bewegung zu schwerwiegenden Entscheidungen zwang über die Priorität ihrer einzelnen verfassungspolitischen, sozialen, wirtschaftlichen und auch außenpolitischen Zielvorstellungen. Daher muß gerade hiervon noch etwas eingehender die Rede sein.

Die frühe Nationalbewegung in Deutschland war, wie gesagt, wie überall in Europa vor allem auch eine politische und wirtschaftlich-soziale Reformbewegung, die anknüpfte an die Ziele der französischen Revolution und, im eigenen Lande, an die der preußischen Reformer. Mit Hilfe des neuzuschaffenden nationalen Staates und unter den durch ihn, wie man erwartete, grundlegend veränderten Umständen hoffte die Nationalbewegung, ihre politischen und gesellschaftlichen Neuordnungspläne durchsetzen zu können. Im ersten Anlauf, im Jahr 1815, als nach dem Ende der napoleonischen Herrschaft eine Neuordnung der inneren und äußeren Verhältnisse in Mitteleuropa anstand, war sie nahezu völlig gescheitert. In einigen süd- und mitteldeutschen Staaten waren zwar in den Jahren nach 1815 moderne Repräsentativverfassungen eingeführt worden, die der Reformbewegung eine sehr wichtige parlamentarische Basis schufen. Aber im übrigen triumphierten doch überall die traditionellen politischen und sozialen Kräfte. Auch in Preußen verloren die Reformer ihren Einfluß und ihre Stellungen, und viele ihrer Maßnahmen wurden wieder rückgängig gemacht. Von der Bildung eines nationalen Staates war auf dem Wiener Kongreß bei den entscheidenden Männern keine Rede gewesen. Vielmehr wurde ein sehr lockerer Staatenbund, der Deutsche Bund, geschaffen, der die Souveränität der Einzelstaaten weitgehend unangetastet ließ und dessen einziges Zentralorgan, der Bundestag – ein ständiger Gesandtenkongreß unter dem Vorsitz Österreichs in Frankfurt am Main – nur in Aktion trat, wenn die etablierte Ordnung irgendwo auf dem Gebiet des Bundes ernsthaft bedroht schien. Die Wirksamkeit des Bundes beschränkte sich also nahezu ausschließlich auf Repressionsmaßnahmen gegenüber den neu herandrängenden politischen und sozialen Kräften und ihren Wortführern in den Universitäten, in der Presse, in den verschiedenen Vereinen und Verbindungen. In dieser Hinsicht freilich war sein Wirken, unterstützt von der überwiegenden Mehrheit der Einzelstaaten, über Jahrzehnte hin, bis an die Schwelle des Jahres 1848, sehr erfolgreich. Die nationale Reformbewegung blieb also in dieser ganzen Zeit auf die Zukunft verwiesen, auf den Tag, an dem

ein unvorhergesehenes Ereignis die bisherige Machtkonstellation ins Wanken brachte; nur in den süddeutschen Verfassungsstaaten konnte die Bewegung einige, wenn auch eng begrenzte Erfolge erringen.
Diese von der politischen Situation in den Jahren zwischen 1815 und 1848 erzwungene, nahezu ausschließliche Ausrichtung auf die Zukunft, ohne wirklich bedeutende konkrete Wirkungsmöglichkeit in der Gegenwart, hat dazu geführt, daß nicht nur die Zukunftserwartungen ständig wuchsen, ein gewisser Utopismus Platz griff, sondern auch der Blick für das jeweils politische Mögliche, für die reale Kombinierbarkeit verschiedener Reformvorstellungen und -pläne ungeschärft blieb. Hinzu kam, daß im Zuge der wirtschaftlichen und sozialen Veränderungen, der beginnenden Industrialisierung und Kapitalisierung des Wirtschaftslebens immer mehr Menschen aus der überkommenen politischen und sozialen Ordnung, die starr die alten Zustände zu bewahren suchte, herausdrängten und ihre Hoffnungen auf die nationale Reformbewegung richteten. Damit aber wurden ständig neue Zielvorstellungen in diese hineingetragen, die sich zwar mit ihren sehr allgemein und abstrakt formulierten Grundprinzipien – soziale Emanzipation, Auflösung der Fesseln der alten Ordnung, Beteiligung der Bürger am politischen Entscheidungsprozeß usw. – vereinbaren ließen, deren konkrete Inhalte sich jedoch je länger, je weniger auf den gemeinsamen Nenner eines praktisch realisierbaren politischen Programms bringen ließen. Vor allem die dramatische Zuspitzung der sogenannten sozialen Frage, also der wachsenden Massenarmut und der sozialen Deklassierung der kleinbürgerlichen und kleinbäuerlichen Schichten im Zeichen der wirtschaftlichen Veränderungen, ließ Probleme entstehen, denen die bisherigen geistigen Führer der Reformbewegung nahezu hilflos gegenüberstanden. In dieser Situation wirkte ein Ereignis wie die erwähnte Rheinkrise von 1840 besonders stark. Denn die äußere Bedrohung schweißte die schon bröckelnde Einheit der Reformkräfte wieder zusammen, betonte das bei allen Schwierigkeiten gemeinsame Ziel: einen nationalen Staat zu schaffen, der die Dinge im Innern voranbringen und Schutz nach außen verschaffen sollte, und stimulierte so die alle Gruppen verbindenden Zukunftserwartungen. Es war dies also bereits eine Art Flucht in die Emotionalisierung der nationalen Idee, wie sie sich später in ausgeprägterer Form ja noch häufiger wiederholen sollte.

Die Revolution von 1848 hat dann die verschiedenen Gruppen der nationalen Reformbewegung nicht bloß in gemeinsamer emotionaler Reaktion, sondern in gemeinsamer Aktion, in gemeinsamem Aufbegehren gegen die herrschende politische und gesellschaftliche Ordnung noch einmal aufs engste zusammengeführt und das sie alle Verbindende in den Vordergrund gerückt. Sehr bald aber kam es bei dem Versuch der Neugestaltung dieser Ordnung, der Schaffung eines nationalen Staates durch die Bewegung selber, zumal auch angesichts der Gegenkräfte, die sich diesem Versuch entgegenstemmten, zu einer schonungslosen Offenlegung der Probleme der »deutschen Frage«, in dem weiten Sinne, in dem sie die Wortführer der Bewegung bisher immer verstanden hatten. Hier stellte sich nun ebenso konkret wie unausweichbar die Frage nach den Prioritäten bei ihrer Lösung, eine Frage, von deren Beantwortung nicht nur der Erfolg oder Mißerfolg im Augenblick, sondern der Zusammenhalt der nationalrevolutionären Bewegung und die ganze weitere Entwicklung abhingen.
Lange Zeit hat man den Revolutionären von 1848, insbesondere ihren bürgerlichen Exponenten, vor allem den Vorwurf gemacht, daß sie nicht rasch und entschlossen genug gehandelt hätten, daß sie sich in der ihnen günstigen Zeit, in der der innenpolitische Gegner noch ganz unter dem Schock der plötzlich überall aufgeflammten Aufstandsbewegung stand, in Einzelfragen und Einzelaktionen verzettelt hätten, statt sich zunächst einmal wirklich die Macht zu sichern und die entscheidenden Schlüsselpositionen zu besetzen. Dieser Vorwurf ist sicher nicht ganz unberechtigt. Der Optimismus war, wie man im nachhinein sah, anfangs allzu groß; an einen möglichen Gegenschlag oder gar an ein Scheitern dachte zunächst, angesichts des sofortigen und praktisch widerstandslosen Zurückweichens der alten Regierungen und der sie tragenden Kräfte, kaum jemand, und darüber wurde in der Tat manches versäumt. Aber dies eingeräumt, geht der Vorwurf insgesamt gesehen doch an den eigentlichen Problemen vorbei. Denn neben diesbezüglicher Erfahrung fehlte der nationalen Reformbewegung von Anfang an die erforderliche innere Geschlossenheit für eine konsequente revolutionäre Machtergreifung. Sie verfügte weder in personeller Hinsicht über eine einheitliche und allgemein anerkannte Führung, noch besaß sie, wie gezeigt, ein unmittelbar realisierbares, in den entscheidenden Punkten aufeinander abgestimmtes praktisches politisches Programm. Vielmehr

kristallisierten sich sofort, schon im Vorfeld des revolutionären Aufbruchs, aus der allgemeinen Bewegung die verschiedensten Gruppen heraus, von konstitutionell gesinnten Reformkonservativen über die ganze Breite verschieden akzentuierter liberaler Positionen bis hin zu radikalen Demokraten und unbedingten Wortführern der sozialen Gleichheitsidee. Sie trugen zu der Unzahl der nun zur Lösung anstehenden Fragen die unterschiedlichsten Lösungsvorschläge vor und waren zudem bezüglich der Vorrangigkeit der einzelnen Fragen sehr verschiedener Meinung. In der Verfassungsfrage standen einander gegenüber: Unitarier und Föderalisten, Republikaner und Anhänger einer konstitutionellen Monarchie, engagierte Verfechter des Prinzips der Volkssouveränität, des demokratischen Gedankens und jene, die der Macht schlechthin mißtrauten und allen Nachdruck auf die Sicherung der liberalen Freiheitsrechte und die radikale Beschränkung der Kompetenzen der Staatsgewalt gelegt wissen wollten. In der Agrarfrage rangen die Wortführer einer sofortigen und entschädigungslosen Beseitigung nicht nur aller feudalen Lasten, sondern auch aller sogenannten Obereigentumsrechte über den Grund und Boden mit denjenigen, die nach dem Vorbild der ersten Phase der französischen Revolution und der preußischen Reformer hier behutsamer vorgehen wollten und davor zurückscheuten, in die bestehenden Eigentumsverhältnisse ausschließlich einseitig zugunsten der Bauern einzugreifen, gegen die Grundherren, die durchaus nicht alle im Lager der Reaktion standen, von denen vielmehr manche, insbesondere in Süddeutschland, sogar mit vielen Zielen der Revolution sympathisierten. Bezüglich des künftigen Wirtschaftssystems waren, angefangen von der Forderung nach prinzipieller Beibehaltung der alten gebundenen Wirtschaftsverfassung und Zunftordnung in allerdings revidierter und von den gröbsten Ungerechtigkeiten befreiter Form bis hin zu der Forderung nach völliger Freigabe aller wirtschaftlichen Beziehungen und der kompromißlosen Durchsetzung des freien Konkurrenzprinzips alle Schattierungen und Zwischenlösungen vertreten. Damit auf engste zusammen hing wiederum die soziale Frage, das Handwerkerproblem und das Problem des sozialen Schutzes der Besitzlosen, der Arbeiter im modernen Sinne und aller in einem abhängigen Dienstverhältnis Stehenden. Auch hierbei ging das Spektrum der Meinungen von traditionellen Lösungsvorschlägen über Vorformen sozialstaatlicher Konzeptionen bis hin zur Proklamierung des völlig unbeschränkten Konkurrenzprinzips auch in diesem Bereich. Schließlich trafen auch in der nationalen Frage im engeren Sinne, der Frage der Gebietsabgrenzung und territorialen Struktur des künftigen Nationalstaats, die verschiedenartigsten Programme aufeinander, in die zugleich die unterschiedlichen verfassungspolitischen Vorstellungen verwoben waren: sollten beide deutschen Großmächte, Österreich und Preußen, mit ihrem gesamten Herrschaftsgebiet in den deutschen Staat einbezogen werden oder nur mit ihren überwiegend deutschsprachigen Territorien? Sollte man Österreich ganz herauslassen, weil eine Auflösung der Habsburger Monarchie nach dem Nationalitätenprinzip auf den erbitterten Widerstand nicht nur der Wiener Regierung, sondern auch der meisten Deutsch-Österreicher stieß? Sollte ein großdeutscher Nationalstaat, also mit Einschluß Österreichs, eine unitarische Republik oder ein stark föderalistisch organisierter Bundesstaat sein? Und würde ein kleindeutscher Bundesstaat ohne Österreich nicht unter dem erdrückenden Übergewicht Preußens stehen, wenn man sich nicht zu stärkerer Zentralisierung entschloß, die aber wiederum dem preußischen Staatsinteresse widersprechen und daher wohl nicht durchzusetzen sein würde? Auch über all das gingen die Meinungen von vornherein weit auseinander, nicht nur zwischen den verschiedenen Gruppen und Fraktionen, sondern auch in ihnen selber.

Eben weil die nationale Bewegung von Anfang an nicht ausschließlich auf ein Ziel, die Bildung eines deutschen Nationalstaats, hin ausgerichtet gewesen war, sondern in diesem zugleich ein Instrument für eine grundlegende Neuordnung der politischen und gesellschaftlichen Verhältnisse sah, wurden sofort, als man sich mit dem ersten und in diesem Ausmaß allgemein überraschenden Erfolg der revolutionären Erhebung bereits praktisch im Besitz dieses Reforminstruments zu sehen glaubte, die gegensätzlichen Anschauungen über die konkrete Gestalt der neuen politischen und sozialen Ordnung in aller Schärfe deutlich. Hinzu kam, daß man sich allgemein bewußt war – der hohe Reflexionsgrad der Akteure gehört zu den charakteristischen Merkmalen dieser Revolution, daher wohl auch die zählebige Legende vom »Professorenparlament« – daß eine derartige Staatsneugründung ihrem Wesen nach mit entscheidenden Weichenstellungen verbunden sei, die dann kaum wieder rückgängig zu machen sein würden. In diesem Bewußtsein einer säkularen Entscheidungssituation hat man um jede ein-

zelne Frage der politischen und gesellschaftlichen Verfassung, der künftigen wirtschaftlichen Ordnung und der äußeren Gestalt des nationalen Staats mit großer Leidenschaft, aber zugleich über weite Strecken hin mit bemerkenswerter Bereitschaft zum Kompromiß und zur schließlichen Anerkennung des Mehrheitsvotums gerungen. Freilich war ein solcher Kompromiß oft nur durch Ausklammerung der eigentlichen Streitfragen zu erlangen. Damit aber gingen in der Praxis derartige Kompromisse, vor allem in den Wirtschafts- und Eigentumsfragen, häufig auf Kosten der sozial und wirtschaftlich Schwachen, die auf klare gesetzliche Bestimmungen und auf den Schutz durch das Gesetz mehr angewiesen waren als die anderen. Aber auch auf politischem Gebiet stärkten solche Kompromisse nicht selten die effektiv vorhandenen Machtpositionen, insbesondere die der einzelstaatlichen Regierungen und Monarchen, zuungunsten der revolutionären Institutionen.
Diese problematische Seite der von der Mehrheit der Nationalversammlung betriebenen Kompromißpolitik ist den meisten ihrer Vertreter, wenn überhaupt, erst zu spät zu Bewußtsein gekommen. Das hing zusammen mit einer bestimmten, sehr tiefsitzenden politischen Glaubensüberzeugung. Wie in den Jahrzehnten vor 1848 dominierte auch in der Revolution selber bei den meisten die Vorstellung, nicht für einen bestimmten Stand, eine bestimmte gesellschaftliche Gruppe und deren spezielle Interessen zu sprechen, sondern für eine neu entstehende Gemeinschaft in ihren politischen, aber auch in ihren sozialen und wirtschaftlichen Rechten gleichberechtigter Individuen insgesamt. Daraus leitete man die Verpflichtung ab, die unterschiedlichsten Positionen miteinander zu versöhnen und mit dem Katalog der Grundrechte eine verbindliche Rechtsbasis für alle zu schaffen. Diese Vorstellung war fraglos keine bloße Ideologie im landläufigen Sinne, also ein billiger Deckmantel für eine bewußte massive Interessenpolitik. Aber sie bildete doch eine große Gefahr sowohl für die Erfolgschancen als auch für die Glaubwürdigkeit der nun revolutionär gewordenen Reformbewegung, und man sollte sich davor hüten, diesen Sachverhalt mit Stichworten wie »weltfremder Idealismus« oder »Hingabe an das Gemeinwohl« zuzudecken. Denn sie verstellte mit einem unbewiesenen und unbeweisbaren Dogma, das aus den Theorien der Aufklärung von einer natürlich vorgegebenen politischen und sozialen Harmonie stammte, den Blick auf das, was die in der Revolution immer offener hervor-

tretenden politischen, wirtschaftlichen und sozialen Gegensätze von Tag zu Tag deutlicher werden ließen: daß es eben keine jedermann, die Verteidiger des Bestehenden wie auch die Wortführer grundlegender Veränderungen, Konservative wie Radikale zumindest halbwegs befriedigende Globallösung der anstehenden Probleme geben konnte, daß der Kompromiß, die mittlere Linie, in der gegebenen Situation zu Halbheiten führen und die Revolution selber schwächen mußte. Es war eben nicht möglich, zwischen monarchischem Prinzip und dem Prinzip der Volkssouveränität, zwischen historischen Rechten und dem Grundsatz der unbedingten Rechts- und Chancengleichheit aller Bürger einen Mittelweg zu finden, die Forderungen der Vertreter des einen mit denen der Wortführer des anderen wirklich zu versöhnen. Anders gesagt: Mit dem Versuch einer grundlegenden Neugestaltung der politischen und gesellschaftlichen Ordnung, der geleitet war von dem Bestreben, alle Ansprüche miteinander auszugleichen, lud sich die Mehrheit der Nationalversammlung selber das Problem der Quadratur des Zirkels auf. Das heißt nicht, daß einem solchen Konzept stets und grundsätzlich die Berechtigung abzusprechen ist; als ein auf längere Frist angelegter Perspektivplan kann es durchaus sinnvoll sein, weil der Zeitfaktor hier eine ganz andere Rolle spielt, man Entwicklungen abwarten kann, um dann neu anzusetzen. In einem Augenblick des revolutionären Umbruchs und der drängenden Entscheidungssituation, ständig drohender Rückschläge jedoch, und darauf kommt es hier an, entzieht es den Handelnden die Basis für den möglichen Erfolg. Denn in einer solchen Lage bedarf es in erster Linie eindeutiger praktischer Zielvorstellungen und vor allem einer klaren Bestimmung der Prioritäten. Über beides verfügte die nationale Reformbewegung als ganze 1848 nicht, und sie besaß auch keinen weithin anerkannten geistigen Führer, der ihr, wie Mirabeau 1789 den französischen Revolutionären, ad hoc die konkreten Ziele gesetzt und als vorrangig plausibel gemacht hätte.

Mit der Betonung dieses Sachverhalts soll natürlich nicht in den Hintergrund gedrängt werden, daß das schließliche Scheitern der Revolution auch eine ganze Reihe gewichtiger anderer Ursachen hatte, vor allem die von den Revolutionären zunächst völlig falsch eingeschätzte Stärke der alten Gewalten, verkörpert von großen Teilen des Adels und den unter seiner Führung den alten monarchischen Regimen treu gebliebenen Heeren und Bürokratien; auch die Ungunst der außenpolitischen

Konstellation und Entwicklung spielte eine große Rolle. All dies sucht die Ausstellung anschaulich zu machen. Aber in dem erwähnten Sachverhalt stecken, und deswegen muß er hier besonders betont werden, gerade für die Beantwortung der Fragen, die das Jahr 1871 aus dem Abstand von hundert Jahren gesehen aufwirft, besonders wichtige Elemente.
Ein großer Teil der Revolutionäre von 1848 selber nämlich hat sich nach dem Scheitern der Revolution keineswegs mit der bequemen Formel zufriedengegeben, der politische Gegner sei eben zu stark und die Situation zudem ungünstig gewesen. Die Hauptursache für das Scheitern sahen viele von ihnen vielmehr in den eigenen Illusionen darüber, was möglich war und was nicht, und zwar nicht nur im Hinblick auf die äußeren Umstände, sondern auch im Hinblick auf die eigenen, sehr vielfältigen, in manchem verschwommenen und wenig aufeinander abgestimmten Zielsetzungen. Eine solche selbstkritische Betrachtungsweise nannte man damals, einem weitverbreiteten Schlagwort entsprechend, »realpolitisch« im Gegensatz zu einer allzu unbekümmert auf Idealkonzeptionen hin ausgerichteten Politik – wobei freilich in jener Zeit, in den Jahren unmittelbar nach 1848, damit noch nicht jenes teils zynische, teils resignierende Hinnehmen und Sichanpassen an jede mächtige Realität gemeint war, das sich später hinter dem Begriff sooft verbarg. Vielmehr war damit eben das gemeint, daß man, ohne auf Prinzipien und Ideale zu verzichten, sowohl eine Rangordnung des zu Erstrebenden als auch wirklich praktikable Lösungen einzelner Probleme entwickeln und daß man sich dabei, vor allem bei letzterem, orientieren müsse an den nun einmal vorhandenen Interessen und Machtpositionen.
In dieser Wendung eines großen Teils der nationalen Reformbewegung zu einem sehr betonten Realismus steckten zugleich erhebliche Chancen – die, da sie in der tatsächlichen politischen Entwicklung der folgenden Jahrzehnte kaum zum Tragen kamen, oft übersehen werden – und erhebliche Gefahren. Erhebliche Chancen insofern, als der Verzicht auf eine bloße Prinzipienpolitik und die stärkere Orientierung an den konkreten Problemen der Gegenwart und an den faktisch gegebenen Möglichkeiten in eine Zeit fiel, in der manche der bisherigen Verteidiger der bestehenden Ordnung bis hinauf zu einer Reihe von einzelstaatlichen Monarchen trotz des augenblicklichen Triumphes der Reaktion die Zukunftslosigkeit eines starren Festhaltens an dieser Ordnung einzusehen begannen. Erheb-

liche Gefahren insofern, als die stärkere Orientierung an den machtpolitischen Realitäten und an den Realitäten der wirtschaftlichen und sozialen Interessen die Reformbewegung anfälliger machte für die Verführung durch Teilkonzessionen von seiten der herrschenden Kräfte, die das bestehende politische und soziale System als ganzes nicht in Frage stellten. Denn eine solche Politik der stärkeren Orientierung an der macht- und interessenpolitischen Realität, die manche hochgespannten Zukunftserwartungen in das Reich der Utopie verwies, war zugleich sehr viel stärker auf konkrete Erfolge angewiesen als eine Reformbewegung wie die vor 1848, die die so verschiedenartigen Zukunftserwartungen ihrer Anhänger stets auf den Tag projeziert hatte, an dem eine grundlegende Veränderung der Situation das Handeln erlauben würde.
Als in diesem Sinne anfällig für die Verführung durch Teilkonzessionen erwies sich der realpolitisch orientierte Teil der nationalen Bewegung nach 1848 vor allem auf zwei Gebieten: auf dem wirtschaftlichen und auf dem der nationalen Politik. Im wirtschaftlichen Bereich bestand eine ganz natürliche Wechselwirkung zwischen der stärkeren Interessenorientiertheit der Bewegung und dem wachsenden Druck der Interessenten: der Preis für die klarere Zielsetzung und die daraus resultierende größere Stoßkraft war gerade hier, daß die eigene Anhängerschaft immer nachhaltiger konkrete Fortschritte verlangte, zumal in einer Zeit, in der der stürmische Aufschwung der Wirtschaft im Zeichen der industriellen Revolution die noch bestehenden Fesseln der traditionellen Wirtschaftsordnung als immer störender empfinden ließ. Ähnliches galt auf dem Feld der nationalen Politik: indem man auch hier Realismus predigte und erklärte, zunächst einmal gelte es vor allem, den nationalen Staat zu schaffen unter zeitweiliger Hintenanstellung der anderen Reformziele, da diese erst von der neuen Basis aus zu erreichen sein würden, schob man zugleich dieses begrenztere Ziel sehr in den Vordergrund, ja, trug dazu bei, es in den Augen der eigenen Anhängerschaft zu verabsolutieren, es zu lösen aus dem bisher selbstverständlichen Zusammenhang mit den politischen und sozialen Reformforderungen. In beiden Fällen bestand fortan die Gefahr, daß von seiten der konservativen Kräfte versucht werden würde, die Situation auszunützen und durch eine Politik des begrenzten Entgegenkommens die nationale Reformbewegung entscheidend zu schwächen und einen erheblichen Teil ihrer bisherigen Anhänger ins eigene

Lager zu führen – eine Gefahr, die um so größer war, als sich schon in der preußischen Reformzeit gezeigt hatte, daß wirtschaftlicher Liberalismus und politisch-sozialer Konservatismus durchaus ein Bündnis eingehen konnten, und andererseits die Aufnahme der kleindeutschen Einigungsziele durch die reaktionäre preußische Regierung nach 1848 wie auch das Beispiel Napoleons III. demonstrierte, daß man nationale Ideen sehr wohl auch in den Dienst konservativer Machtpolitik stellen könne. Genau diesen Weg hat dann Bismarck beschritten und auf diese Weise den monarchischen Obrigkeitsstaat und die alte soziale Ordnung erneut, wenn auch in modifizierter Form, befestigt, die zu beseitigen ein Hauptziel der nationalen Reformbewegung war und blieb.

Daß diejenigen, die im Lager der Reformbewegung nach 1848 für eine stärkere Berücksichtigung der macht- und interessenpolitischen Realitäten eintraten und einer diesen Realitäten angepaßten Politik des schrittweisen Vorgehens das Wort redeten, für diese Gefahren völlig blind gewesen seien, wird man nicht sagen können. Sicher hat der wachsende Druck der Interessenten, insbesondere eines Teils des besitzenden Bürgertums, der die nationale Einheit vor allem aus wirtschaftlichen Gründen erstrebte und für die Erfüllung seiner wirtschaftspolitischen Wünsche zu sehr weitgehenden Kompromissen bereit war, erheblich dazu beigetragen, diese Gefahren zu unterschätzen. Und auch das steht außer Frage, daß, so sehr man nun Nüchternheit predigte, die Fülle der Hoffnungen und Erwartungen, die sich seit Jahrzehnten mit der Idee des Nationalstaates verbunden hatte, zu bedenklichen Zugeständnissen geneigt machte. Aber andererseits waren die Chancen der neuen Politik zunächst eben doch sehr viel größer, als es im nachhinein gesehen den Anschein hat. Die damit fraglos verbundenen Gefahren schienen ihren Wortführern in der gegebenen Situation mit einigem Recht nicht so bedrohlich, als daß sie ein starres Festhalten an der bisherigen Politik des Alles oder Nichts gerechtfertigt hätten.

Die politische Konstellation nämlich entwickelte sich anfangs recht günstig. Das System des Deutschen Bundes, das vor 1848 alle weitergehenden Reformen verhindert hatte, war mit der machtpolitischen Konfrontation zwischen seinen beiden Hauptträgern, Österreich und Preußen, unmittelbar nach 1848 wenn auch nicht zerbrochen, so doch durch die auch im weiteren Verlauf nicht mehr zu überbrückende Rivalität zwischen diesen

beiden Mächten praktisch funktionsunfähig geworden. Auf der europäischen Ebene löste sich die dem System des Deutschen Bundes korrespondierende Solidarität der konservativen Großmächte Rußland, Österreich und Preußen praktisch völlig auf, als Österreich sich im Krimkrieg aus Sorge vor einem drohenden Übergewicht Rußlands in Ost- und Südosteuropa auf die Seite der Gegner Rußlands, auf die Seite Englands und Frankreichs schlug. Die erste Folge war, daß sich die Italiener mit Unterstützung Napoleons III. von der Herrschaft des nun ganz isoliert dastehenden Österreichs befreiten und einen liberalen Nationalstaat errichten konnten – ein Vorgang, der die nationale Bewegung in Deutschland außerordentlich ermutigte und zugleich dem Gefühl der internationalen Solidarität der nationalen Bewegung mit allem, was sich damit verband, noch einmal starken Auftrieb verlieh.
Im Inneren der deutschen Staaten verstärkte sich gleichzeitig im Zuge der nun stürmisch voranschreitenden Industrialisierung und einer Phase der langandauernden Hochkonjunktur in den Jahren zwischen 1850 und 1873 das Gewicht der neuen sozialen Schichten erheblich, vor allem des prosperierenden und an Selbstbewußtsein gewinnenden Bürgertums. Mit der jetzt rasch voranschreitenden Verstädterung, der Ausweitung der Märkte, dem Ausbau der Verkehrswege begann sich gleichzeitig der wirtschaftliche und bald auch der politische Einfluß der ländlichen Oberschichten, also des konservativen Adels zu vermindern. Kapitalmarkt, Handel und Industrie wurden für die Staaten immer wichtiger, und ihre Träger gewannen damit ganz natürlich ständig an Einfluß. Parallel dazu wuchs das, wie das Jahr 1848 gezeigt hatte, revolutionäre Potential der besitzlosen Unterschichten laufend an. Es drängte sich damit die Einsicht auf, daß eine Fortführung der bloßen Restriktionspolitik der Jahre vor 1848 binnen kurz oder lang eine neuerliche Explosion heraufbeschwören werde. Eine Reihe von deutschen Monarchen entschloß sich daher seit Ende der fünfziger Jahre, einen politischen Kurswechsel vorzunehmen, an ihrer Spitze und auch zeitlich vorangehend der damalige preußische Prinzregent und spätere preußische König Wilhelm I. Man erklärte, der von den Liberalen geführten nationalen Reformbewegung entgegenkommen zu wollen, und zwar sowohl auf innenpolitischem wie auch auf nationalpolitischem Gebiet. Die Reaktionsgesetze wurden abgebaut, eine Amnestie für jene eingeleitet, die nach 1848 aus politischen Gründen verurteilt

worden waren, neue Männer ins Ministerium und an die Spitze der Verwaltung berufen und Reformvorlagen angekündigt. Der preußische König löste sogleich das Parlament auf und schrieb Neuwahlen aus, die mit einem Triumph der Reformkräfte und mit einer vernichtenden Niederlage für die Konservativen endeten, die ohne die bisherige Wahlhilfe durch die Regierung noch sehr viel schlechter abschnitten, als die andere Seite es selbst in ihren kühnsten Träumen erhofft hatte. Ein neues Zeitalter, eine »neue Ära« schien angebrochen, die Reformbewegung nun bald überall in Deutschland auf friedlichem Wege zum Ziel zu gelangen. Selbst derjenige Staat, der nach 1848 am entschiedensten in die Bahnen des alten Systems zurückgelenkt hatte: die Habsburger Monarchie – in Preußen war die 1848 ausgearbeitete, dann in reaktionär revidierter Form vom König »oktroyierte« Verfassung trotz weiterer Abstriche immerhin doch in Kraft geblieben –, selbst Österreich also konnte sich der allgemeinen Entwicklung nicht entziehen: als letzter deutscher Staat erhielt es 1861 eine Verfassung.

Die Motive freilich, die in diesen Jahren in einer ganzen Reihe von deutschen Staaten zu einem mehr oder weniger ausgeprägten politischen Kurswechsel führten, waren sehr unterschiedlicher Natur. Sie reichten von bloß taktischen Erwägungen der monarchischen Staatsführungen, von dem Versuch also, die alte Ordnung mit neuen Methoden, durch scheinbares Entgegenkommen und geringfügige Konzessionen zu stabilisieren – das war, wie sich schon bald zeigte, sowohl in Preußen als auch in Österreich der Fall –, bis zu dem ehrlichen Entschluß zu einer grundlegenden politischen Neuorientierung; ein Beispiel hierfür lieferte vor allem der Großherzog von Baden, der 1860 die Führer der Opposition an die Spitze der Regierung rief und damit als erster Monarch in Deutschland faktisch das parlamentarische Regierungssystem einführte und anerkannte. Diese Unterschiedlichkeit der Motive wurde natürlich bald offenkundig. Aber trotz der damit verbundenen Ernüchterung blieb man im Lager der Reformbewegung sehr optimistisch: ein Schritt zurück galt als ausgeschlossen, und alle Entwicklungstendenzen, auf dem politischen wie auf dem wirtschaftlich-sozialen Felde, schienen die eigene Sache jetzt eindeutig zu begünstigen. Mit einiger Verspätung, die sich aber wie auch im Falle Italiens aus dem Rückstand der gesellschaftlichen und wirtschaftlichen Entwicklung gegenüber Westeuropa einleuchtend erklären ließ, schien nun Deutschland in der Tat

in friedlichen Bahnen den Weg zu nehmen vom monarchischen Obrigkeitsstaat auf noch halbfeudaler und bürokratisch-militärischer Grundlage zum modernen parlamentarisch regierten Rechtsstaat, der basierte auf den Prinzipien der Rechts- und Chancengleichheit aller Bürger und der individuellen Freiheit. Dieser Weg würde, davon waren die Reformkräfte überzeugt, nicht kurz sein. Dafür waren die vorzunehmenden Veränderungen zu einschneidend. Und dem letztlich utopischen Ziel, alles auf einen Schlag erreichen zu können, hatte man ja eben abgeschworen. Aber gerade in dieser realistischen Einschätzung der Situation und der noch vorhandenen Widerstände werde man ihn – so meinte man – um so sicherer zurücklegen.
All dies hat sich als Illusion erwiesen, und es erhebt sich an dieser Stelle weit drängender noch als bei der Revolution von 1848, wo die Erklärung für das Scheitern sehr viel leichter zu finden ist, die Frage nach den Gründen – eine Frage, die vor allem auch deswegen besonderes Gewicht besitzt, weil sie auf einen Wendepunkt in der deutschen Geschichte zielt, der sich für lange Zeit als entscheidend erwies. Der eigentliche Schauplatz dieser Wende war jener Staat, auf den sich seit dem Umschwung von 1858, dem Beginn der »neuen Ära«, die Hoffnungen der nationalen Reformbewegung vor allem richteten: Preußen. Hier entschied sich das Schicksal des dritten, zunächst so erfolgreich scheinenden Anlaufs der nationalen Bewegung nach 1815 und 1848, zu ihrem Ziel zu gelangen; denn daß die von immer stärker werdenden nationalen Gegensätzen zerrissene Habsburger Monarchie höchstens vom Strom der allgemeinen Entwicklung mitgerissen, nicht aber selbst die Führung übernehmen könne, betrachtete man weithin als ausgemacht, und ebenso, daß das natürliche Gewicht der Staaten des sogenannten Dritten Deutschlands, also Süd- und Mitteldeutschlands, nicht ausreichen werde, den Gang der Dinge entscheidend zu bestimmen, mochte auch hier das Entgegenkommen mancher Fürsten wie des badischen am größten sein.
Daß die erwähnten taktischen Motive bei dem Kurswechsel von 1858, jedenfalls was den preußischen Monarchen und mehrere seiner einflußreichsten Berater anlangte, dominierten, war schon ziemlich bald klar geworden. Aber das hat die nationalen Reformkräfte zunächst nicht sehr beeindruckt. Im Gegenteil. Ein großer Teil von ihnen setzte sich über die Bedenken einer Minderheit, die zu Vorsicht und bedächtigem Handeln riet, hinweg und entschloß sich in der Überzeugung, daß alle Tenden-

zen der Zeit für sie arbeiteten, die Entwicklung nun energisch voranzutreiben und notfalls auch einen Konflikt mit den konservativen Kräften im Staatsapparat nicht zu scheuen. Anlaß zu diesem Entschluß, der seinen äußeren Ausdruck in der Gründung der »Deutschen Fortschrittspartei« Mitte des Jahres 1861 fand, war der von dem hochkonservativen Kriegsminister und vertrauten Berater des Monarchen, Albrecht von Roon, vorgelegte Plan für eine Heeresreform. Dieser verfolgte ganz offenkundig das Ziel, die Armee (die zu jener Zeit die einzige bewaffnete Macht im Staate war, da es eine Polizei im modernen Sinne noch nicht gab) nicht nur erheblich zu verstärken – dagegen hatte auch im Lager der Reformkräfte kaum jemand etwas, da man sich nur zu gut an die faktische Ohnmacht der revolutionären Zentralgewalt von 1848 erinnerte, die über kein Heer verfügte –, sondern sie gleichzeitig zu einem unbedingt ergebenen Werkzeug der Krone zu machen und die Sicherungen zu beseitigen, die die preußischen Reformer gegen einen Mißbrauch, vor allem auch im Innern, in die Heeresverfassung eingebaut hatten. Gegen diese offenkundige Absicht erhob sich von seiten der Reformkräfte sofort der leidenschaftlichste Widerstand. Er wurde getragen von der fraglos völlig richtigen Einsicht, daß es hier darum gehe, wem das Zusammengehen zwischen der liberalen und nationalen Bewegung und der monarchischen Staatsgewalt letztlich diene: der Stabilisierung der traditionellen Herrschafts- und Sozialordnung oder deren grundlegender Veränderung.

Daher entwickelte sich der Konflikt über die Heeresreform auch sogleich zu einem Konflikt über die Verfassung, und zwar nicht nur über einzelne ihrer Paragraphen – sie standen natürlich in der praktischen parlamentarischen Auseinandersetzung im Vordergrund –, sondern über die Verfassung insgesamt, ihre entscheidenden Grundprinzipien. Die zentrale Frage war: wem kam im Konfliktfall die letzte Entscheidung zu, der Krone und der von ihr bestellten Exekutive oder dem Parlament, den gewählten Repräsentanten des Volkes? In diesem Licht haben beide Seiten erklärtermaßen den aktuellen Streitfall gesehen, und es war beiden Seiten ganz klar, um was die Entscheidung ging: fiel sie zugunsten der Volksvertretung, dann war der Weg für die Reformkräfte mit großer Wahrscheinlichkeit endgültig frei, fiel sie zugunsten der Krone, dann konnten jene höchstens hoffen, als treuer Juniorpartner der alten Gewalten im Laufe der Jahre einige begrenzte Konzessionen zu erlangen.

Wie die Entscheidung gefallen ist, ist allgemein bekannt, warum sie so fiel, ist bis heute umstritten. Kritiker wie Lobredner jenes Mannes, der jetzt als preußischer Ministerpräsident die politische Bühne betrat, waren sich lange Zeit darüber einig, daß ihm, Otto von Bismarck, der Hauptanteil, die Hauptschuld, das Hauptverdienst, oder wie immer man es vom jeweiligen Blickpunkt aus nennen mochte, daran zugekommen sei. Das Gewicht seiner Persönlichkeit und seine überlegene politische Taktik hätten den Ausschlag gegeben und die entscheidende Wende herbeigeführt. Dem ist, vor allem in unserer Zeit, entgegengehalten worden, daß eine solche Personalisierung geschichtlicher Entscheidungsprozesse die wahren Zusammenhänge eher verschleiere und die hinter diesen Prozessen wirkenden Kräfte, bewußt oder unbewußt, verdecke. Das ist grundsätzlich fraglos richtig, und auch gemünzt auf den Einzelfall, den sehr häufig anzutreffenden Einzelfall der maßlosen Überschätzung des Wirkens der Einzelpersönlichkeit in der Geschichte, hat ein solcher Einwand unbestreitbar großes Gewicht. Er hat den Blick geöffnet für oft unterschätzte überindividuelle Zusammenhänge, für die wirtschaftlichen und sozialen Bestimmungsgründe des politischen Verhaltens der einzelnen Gruppen und gesellschaftlichen Schichten, für die sich daraus ergebenden Konstellationen und ihren Einfluß auf die einzelnen Entscheidungen. Freilich wird man sich auf der anderen Seite doch auch davor hüten müssen, in Reaktion auf solche Personalisierungen des Geschichtsverlaufs in die Gegenrichtung nun wiederum zu weit zu gehen und alles auf überindividuelle Kräfte zurückzuführen, die die politischen Entscheidungen angeblich weitgehend vorformten, ja vorherbestimmten. Denn daraus ergibt sich letzten Endes entweder ein resignierender Fatalismus: daß alles eben so kommen mußte, wie es kam, oder aber die Neigung, die Verantwortung anonymen Interessengruppen zuzuschieben; und beides ist der nüchternen Beantwortung der sich von der weiteren Entwicklung her aufdrängenden Fragen gleichfalls wenig dienlich.
Fest steht jedenfalls, daß 1862 in Preußen der Konflikt zwischen Krone und Volksvertretung, der Konflikt zwischen dem Exponenten der traditionellen Herrschafts- und Sozialordnung und den neuen, nach Veränderung strebenden politischen und sozialen Kräften einen Punkt erreicht hatte, an dem der regierende Monarch zu resignieren begann. Die Zahl der ihn bedingungslos Unterstützenden war und blieb klein, ja, verminderte

sich in der Krise noch; die Partei der kompromißlosen Verteidiger der alten Ordnung, die Partei der Mehrheit der ostelbischen Junker, hatte bei den letzten Wahlen eine weitere vernichtende Niederlage erlitten und war kaum noch mehr als eine Splittergruppe; die Mehrheit der königlichen Minister glaubte nicht mehr an einen erfolgreichen Ausgang und riet zum Einlenken; und auch der eigene Sohn des Königs, der Kronprinz, mißbilligte offen den Kurs seines Vaters und erklärte sich für den badischen Weg eines wirklichen Zusammengehens zwischen der Krone und den Reformkräften – was um so bedeutsamer schien, als Wilhelm I. bereits über sechzig Jahre alt war; daß er fast neunzig werden sollte und sein Sohn ihn nur um 99 Tage überleben würde, konnte damals niemand ahnen. Wilhelm I. erwog daher, abzudanken und mit diesem dramatischen Akt, der die völlige Kapitulation des alten Systems bedeutet hätte, den Weg für eine grundlegende Neuordnung freizugeben. Die einzige Alternative dazu war, da er weiterhin jeden Kompromiß ablehnte, die Rückkehr zum Absolutismus oder, richtiger gesagt, da dessen geistige und politisch-gesellschaftliche Voraussetzungen längst zerstört waren: eine verfassungswidrige Diktatur auf Zeit.
Das Ergreifen dieser Alternative mit der Berufung Bismarcks erschien fast allen Zeitgenossen als eine Verzweiflungstat, und als ebenso verzweifelt galt die Situation des neuen Ministerpräsidenten; daß er sich länger als einige Monate im Amt würde halten können, nahm kaum jemand an. Auch Bismarck selber gab sich keinerlei Illusionen hin: ein diktatorisches Regime konnte höchstens eine Übergangsphase bilden, während der sich die Regierung bemühen mußte, innenpolitisch eine neue Konstellation herbeizuführen und eine tragfähige Basis zu gewinnen. Dies aber war nur möglich – das hatte die Offenlegung des Stärkeverhältnisses in den vergangenen Jahren nur zu deutlich gezeigt –, wenn man einen Teil der neuen politischen und sozialen Kräfte gewann, also mit neuen Methoden das gleiche Ziel zu erreichen suchte, das Wilhelm I. schon mit dem Kurswechsel von 1858 verfolgt hatte: die traditionelle politische und soziale Ordnung durch taktische Zugeständnisse an ihre Gegner zu stabilisieren.
Die Möglichkeit dazu klar erkannt und mit seiner Politik realisiert zu haben, das war fraglos die ganz individuelle Leistung Bismarcks. Und von hier aus gesehen ist ein Anteil an der so entscheidenden politischen Wende nach 1862 in der Tat außer-

ordentlich gewesen, der bedeutende Einfluß der großen Einzelpersönlichkeit auf den geschichtlichen Prozeß hier also nicht zu leugnen. Auf der anderen Seite hat Bismarck die Voraussetzungen und Bedingungen natürlich nicht selber geschaffen, die ihm diese Möglichkeit einräumten. Hier wirkten Kräfte und innen- und außenpolitische sowie wirtschaftlich-soziale Konstellationen zusammen – von ihnen wird gleich noch zu sprechen sein –, die in vieler Hinsicht überindividueller Natur waren und nicht willkürlich durch einen einzelnen verändert werden konnten. Dies relativiert Bismarcks Rolle wieder und gibt den Blick frei auf von ihm unabhängige Zusammenhänge und Verantwortlichkeiten. Nur wird man gleichzeitig immer im Auge behalten müssen, daß eben die Möglichkeit, die Bismarck so entschlossen ergriff, nur eine von mehreren gewesen ist und Zwangsläufigkeit dem historischen Prozeß nach aller Erfahrung nur von sehr einseitigen und dogmatischen Positionen her zugeschrieben werden kann, die die Antriebe für das Handeln der Menschen auf einige wenige, angeblich entscheidende Faktoren – entweder sozialpsychologische oder wirtschaftliche oder rein geistige – zu reduzieren pflegen.
Von einer sehr entscheidenden Voraussetzung für den Erfolg der Bismarckschen Politik ist schon die Rede gewesen: von der besonderen Anfälligkeit des realpolitisch orientierten Teils der nationalen Reformbewegung nach 1848 für Konzessionen auf wirtschaftlichem wie auf nationalpolitischem Gebiet, die das bestehende politisch-soziale System als ganzes nur wenig veränderten. In diesen Bereichen erwies sich der Druck der eigenen Anhänger und der Interessenten als besonders stark für eine Bewegung, die nach dem Scheitern des großen Anlaufs von 1848 den konkreten, wenn auch zunächst begrenzten Erfolg auf ihre Fahne geschrieben und sich damit gleichsam selber zu einem unter Umständen sehr teuer erkauften Erfolg verurteilt hatte. Hinzu kam, daß, je länger sich Bismarck im Amt zu halten vermochte, immer deutlicher die faktische Ohnmacht der Reformbewegung, das Fehlen jeglicher Mittel, den gegenwärtigen Zustand durch aktives Handeln zu beenden, zutage trat. Der letzte Ausweg eines neuerlichen revolutionären Vorgehens war ihr, wie wir heute wissen, gleichfalls versperrt. Denn es war, was ihre Vertreter richtig erkannten, mehr als fraglich, ob die Massen vor allem der ländlichen, aber auch der städtischen Bevölkerung mitziehen würden: die bäuerlichen Schichten waren dadurch, daß ihnen schon die Regierung der Reaktionszeit

einen großen Teil ihrer wirtschaftlichen Forderungen von 1848 aus taktischen Erwägungen erfüllt hatte, fast ganz ins Lager der Konservativen zurückgekehrt, und in den Städten machten sich im Zuge der wirtschaftlichen Entwicklung zum industriell-kapitalistischen System zunehmende Spannungen zwischen dem Bürgertum und den mehr und mehr zum Proletariat absinkenden sozialen Unterschichten bemerkbar; aus der Idee, diese Spannungen auszunützen und die entstehende Industriearbeiterschaft für den Staat in seiner bestehenden Form zu gewinnen und gegen das Bürgertum politisch zu mobilisieren, resultierten denn auch die Unterredungen, zu denen Bismarck 1863 den Führer der sich bildenden politischen Arbeiterbewegung in Deutschland, Ferdinand Lassalle, einlud.
Der gleiche Vorgang, der hier zu einer Vertiefung der bereits 1848 sichtbar gewordenen Spaltung der nationalen Reformkräfte und damit zu ihrer weiteren Schwächung führte, hat auch bewirkt, daß sich ein Teil des besitzenden Bürgertums, in Sorge vor der sozialen Revolution, mehr und mehr von den Reformzielen abkehrte und Schutz in der bestehenden politischen und sozialen Ordnung suchte. Gerade aber auch diese Gruppe blieb an der nationalen Einigung vor allem aus wirtschaftlichen Gründen aufs höchste interessiert. Dasselbe galt, wenn auch aus ganz anderen Motiven, für die Mehrheit der Vertreter der politischen Arbeiterbewegung, die sich, ganz im Sinne der nationalen Bewegung vor 1848, davon den entscheidenden Durchbruch zu einer grundlegenden Neuordnung der wirtschaftlichen und sozialen Verhältnisse versprach. Darin lag für diejenigen, die sich bemühten, beide Gruppen mit dem Ziel der Errichtung einer neuen politischen und sozialen Gemeinschaft, die dann die Gegensätze auf reformerischem Wege ausgleichen sollte, wieder zu integrieren und damit zugleich die eigene Stoßkraft erneut zu verstärken, die enorme Versuchung, die nationale Einheitsforderung als solche, losgelöst von allen damit ursprünglich zusammenhängenden, nun so strittig gewordenen verfassungs-, sozial- und wirtschaftspolitischen Reformforderungen, ganz in den Vordergrund zu schieben, also zunächst alle Streitpunkte auszuklammern in der stillschweigenden Hoffnung – das wird man für die Mehrheit auch zu diesem Zeitpunkt noch sagen können –, daß der nationale Staat, wie und in welcher Form er erst einmal entstehen mochte, dann doch zu einem tiefgreifenden Wandel der politischen wie der sozialen Verhältnisse führen werde. »Durch Einheit zur Freiheit« – das

war die Formel für dieses Kalkül. Das hat erheblich dazu beigetragen, daß das Ziel der politischen Einigung immer mehr zu einem Eigenwert und damit verwendbar wurde für rein machtpolitische Bestrebungen, aber auch für den Versuch, das alte Herrschafts- und Sozialsystem in einem neuen Rahmen zu stabilisieren. Außerdem war die Notwendigkeit der Verwendung traditionell machtpolitischer Mittel 1848 sehr deutlich geworden angesichts des Widerstands nicht nur der innerdeutschen, sondern auch einer Reihe von europäischen Mächten gegen eine territoriale Veränderung in Mitteleuropa und die damit zwangsläufig verbundene Verschiebung der bisherigen Gewichtsverteilung. Machtpolitik und machtpolitische Methoden waren daher nicht mehr in dem gleichen Maße geächtet wie in den Jahrzehnten vor 1848, und es bestand die zunehmende Neigung, die Frage der Mittel der des Zieles unterzuordnen.
Das waren in groben Strichen die wichtigsten Faktoren, die sich Bismarck zunutze machen konnte, um seine Politik zum Erfolg zu führen. Hauptziel dieser Politik war neben der Sicherung der eigenen Stellung die Befestigung und Ausweitung der Macht des preußischen Staates im Kreis der europäischen Mächte. Innenpolitische Voraussetzung dafür schien ihm die unbedingte Erhaltung des überlieferten monarchisch-bürokratischen Herrschaftssystems und seiner sozialen und wirtschaftlichen Grundlagen, wobei ihm im Gegensatz zu den traditionellen Konservativen zeitgemäße Veränderungen dieser Grundlagen, insbesondere in wirtschaftlicher Hinsicht, durchaus vertretbar erschienen. Es war dies eine Politik, die praktisch in allen Punkten den ursprünglichen Bestrebungen der nationalen Reformbewegung zuwiderlief: selbst das Ziel der Schaffung eines deutschen Nationalstaats hat Bismarck sich erst relativ spät, von 1866 an, ganz zu eigen gemacht; davor stellte sich ihm diese Lösung, die Bildung eines kleindeutschen Staates, nur als eine unter mehreren Möglichkeiten dar, die Macht des preußischen Staates zu erweitern, und auch nach 1866 hat er die nun betriebene nationale Einigungspolitik immer wesentlich unter diesem Aspekt betrachtet.
Die Vertreter der nationalen Reformbewegung haben das wohl gesehen, zunächst schärfer, dann, als die außenpolitischen Erfolge sich häuften, die plötzlich Schritt für Schritt auf den deutschen Nationalstaat zuzuführen schienen, und als Bismarck auf der Höhe des Triumphes, nach dem Sieg über Österreich, seinen innenpolitischen Gegnern versöhnlich entgegenkam, weni-

ger scharf. Aber diejenigen unter ihnen, die sich nicht einfach vom Glanz des Erfolges blenden oder sich nun nur noch von ihren speziellen wirtschaftlichen Interessen, von reinem Opportunismus leiten ließen und die sich doch 1866 entschlossen, Bismarck und seine Politik künftig, wenn auch mit Vorbehalten, zu unterstützen, haben gemeint, Intentionen und praktische Ergebnisse dieser Politik voneinander trennen und Bismarck von der Basis des einmal geschaffenen Nationalstaats aus schließlich überspielen zu können. Dies mag uns heute, nicht zuletzt im Licht der tatsächlichen weiteren Entwicklung, als der pure Illusionismus erscheinen. Wir sind geneigt, denen recht zu geben, die damals in entschiedener Ablehnung verharrten: ein Teil der Liberalen, die ersten Vertreter der entstehenden politischen Arbeiterbewegung und die ursprünglich auch gegen die äußere Form des werdenden deutschen Nationalstaats, gegen den Ausschluß Österreichs protestierenden katholischen Kräfte, jene also, die von Bismarck dann als »Reichsfeinde« verketzert und mit allen ihm zu Gebote stehenden Mitteln bekämpft wurden. Aber dabei ist zu bedenken, ob es tatsächlich so ganz aussichtslos war, nicht in Konfrontation, sondern in begrenzter Kooperation doch noch voranzukommen, nachdem die Entwicklung nun einmal so verlaufen war. Voraussetzung dafür war freilich, daß man sich im Lager der Reformkräfte, der Gegner der mit der Reichsgründung von 1871 noch einmal befestigten alten politischen und gesellschaftlichen Ordnung, darüber verständigte, wo in den einzelnen Fragen der gemeinsame Nenner zu finden sei und welchen Bereichen die Aufmerksamkeit vornehmlich gebühre, wo Lösungen am dringendsten seien. Das ist nicht geschehen. Die Unterschiedlichkeit der Interessen und der dogmatischen Grundpositionen hat die einzelnen Gruppen immer weiter auseinandergerissen. Das hat es dem monarchischen Obrigkeitsstaat erleichtert, sich zu behaupten und die alten gesellschaftlichen Strukturen, die der politischen Demokratisierung und sozialen Emanzipation entgegenstanden, noch einmal zu befestigen, vor allem durch Einbeziehung jener Gruppen, die sich, wie das industrielle Großbürgertum, aber auch Teile des Mittelstandes, durch den Gang der wirtschaftlichen und sozialen Entwicklung in ihrer Stellung bedroht fühlten.

Nicht 1871, das Jahr der Reichsgründung, ist hierfür das entscheidende Datum, sondern die Zeit zwischen 1878 und 1880. In ihr fand der deutsche Nationalstaat mit der Kampfgesetz-

gebung gegen die politische Arbeiterbewegung, mit der Vollendung des Bündnisses zwischen der ostelbischen Großlandwirtschaft und der Großindustrie, mit der allgemeinen politischen Mobilisierung der wirtschaftlichen und sozialen Interessengegensätze im Zeichen einer langandauernden wirtschaftlichen Krisensituation für Jahrzehnte seine endgültige Gestalt. Nicht allein die Macht der Umstände und die unleugbare institutionelle und personelle Stärke der etablierten Regierungsgewalt, die mit äußerstem Geschick agierte, waren dafür verantwortlich, sondern nicht minder die innere Schwäche und Zersplitterung jener Kräfte, die einst gemeinsam einen neuen Staat und eine neue Gesellschaft in Deutschland hatten schaffen wollen und die nun, gefesselt von klassenkämpferischen Ideologien und egoistischen Gruppeninteressen, keine gemeinsame Basis mehr finden konnten und sich nicht mehr über die vordringlichen Aufgaben zu verständigen vermochten.
An dieser Stelle münden die »Fragen an die deutsche Geschichte« zugleich in Fragen an die deutsche Gegenwart: das deutsche Reich von 1871 ist verschwunden, die Bedingungen und Voraussetzungen, die bewirkt haben, daß es in dieser in vieler Hinsicht unbefriedigenden Form entstand, existieren gleichfalls nicht mehr oder doch nur in sehr beschränktem Umfang, die speziellen Probleme, die es aufgab, haben sich erledigt. Geblieben aber ist die Frage, wie man unter den gegebenen Umständen zu einer Lösung der »deutschen Frage«, in ihrem ursprünglich von der nationalen Reformbewegung gemeinten Sinne, gelangen könne, die im Innern eine zeitgemäße gesellschaftliche Ordnung verbindet mit den Grundprinzipien individueller und politischer Freiheit und die sich nach außen einfügt in ein auf friedliches Zusammenleben ausgerichtetes System des Neben- und Miteinander der Staaten und Völker. Irgendwelche Rezepte dafür kann, noch einmal sei es wiederholt, die Geschichte nicht liefern, und eine vorwiegend emotionale Orientierung an der eigenen Vergangenheit, und sei es auch an Gegenbildern wie den Bestrebungen von 1848, ist eher problematisch. Wohl aber mag die nüchtern-kritische Befragung der Geschichte der »deutschen Frage« eine Darlegung ihrer Probleme und der verschiedenen Lösungsversuche durch das Medium einer Ausstellung dazu beitragen, manche Illusionen zu zerstören über das, was möglich ist und was nicht, und so dem einzelnen wie der Gemeinschaft helfen, die Prioritäten klarer zu erfassen und aktiv zu bestimmen.

Raum I

Politischer Aufbruch und Wiener Kongreß

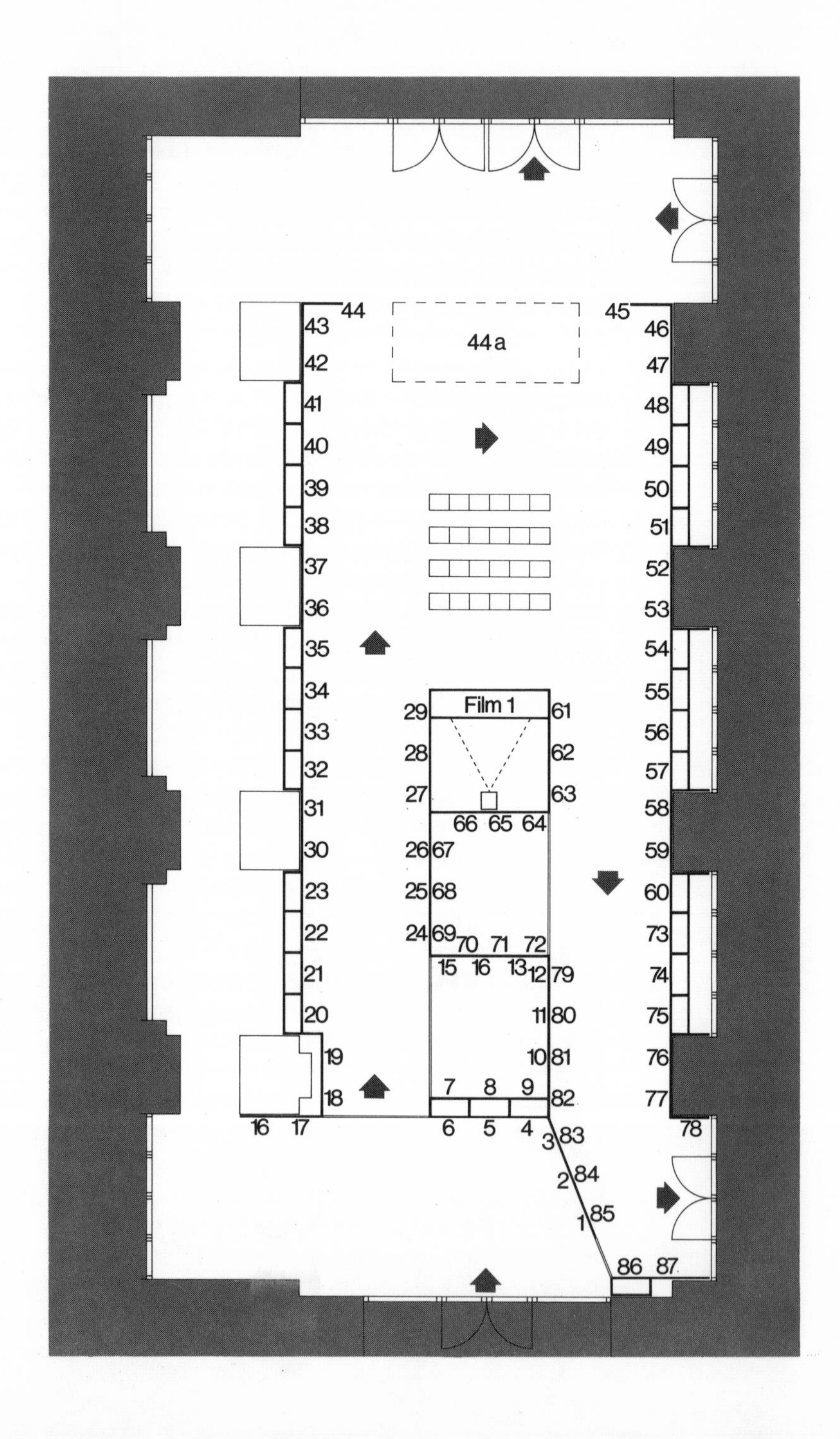

44
43
42
41
40
39
38
37
36
35
34
33
32
31
30
23
22
21
20
19
18
16
17
44 a
45
46
47
48
49
50
51
52
53
54
55
56
57
58
59
60
73
74
75
76
77
78
Film 1
29
28
27
61
62
63
66 65 64
26 67
25 68
24 69
70 71 72
15 16 13 12 79
11 80
10 81
7 8 9 82
6 5 4
3 83
2 84
1 85
86 87

Das Reich von 1871, von oben her gegründet mit den alten Mitteln der Kriegführung und der Diplomatie, ist dennoch in seiner Entstehung nicht zu denken ohne das jahrzehntelange Streben des deutschen Bürgertums nach politischer Emanzipation und nationaler Einigung. Daher muß zunächst gefragt werden nach den Voraussetzungen und Anfängen der deutschen Nationalbewegung. Sie reichen zurück bis ins ausgehende 18. Jahrhundert. In dieser Zeit hatte sich das Bürgertum im benachbarten Frankreich bereits zur Nation erklärt, durch die Revolution von 1789 alle Standesschranken beseitigt und die politische Gleichheit der Bürger in einer Verfassung verankert. Verglichen mit dem revolutionären Nationalstaat Frankreich wirken die politischen und sozialen Verhältnisse in Deutschland hoffnungslos anachronistisch.

Das »Heilige Römische Reich Deutscher Nation«, zersplittert in Hunderte von Territorien, ist nur ein loser Staatenbund, dem jede politische Zentralgewalt fehlt. Deutschland – das sind die Fürsten und ihre absolutistisch regierten Untertanen. Während die alte Reichsidee nur noch in kleineren Territorien und bei einigen Staatsrechtlern lebendig bleibt, wird die politische Situation im Reich weitgehend bestimmt vom Gegensatz der beiden Großmächte Preußen und Österreich.

Im Innern der Staaten hemmen starre Standesschranken zwischen Adel, Bürgern und Bauern die soziale und wirtschaftliche Entwicklung. Ein politisches Nationalbewußtsein fehlt den unmündig gehaltenen Untertanen ebenso wie den dynastische Interessenpolitik treibenden Fürsten. Nur im geistigen Leben bildet sich in der zweiten Hälfte des 18. Jahrhunderts ein Bewußtsein gemeinsamer Nationalkultur heraus, das Schiller in die Worte faßt: »Deutsches Reich und deutsche Nation sind zweierlei Dinge ... indem das politische Reich wankt, hat sich das geistige immer fester und vollkommener gebildet.«

Weil ein starkes Bürgertum im wirtschaftlich noch unterentwickelten Deutschland fehlt, bleibt die französische Revolution trotz erheblicher intellektueller Auswirkungen in Deutschland zunächst fast ohne konkrete politische Folgen. Die Revolutionskriege enthüllen die Schwäche der alten politischen und sozialen Ordnung. Unter dem Ansturm der französischen Revolutionsarmeen brechen die absolutistisch regierten Staaten zusammen, die Großmächte Preußen und Österreich werden besiegt, und nach der territorialen Neuordnung Deutschlands durch Napoleon wird das Reich 1806 aufgelöst.

In dieser Stunde der vollständigen Niederlage setzt sich bei einigen wenigen die Erkenntnis durch, daß die Ursache der Katastrophe vor allem in der tiefen Kluft zwischen Staat und Gesellschaft zu suchen ist. Soziale Reformen werden zur politischen Notwendigkeit. Eine auf Freiheit und Gleichheit gegründete bürgerliche Gesellschaft soll zum neuen Fundament des Staates werden und die Befreiung des Vaterlandes ermöglichen. Durch staatliche Reformen will man die politische Emanzipation des Bürgers einleiten und sein Interesse am Staat und an der Nation wecken.
Kurz bevor er 1807 zum leitenden preußischen Minister berufen wird, bezeichnet der noch vom Reichspatriotismus geprägte Freiherr vom Stein als Ziel der Sozialreformen: »Die Belebung des Gemeingeistes und Bürgersinns, die Benutzung der schlafenden oder falsch geleiteten Kräfte und der zerstreut liegenden Kenntnisse, der Einklang zwischen dem Geist der Nation, ihrer Ansichten und Bedürfnisse, und denen der Staats-Behörden, die Wiederbelebung der Gefühle für Selbständigkeit und National-Ehre«.
Hier zeigt sich schon der Zusammenhang zwischen dem sozialreformerischen und dem nationalen Gedanken. Die Forderung nach einer repräsentativen Verfassung ist die Konsequenz. Nach dem Willen der preußischen Reformer sollte denn auch ein »repräsentatives System« eingeführt werden, »welches der Nation eine wirksame Teilnahme an der Gesetzgebung zusichert, um hierdurch den Gemeinsinn und die Liebe zum Vaterland dauerhaft zu begründen«. Die Nichterfüllung dieses Versprechens durch die reaktionäre Politik nach 1815 mußte der preußischen Sozialreform die politische Spitze abbrechen. Schon bald zeigen sich auch soziale Schattenseiten der Reform: zahlreiche Bauern und Handwerker werden Opfer der liberalen Wirtschaftsordnung und verarmen. Bildung und Besitz bleiben das Privileg einer schmalen Schicht.
Die Sozialreformen in den napoleonisch beeinflußten Rheinbundstaaten ähneln äußerlich den preußischen Reformen, sind aber auf ein anderes Ziel gerichtet. Es werden ebenfalls die Standesschranken aufgehoben, die Wirtschaft modernisiert und die Gleichheit der Bürger vor dem Gesetz gesichert. Aber es werden zunächst keine politischen Rechte gewährt, die Reformen dienen primär der Errichtung einer zentralistischen Verwaltung. Da in Preußen das versprochene Repräsentativsystem dann jedoch ausbleibt, ein solches hingegen in den süddeut-

schen Staaten nach 1815 eingeführt wird, schreitet hier die politische Emanzipation im Vormärz weiter fort als in Preußen. Österreich verharrt noch ganz im absolutistischen System.
Die nationalen Impulse der preußischen Reformer fallen – nicht zuletzt wegen der drückenden französischen Besatzung – auf fruchtbaren Boden. Männer wie Fichte und Arndt haben durch ihre Schriften wesentlichen Anteil an der Entstehung eines neuen politischen Nationalbewußtseins und bereiten die Erhebung gegen die napoleonische Herrschaft vor. Dabei fehlt es auch nicht an nationalistischer Übersteigerung und elementarem Haß gegen die Eroberer, wie sie sich etwa in Kleists »Hermannschlacht« zeigen. Das erstarkte Nationalgefühl nutzen die Fürsten im Befreiungskrieg zu einem kurzfristigen Bündnis zwischen Krone und Volk.
Nach der nationalen Selbstbestätigung durch den Sieg über die napoleonischen Armeen werden die Hoffnungen der Patrioten enttäuscht. Auf dem Wiener Kongreß bestimmen wiederum allein die Interessen der Fürsten die Neuordnung Deutschlands. Wie in den meisten Einzelstaaten gibt es auch beim Deutschen Bund keine Vertretung des Volkes. Nicht ein Nationalstaat, sondern ein lockerer Fürstenbund wird in Deutschland geschaffen. Sein Hauptziel wird die Verfolgung aller liberal und national Gesinnten, die es auch nach dem Sieg der Reaktion noch wagen, Verfassungen, Nationalvertretung und Pressefreiheit zu fordern. Außenpolitisch ist der Deutsche Bund mit seinen größten Gliedstaaten in das System der Heiligen Allianz und der Pentarchie eingespannt, das gleichfalls für die Zementierung der überlieferten politischen und sozialen Verhältnisse eintritt. Die Monarchen bleiben die alleinigen Souveräne. Durch die Sozialreformen zwar wirtschaftlich erstarkt, steht das Bürgertum im Kampf um politischen Einfluß noch am Anfang.

Das Alte Reich (Tafel 1–36)

Tafel 1–6 und 18–29

Die Verfassung des Alten Reiches

»Das Römische Reich wäre ohnstreitig noch jezo die formidabelste Potenz von ganz Europa, wenn dessen Stände, fürnehmlich aber die mächtigsten, einig wären und mehr auf das gemeine Beste als auf ihr Privat-Interesse sähen«, schreibt 1745 der deutsche Staatsrechtler Johann Jacob Moser. In der Tat sind die Zersplitterung des Reiches in Hunderte von kleinen, fast autonomen Herrschaftsgebieten, das Gegeneinander der Kurfürsten, Fürsten, Reichsritter und Reichsstädte und der ständige Streit zwischen katholischen und evangelischen Reichsständen die eigentliche Schwäche des »Heiligen Römischen Reiches Deutscher Nation«. Anders als die stärker zentralisierten europäischen Nachbarstaaten ist das Reich nur ein lockerer Bund selbständiger Partikulargewalten. Nach innen herrschen die meisten Reichsfürsten unumschränkt. Nach außen treten sie wegen ihrer sich überschneidenden Interessen nur selten geschlossen auf.

Tafel 4–6

Zentrale Institution des Reiches und äußerer Ausdruck seiner fortdauernden Einheit ist das Kaisertum. Längst jedoch beruht die Macht des Kaisers nur noch auf seiner Stellung als Herrscher über die Habsburgischen Erblande. Darüber täuschen weder der Glanz der mittelalterlichen Reichsinsignien hinweg noch die feierliche Kaiserkrönung in der Freien Reichsstadt Frankfurt *(Kat. Abb. I und 1)*.

Ein Blick auf die Karte Europas am Vorabend der Französischen Revolution *(Kartennische)* zeigt die bunte Vielfalt der Territorien des Reiches. Mehr als 1790 selbständige Herrschaftsgebiete machen ein gemeinsames politisches Handeln fast unmöglich. Allein in einem so kleinen Gebiet wie dem schwäbischen Reichskreis drängen sich 92 Herrschaften und Reichsstädte. Den Territorien fehlt darüber hinaus oft die staatliche Geschlossenheit, weil – wie z. B. beim Erzstift Mainz – die einzelnen Besitzungen über das ganze Reich verstreut sind. Ein umfangreiches und einigermaßen geschlossenes Herrschaftsgebiet besitzen allein die Großmächte Österreich und Preußen, deren Territorien sich überdies weit über die Reichsgrenze hinaus erstrecken.

Tafel 18/19

Seit 1663 tagt in Regensburg bis zum Ende des Reiches 1806 ein »immerwährender Reichstag« *(Kat. Abb. 2, 3)*. Er ist eine

Versammlung von Gesandten der drei Reichsstände, der Kurfürsten, Fürsten und Reichsstädte, die getrennt nach Konfessionen und nach Ständen über die Reichsangelegenheiten beschließen. Den nominellen Vorsitz führt der Kaiser, der an die Beschlüsse des Reichstags gebunden ist. Der Gang der Verhandlung ist schleppend, weil die Gesandten stets die Instruktionen ihrer Herren einholen müssen. Außerdem lassen sich die Interessen der einzelnen Staaten und Stände nur selten auf einen gemeinsamen Nenner bringen. So schwindet die reale Bedeutung des Reichstags immer mehr. Nicht er, sondern das Verhältnis zwischen den Großmächten Österreich und Preußen entscheidet mehr und mehr über das Schicksal des Reiches.

Tafel 20

Die Schwäche des Reiches zeigt sich auch im Fehlen zentraler Reichsinstitutionen. Es gibt keine Exekutivbehörden, keine allgemeine Reichssteuer und kein ständiges Reichsheer. Im Kriegsfall kann der Reichstag die Aufstellung eines Reichsheeres beschließen. Aber die Fürsten halten sich nicht immer an die Beschlüsse und entsenden nur unregelmäßig ihre festgelegten Truppenkontingente und Hilfsgelder. Johann Jacob Moser bemerkt ironisch, die Gebrechen des Reichsheeres seien so groß, daß man dem Reich besser jede Kriegführung verbieten sollte. Die Wahrheit dieses Wortes erweist sich in der kläglichen Rolle, die die Reichstruppen in den Kämpfen gegen das revolutionäre Frankreich spielen.

Tafel 21

Die rechtliche Reichseinheit wird durch die beiden obersten Reichsgerichte verkörpert: den Reichshofrat in der Wiener Kaiserresidenz und das Reichskammergericht in Wetzlar *(Kat. Abb. 4)*. Bekannt ist die Klage Goethes – der wie viele junge Juristen Praktikant am Reichskammergericht war – über die Schwerfälligkeit des Rechtsverfahrens in Wetzlar. Einzelne Prozesse ziehen sich über mehr als hundert Jahre hin, weil es dem Gericht bei einer Überfülle von Berufungsverfahren ständig an Geld und Personal mangelt. Dennoch können die Reichsgerichte einen gewissen Schutz gegen die Willkür der Fürsten bieten. Als etwa Johann Jacob Moser, der die Rechte der württembergischen Stände gegen die Ansprüche des Monarchen verteidigt, von Herzog Karl Eugen inhaftiert wird, bewirkt 1764 ein Reichshofratsspruch seine Freilassung.

Tafel 22

Eine der wenigen noch funktionsfähigen Einrichtungen des Reiches ist die Reichspost. Überall ist der doppelköpfige Reichsadler an Poststationen und Postkutschen zu sehen *(Vitrine und Kat. Abb. 5)*. Die kaiserliche Post, als Reichsregal erblich in der

Hand der Fürsten von Thurn und Taxis, besorgt sowohl den Post- als auch den Personenverkehr. Doch Staaten wie Preußen und Sachsen ist es bereits gelungen, sich dem Monopol der Reichspost zu entziehen und auch auf diesem Gebiet durch ein eigenes Postwesen unabhängig zu werden.

Tafel 23

Obgleich das Reich in seiner Gesamtheit fast handlungsunfähig ist, wird es doch von den Zeitgenossen nicht nur als absterbende Institution betrachtet. Besonders die kleinen und schwachen Reichsglieder sehen in ihm einen Schutz gegen die Willkür der Großen. Reichsrechtslehrer wie Pufendorf, Pütter, Johann Jacob Moser und sein Sohn Friedrich Karl von Moser *(Kat. Abb. 6–9)* halten grundsätzlich an der Reichsidee fest. Sie wollen mit Hilfe des Reiches politische Reformen durchsetzen. In diesem Sinne berufen sich später viele Liberale auf den »Reichspatriotismus«.

Tafel 7–15
und 30–36

Die wirtschaftliche und soziale Ordnung des Alten Reiches

Verglichen mit England und Westeuropa ist Deutschland am Ausgang des 18. Jahrhunderts in seiner wirtschaftlichen und sozialen Entwicklung weit zurück. Die mittelalterliche Wirtschafts- und Sozialverfassung ist hier noch fast ungebrochen in Kraft und damit die strenge Gliederung der Gesellschaft nach Ständen. Bauerntum, Bürgerstand und Adel heben sich, auch in Sprache, Tracht und »Sitte«, scharf voneinander ab. Die einzelnen Stände sind noch einmal untergliedert in genau abgegrenzte soziale Gruppen: in Grafen, Reichsritter und Landadel, in Patrizier und Zunftbürger, Meister und Gesellen, freie, halbfreie und leibeigene Bauern.

Den stärksten Anteil der Bevölkerung stellen die Bauern — vier Fünftel der Einwohner des Reiches leben auf dem Lande. Dort herrschen noch fast uneingeschränkt die feudalen Abhängigkeitsverhältnisse von Guts-, Grund- und Gerichtsherrschaft, die dem Adel die einflußreichsten Positionen in der Gesellschaft sichern. In den Städten dominiert das in Zünften organisierte Handwerk. Es beharrt auf seinen Privilegien und hemmt damit die freie Entfaltung des wirtschaftlichen Lebens. Zugleich behindert die territoriale Zersplitterung den Warenaustausch. So gibt es neben dem alten Stadtbürgertum, dem Patriziat und der in Zünften organisierten Handwerkerschaft, ein neues Manufaktur- und Handelsbürgertum erst in Ansätzen. Zum Träger der aufklärerischen Ideen wird daher, anders als in Frankreich, vor allem die an Höfen und Universitäten wirkende Beamtenschaft: sie repräsentiert das neue, noch kaum vorhandene »Bürgertum«.

Tafel 7—15

1746 klagt ein aufgeklärter Zeitgenosse über die ständische Zerrissenheit im Alten Reich, »... wo unter den verschiedenen Ständen und Klassen der Einwohner keine Gemeinschaft sei; wo der hohe Adel nichts mit dem geringeren, der geringere nichts mit dem neueren, dieser nichts mit den Bürgern, die Bürger mit den Bauern nichts Gemeinschaftliches haben, wo einer den andern ausschließt, vermeidet, wo jeder einen Stand für sich ausmacht und in seinem Kreise bleibt.« Und ein anderer: »... es hatte das Aussehen, als wohnten verschiedene Nationen gemischt untereinander.« Nicht die individuelle Leistung, sondern die Zufälligkeit der Geburt entscheiden über die soziale und politische Stellung des einzelnen: man wird in einen Stand hineingeboren, dem man dann lebenslang zugehört.

Tafel 31

Die schärfste gesellschaftliche Trennung herrscht zwischen dem Adel und den anderen Gruppen: »Die Scheidewand, welche die Gesetze und Gewohnheiten zwischen dem Adelsstande und dem unadligen gemacht haben, ist unter den Absonderungen, die sich jetzt unter den Menschen in der bürgerlichen Gesellschaft finden, die größte und wesentlichste.« Das Allgemeine Landrecht für die preußischen Staaten definiert den Adel als den ersten Stand des Staates, dem »die Verteidigung des Staates sowie die Unterstützung der äußeren Würde und inneren Verfassung desselben« vorbehalten bleibt. Der Adel hat daher Anrecht auf die Besetzung der Schlüsselpositionen bei Hof, in Heer und Verwaltung. Diese Vorrangstellung behauptet der Adel vor allem aufgrund seines Landbesitzes und der damit noch verbundenen Herrschaftsrechte.

Tafel 32

In den westlichen Teilen des Reiches überwiegt die Grundherrschaft; die Bauern sind dem Feudalherrn abgabepflichtig. Aus dem Mittelalter hat sich ein kompliziertes System von Geld- und Naturalabgaben erhalten. In den ostelbischen Gebieten dagegen bewirtschaftet der Adel seine Güter selbst, die Bauern sind ihm »erbuntertänig«, sie sind als »arbeitendes Zubehör« an den Boden gebunden. In der Gutsherrschaft sind die Leibeigenen zu Frondiensten gezwungen. Der kleine Bauer muß Handdienste leisten; hat er ein Gespann, muß er auch dieses den größten Teil des Jahres der gutsherrlichen Wirtschaft zur Verfügung stellen. Es bleibt ihm kaum Zeit, sein vom Gutsherrn an ihn »ausgetanes« Vorwerksland zu bearbeiten. Seine Kinder dienen als Knechte und Mägde. Sein Dorf untersteht der gutsherrlichen Gerichtsbarkeit *(Vitrine).* Der Bauer ist dem Züchtigungsrecht des Gutsherrn unterworfen *(Kat. Abb. 10).*

Tafel 33

Im Krieg untersteht der Bauer dem adligen Offizier als gemeiner »Cantonist« *(Vitrine).* Im Heer gilt er durchweg als »prügelbare Kanaille«. Die Disziplin der preußischen Heere beruht zum guten Teil auf drakonischen Prügelstrafen und auf Grundsätzen wie dem, daß der Soldat seinen Unteroffizier mehr zu fürchten habe als den Feind *(Kat. Abb. 11).*

Tafel 34

In den meist kleinen Städten des Reiches haben die Zünfte ihre Macht noch nicht verloren *(Vitrine).* Die Zunftordnung unterbindet den freien Wettbewerb und damit eine Voraussetzung der weiteren wirtschaftlichen Entfaltung. Jeder Zunftmeister darf nur eine begrenzte Menge von Rohstoffen mit einer bestimmten Anzahl von Gesellen verarbeiten. Besonders in den Residenzstädten mit ihrem erhöhten Verbrauch an Luxusgegenständen hat sich nach dem strengen Zunftprinzip eine geradezu groteske Form der Arbeitsteilung herausgebildet: Strumpfstricker, Knopfmacher, Gürtler, Bortenwirker — sie alle sind spezialisiert auf ein bestimmtes Produkt und wachen eifersüchtig darüber, daß ihnen niemand ins Handwerk »pfuscht« *(Kat. Abb. IV und 12).*

Tafel 35

Bei den eingeschränkten Bedürfnissen der Menschen und der entsprechenden Produktionsweise ist eine Versorgung mit den wichtigsten Gebrauchsgütern noch im lokalen Umkreis möglich. Der Handel ist weitgehend noch Fernhandel mit Gütern des gehobenen Bedarfs. Territoriale Zersplitterung und ein kompliziertes System verschiedenster Zölle und Abgaben behindern den freien Warenverkehr. So wird in Preußen an jedem Stadttor eine »Akzise«, eine direkte Verbrauchersteuer, erhoben: auf 1 Dutzend »gefärbte Bast-Hüte für Damen« kommen 4 Gr. 6 Pf.; wer »Heringe, neun bis zwölf Stück im Fäßchen« essen will, muß 6 Pf. für Steuer zulegen. Zudem gibt es im ganzen Reich unterschiedliche Maß- und Münzsysteme *(Vitrine).* Kurz: ein dirigistischer Staat reglementiert das Wirtschaftsleben. Das Handelsbürgertum verlangt die Beseitigung dieser Fesseln.

Tafel 36

I (Abb. rechts) Krönung Leopolds II. am 9. Oktober 1790

Obgleich die städtische Zunftordnung eine Vergrößerung der Werkstätten behindert und die Agrarverfassung den freien Zustrom von Arbeitern vom flachen Lande unmöglich macht, setzt sich die manufakturmäßige Produktion am Ende des 18. Jahrhunderts zunächst in der Textilindustrie allmählich durch. Die

II Schlacht bei Jena und Auerstedt am 14. Oktober 1806

III Einzug Napoleons in Berlin am 27. Oktober 1806

10.

gezeichnet von A. Gabler — gestochen von G. Vogel. N.

Der Schlosser.

11.

A. Gabler Del.

Der Schriftgieser.

a. Die eine Haelfte des Schriftgieser Instruments. b. Ein fertige Letter. c. die Matrice. d. das Beschblech.

14.

Der Kupferschmied.

18.

A: Gabler: inv: et del.

Der Sattler u. Riemer.

Manufaktur greift die schon vorhandene Arbeitsteilung der Zünfte auf und formt sie in eine rationelle Teilung der Arbeit innerhalb eines Betriebes um. Ein Nadelmacher zum Beispiel hat ungefähr 20 Arbeitsgänge zu erledigen: die manufakturmäßige Herstellung zerlegt diesen Prozeß in Einzelarbeiten, die von spezialisierten Teilarbeitern mit einem erhöhten Grad von Geschick und Geschwindigkeit ausgeführt werden können *(Kat. Abb. 13).* »So bringt die Arbeitsteilung in jedem Gewerbe eine verhältnismäßige Vermehrung der Produktionskräfte der Arbeit zuwege.« (A. Smith)
Der nächste Schritt in der ökonomischen Entwicklung ist die Technisierung der Produktion. An die Stelle des für einen Arbeitsvorgang ausgebildeten Arbeiters tritt allmählich die Maschine.

Die Wirkungen der französischen Revolution (Tafel 37–51 und Film)

Tafel 38

Die französische Revolution bewirkt auch in Deutschland tiefgreifende Veränderungen in Politik, Wirtschaft und Gesellschaft. Die dramatischen revolutionären Ereignisse des Jahres 1789 in Frankreich, vor allem die Bildung einer verfassunggebenden Nationalversammlung und der Sturm des Pariser Volkes auf die Bastille, das Symbol des Despotismus *(Kat. Abb. 14)*, finden auch im deutschen Bürgertum ein lebhaftes Echo.
In Mainz errichten 1793 im Schutze der französischen Militärherrschaft deutsche ›Jakobiner‹ für kurze Zeit die erste Republik auf deutschem Boden *(Vitrine).* Die Sympathien für die Revolution schwinden aber bald wegen ihrer Radikalisierung und der drückenden Besatzungskosten der französischen Armee *(Kat. Abb. 15).*

Tafel 39

IV (Abb. links) Aus: *»Faßliche Beschreibung der Künste und Handwerke«* des Johann von Voit, Nürnberg 1790

Unter Napoleon wird die territoriale Ordnung Deutschlands von Grund auf umgestaltet. Die geistlichen Territorien werden säkularisiert, die Reichsstädte und zahlreiche reichsunmittelbare Herrschaften verlieren ihre Selbständigkeit. Wenige Fürsten, die sich zu Napoleon bekennen, erhalten die Souveränität über diese Gebiete.
Die auf diese Weise neugebildeten süd- und westdeutschen Staaten verlassen den Reichsverband und schließen sich unter dem Protektorat Napoleons im »Rheinbund« zusammen *(Vitrine*

und Kat. Abb. 16). Die Niederlegung der deutschen Kaiserkrone durch Franz II. am 6. August 1806 besiegelt die bereits vollzogene Auflösung des »Heiligen Römischen Reiches Deutscher Nation« *(Vitrine).*

Tafel 40

Unter dem Druck und nach dem Vorbild Frankreichs werden in den Rheinbundstaaten umfangreiche Verwaltungs- und Sozialreformen eingeleitet. Ihr Ziel ist es, eine egalitäre Gesellschaft zu schaffen, die zunächst freilich politisch rechtlos bleibt. Adel und Kirche sollen ihre feudalen Rechte verlieren. Eine neue zentralistische Verwaltung ermöglicht auch im süddeutschen Raum die Entstehung moderner Staaten. Sie soll zugleich die Voraussetzungen für einen wirtschaftlichen Aufschwung schaffen. Mit der Einführung der berühmten Gesetzeskodifikation, des Code Napoléon, im Königreich Westfalen und andern Rheinbundstaaten *(Vitrine)* werden die Grundideen der französischen Revolution auch in Deutschland verbreitet: Freiheit und Sicherheit der Person, Gleichheit vor dem Gesetz, Beseitigung der Standesunterschiede, Sicherheit und Unverletzlichkeit des Eigentums, Trennung von Staat und Kirche, Trennung der Justiz von der Verwaltung. Der Code Napoléon kennt keine Leibeigenschaft mehr und keinen Unterschied zwischen Adel und Bürgerstand; er beseitigt die Abhängigkeit der Bauern von ihren Gutsherren und die Privilegien der alten Feudalherren. Aber die starke Bindung an Frankreich, die hohen Kontributionen, Einquartierungen und Aushebungen von Soldaten für die Kriege Napoleons lassen die Reformen zunächst kaum spürbar werden.

Tafel 41

In Preußen beginnt nach der Niederlage gegen die napoleonische Armee 1806 *(Kat. Abb. II und III)* eine Phase der inneren Reformen. So erklärt Friedrich Wilhelm III.: »Der Staat soll durch geistige Kräfte ersetzen, was er an materiellen verloren hat.« Er beruft den Freiherrn vom Stein *(Kat. Abb. 17)* zum Minister, der in einer Denkschrift vom Frühjahr 1807 eine Neugestaltung von Staat und Gesellschaft nicht durch revolutionären Umsturz, sondern durch soziale Reformen gefordert hatte. Sein Ziel ist es, den Staat auf eine ganz neue soziale Grundlage zu stellen: die auf Freiheit und Gleichheit gegründete bürgerliche Gesellschaft.

Das wichtigste Anliegen der Reform, so schreibt er, sei »die Belebung des Gemeingeistes und Bürgersinns, die Benutzung der schlafenden oder falsch geleiteten Kräfte und der zerstreut liegenden Kenntnisse, der Einklang zwischen dem

Geist der Nation, ihrer Ansichten und Bedürfnisse, und denen der Staats-Behörden, die Wiederbelebung der Gefühle für Selbständigkeit und National-Ehre« *(Vitrine und Kat. Abb. 18).* Diese Denkschrift wird zum Manifest der preußischen Reformer, die zugleich mit der Neuformung des preußischen Staates die Befreiung und nationale Einigung Deutschlands erstreben.
Die Gesellschaftsreform vergrößert die Aufstiegschancen des Bürgertums in Politik, Wirtschaft und Geistesleben. Durch umwälzende agrarische Reformen und eine liberale Wirtschaftspolitik fördern die preußischen Staatsmänner konsequent die Emanzipation der Gesellschaft. Auf dem Lande werden die Bauern aus der Gutsuntertänigkeit befreit. Jeder Bauer, der ein Pferd besitzt, also spannfähig ist, kann als freier Eigentümer wirtschaftlich selbständig werden, wenn er ein Stück seines Landes als Entschädigung dem früheren Gutsherrn abtritt. In den Städten wird die Gewerbefreiheit eingeführt. Der mittelalterliche Zunftzwang, der den Wettbewerb unterband, wird damit beseitigt. Die Beschränkung der Gesellenzahl fällt fort. Jeder Geselle kann fortan nach freier Berufswahl ein selbständiges Gewerbe betreiben. Gleichzeitig beseitigt die Einführung des freien Grundstückverkehrs die strenge ständische Abgrenzung zwischen grundbesitzendem Adel und Bürgertum.
Später, in der Epoche der Restauration, treten allerdings die Schattenseiten von Bauernbefreiung und Gewerbefreiheit immer stärker hervor. Der freie Wettbewerb wird vielen kleinen Handwerkern, die sich selbständig gemacht haben, zum Verhängnis, weil ihre Betriebe oft genug nicht konkurrenzfähig sind. Viele Bauern, die einen Teil ihres Landes dem Gutsherrn als Entschädigung abgetreten haben, sind ohne Bauernschutz nicht im Stande, ihr verkleinertes Besitztum zu bewirtschaften. Es entsteht ein Handwerker- und Bauernproletariat. Nutznießer sind die adligen Gutsbesitzer, die ihre Güter wesentlich vergrößern, sowie die kapitalkräftigen Großbürger, die sich im Konkurrenzkampf behaupten. Erste Anzeichen der Umwandlung einer ursprünglich auf die Idee der Gleichheit gegründeten bürgerlichen Gesellschaft in die Klassengesellschaft werden sichtbar. Ihre sozialen Konflikte sollen die heraufziehende Zeit der industriellen Revolution immer mehr bestimmen.
Schul- und Universitätsreformen sorgen für die Gleichheit der Bildungschancen. An die Stelle der Standesschulen, wie Ritterakademien und berufsständische Realschulen, treten die Volksschule für alle und das humanistische Gymnasium als

Vorstufe für die Universität. Sie soll nach dem Prinzip der Freiheit für Forschung und Lehre neu geordnet werden und den Zugang zu einer allseitigen Menschenbildung eröffnen. Zugleich soll sie auch der Nationalerziehung dienen, wie Wilhelm von Humboldt in der Schrift zur Gründung der Berliner Universität darlegt *(Vitrine und Kat. Abb. 19, 20).*

Am deutlichsten wird der Übergang vom Obrigkeitsstaat zum Bürgerstaat in der Reform der Heeresverfassung. Mit der Einführung der allgemeinen Wehrpflicht gilt fortan der Grundsatz gleicher Pflichten und gleicher Rechte für alle. Jedem Bürger steht die Offizierslaufbahn offen; das stehende Heer wird durch ein Volksaufgebot, die »Landwehr«, ergänzt. Es ist auch hier das Hauptziel der Reformer, das Heer aus seiner ständischen Abgeschlossenheit zu befreien und in ein Volksheer der Nation zu verwandeln.

Es wäre die Krönung des großen Reformwerks in Preußen gewesen, wenn die geforderte Einführung einer Verfassung und einer parlamentarischen Repräsentation gelungen wäre. In einem halbamtlichen Artikel der »Königsberger Zeitung« vom 29. September 1808 kündigt der Freiherr vom Stein an, daß die Regierung ein »repräsentatives System« vorbereite, »welches der Nation eine wirksame Teilnahme an der Gesetzgebung zusichert, um hierdurch den Gemeinsinn und die Liebe zum Vaterland dauerhaft zu begründen«. Aber trotz wiederholter Verfassungsversprechen des Königs scheitern diese Pläne am Widerstand der reaktionären Adelsopposition. Dagegen gelingt es, den Grundsatz der Selbstverwaltung in den Städten durchzusetzen. Nach der neuen Städteordnung Steins und Hardenbergs wird die Stadtverordnetenversammlung von der Bürgerschaft frei gewählt.

Tafel 49

Nach und nach erwacht der Widerstand gegen die napoleonische Fremdherrschaft in den deutschen Ländern. Immer drückender werden die Lasten der französischen Besatzung, die Aushebung deutscher Truppen und das Elend der fortgesetzten Kriege empfunden. Der Aufstand der Tiroler Bauern und die Revolte einiger Regimenter in Norddeutschland im Jahre 1809 sind Ansätze einer Volksbewegung, die jedoch niedergekämpft werden.

Tafel 50

Der Mythos der Freiheitshelden, die wie Andreas Hofer, Major von Schill oder der Buchhändler Palm im Kampf gegen Napoleon den Tod finden, entfacht mehr und mehr die nationale Kampfstimmung gegen die Fremdherrschaft *(Vitrine).*

Tafel 51

Philosophen und Dichter bekennen sich in der Zeit der Unterdrückung zur »deutschen Nation«. Die deutsche Kleinstaaterei soll überwunden und – unter Berufung auf die gemeinsame Kultur, Sprache und Geschichte – ein einiges, freies Deutschland geschaffen werden. Fichtes »Reden an die deutsche Nation« und Ernst Moritz Arndts »Geist der Zeit« symbolisieren diesen nationalen Aufschwung ebenso wie auf volkstümliche Weise die Turnerbewegung Friedrich Ludwig Jahns.
Die nationale Bewegung in Preußen drängt den König 1813, sich mit dem Zaren zu verbünden und zum Kampf gegen Napoleon aufzurufen *(Vitrine und Kat. Abb. 21)*. Die Wogen nationaler Begeisterung führen den Freikorps – darunter den »Lützowschen Jägern« – Scharen von Freiwilligen zu *(Kat. Abb. 22)*. In der »Völkerschlacht zu Leipzig« 1813 fallen Teile der Rheinbundtruppen von Napoleon ab und folgen dem preußischen Beispiel. Mit dem Sieg der vereinigten preußischen, österreichischen und russischen Truppen beginnt das Ende der napoleonischen Herrschaft über Europa *(Vitrine)*.

Der Deutsche Bund (Tafel 52–87)

Tafel 52–72

Der Wiener Kongreß und die neue europäische Ordnung

Nach dem Sieg über Napoleon erhält Europa eine neue Ordnung, die den Frieden und die Stabilität garantieren soll *(Kat. Abb. V)*.

Tafel 53/54

Vom September 1814 bis Juni 1815 tagen in Wien die verbündeten Großmächte Rußland, Großbritannien, Österreich und Preußen mit dem Vertreter Frankreichs und den Unterhändlern verschiedener Königreiche und Fürstentümer, um über die politische und territoriale Neuordnung Europas zu beraten *(Kat. Abb. 23)*. Die in den Befreiungskriegen erwachte Nationalbewegung erwartet von dem Kongreß die Überwindung der Zersplitterung Deutschlands und den Abbau der absoluten Herrschaft der Fürsten.

Tafel 55

In verschiedenen Denkschriften hatten deutsche Staatsmänner unter Berufung auf den Willen des Volkes eine zeitgemäße Erneuerung des alten Reiches (Stein), einen engeren Bundesstaat (Hardenberg) und die Beteiligung des Bürgers an der politischen Willensbildung gefordert *(Vitrine)*.

Tafel 56

Auf dem Kongreß wird zwar nach einem allgemeinen Länderschacher *(Kat. Abb. 24)*, bei dem die Sieger eifersüchtig über die gleichmäßige Verteilung wachen, ein ausgewogenes System von fünf Großmächten (Pentarchie) geschaffen, das den Frieden für Jahrzehnte sichern sollte. Die Hoffnungen der Völker auf Einheit und Freiheit erfüllen sich jedoch nicht. Der Kongreß ignoriert ihre Wünsche. So kommt es auch nicht zur Bildung des von der Befreiungsbewegung erstrebten deutschen Nationalstaates. Weder Preußen noch Österreich sind bereit, die Vorherrschaft des anderen zu dulden. Die süddeutschen Staaten, vor allem Bayern und Württemberg, beharren auf ihrer im Rheinbund erworbenen Souveränität.

Einzig die kleineren und machtlosen deutschen Staaten treten noch für einen deutschen Bundesstaat ein, erreichen aber erst gegen Ende ihre Beteiligung an den Beratungen *(Vitrine)*.

Das Abstimmungsergebnis im Deutschen Ausschuß über den Entwurf einer Bundesverfassung (die »20 Punkte«) zeigt das fehlende Einvernehmen über die zukünftige Gestalt Deutschlands *(Vitrine und Kat. Abb. 25)*.

Tafel 57

Das Ergebnis des Wiener Kongresses für Deutschland ist ein loser Staatenbund ohne Oberhaupt, sein Zweck die Wahrung der Unabhängigkeit der souveränen Einzelstaaten und die Niederhaltung der neuen politischen und sozialen Kräfte *(Bundesakte Vitrine).* Das einzige gesamtdeutsche Organ ist der Bundestag in Frankfurt, der jedoch keine Volksvertretung, sondern ein Gesandtenkongreß der deutschen Fürsten und freien Städte ist *(Kat. Abb. 26).*

Tafel 58/59 Die Organisation des Bundes ist schwerfällig, sie funktioniert praktisch nur durch das Zusammenwirken der beiden Großmächte Österreich und Preußen *(Verfassungsskizze).* Das Ergebnis enttäuscht die Erwartungen der fortschrittlichen Kräfte.

Tafel 60 Die auf dem Kongreß neu festgelegte politische Ordnung widerspricht den Forderungen nach staatsbürgerlicher Freiheit und Beteiligung des Volkes an den politischen Entscheidungen. Deutschland wird im Sinne der alten Dynastien aus vorrevolutionärer Zeit »wiederhergestellt«. Das Volk bleibt Untertan *(Kat. Abb. 27).* Demokratische und nationale Strömungen gelten als »zersetzender Zeitgeist«. Die ererbte Autorität der Monarchen und das Gleichgewicht der fünf europäischen Hauptmächte sichern die Ruhe in Europa, die bald zu einer politischen Friedhofsruhe wird.

Tafel 64–66 Die Herrscher von Rußland, Preußen und Österreich *(Kat. Abb. 28)* verpflichten sich in der »Heiligen Allianz« zu gegenseitigem Beistand »bei jeder Gelegenheit und an jedem Ort« und fordern alle europäischen Staaten zum Beitritt auf. Der Ideologie nach ein Bündnis zur Erneuerung christlicher Grundsätze, dient sie in der Praxis als Instrument zur Aufrechterhaltung der bestehenden dynastischen und gesellschaftlichen Ordnung und zur gewaltsamen Unterdrückung aller Befreiungsversuche der europäischen Völker.

Tafel 67–69 Auf Kongressen werden militärische Interventionen gegen die Erhebungen in Neapel, Piemont-Sardinien und Spanien beschlossen, um diese Länder »in den Schoß der großen Allianz zurückzuführen« *(Karte).*

Tafel 73–77 Verfassungsentwicklung in den deutschen Staaten

Von den erwarteten Reformen bleibt nichts als der unbestimmte Wortlaut des Artikels 13 der Bundesakte: »In allen Bundesstaaten wird eine Landständische Verfassung statt finden«. Weder über den Inhalt der Verfassungen noch über den Zeitpunkt ihrer Einführung wird etwas ausgesagt.

Tafel 74

Der Artikel 13 wird sogar als Verbot moderner Repräsentativverfassungen interpretiert *(Denkschrift von Gentz, Vitrine)*. So ändert sich an der Verfassungsstruktur in Preußen und Österreich nichts. Die beiden größten deutschen Staaten werden weiter absolutistisch regiert. Petitionen preußischer Bürger bleiben erfolglos *(Petition von Görres, Vitrine)*. Königliche Verfassungsversprechen werden nicht erfüllt. Noch Friedrich Wilhelm IV. von Preußen betrachtet sich als König von Gottes Gnaden und wünscht kein Verfassungspapier zwischen sich und »seinem« Volk *(Kat. Abb. 30)*.

Tafel 75

Dagegen werden in den süd- und einigen mitteldeutschen Staaten von den Monarchen Verfassungen gewährt, die den Bürger für seinen Staat engagieren sollen. Einzelne Verfassungen nehmen Grundrechte auf *(Verfassung von Bayern, Vitrine)*. Baden erhält mit einigen Einschränkungen bereits ein allgemeines Wahlrecht *(Vitrine)*. In den Kammern dieser Staaten kann sich erstmals politischer Wille von unten artikulieren *(Kat. Abb. 29)*. Die nationale Reformbewegung erhält fortan aus diesen kleineren Staaten ihre stärksten Impulse.

Tafel 76/77

Der modernere Verfassungsaufbau dieser Staaten wird am deutlichsten in der Gegenüberstellung Badens mit dem weiterhin absolutistisch regierten Preußen *(Verfassungsskizzen)*.

Tafel 79–87

Der Deutsche Bund als Hort der Reaktion

Der freiheitliche Nationalstaat ist nicht erreicht. Gesamtdeutsche Politik beschränkt sich fast ausschließlich auf die Unterdrückung allen Strebens nach größerer Einheit und Freiheit.

Tafel 80

Der Student Karl Ludwig Sand ermordet den Dichter und Staatsmann Kotzebue, eine Symbolfigur der Reaktion. Der Mord ist willkommener Anlaß, um mit rigorosen Gesetzen gegen jede Bewegung liberalen, demokratischen und nationalen Charakters vorzugehen *(Kat. Abb. 31)*.

Tafel 81

Die »Karlsbader Beschlüsse« sind die gesetzliche Basis für die »Demagogenverfolgung«. Das gegen den Geist der Zeit Geschaffene wird mit polizeistaatlichen Mitteln energisch verteidigt.

Tafel 82/83

Presse und Publizistik unterliegen einer strengen Zensur. Alle Druckerzeugnisse unter 20 Bogen müssen die Zensurbehörden passieren *(Kat. Abb. 32, 33)*.

Die Einheit Deutschlands äußert sich nur im Negativen: in der Unterdrückung mißliebiger Zeitungen. Liberale und demokratische Zeitungen sind oft einziger Tagesordnungspunkt der Bundesversammlung. Sie werden als staatsgefährdend zensiert oder verboten.

Tafel 84 — Verbotspatente erscheinen mit gleichem Wortlaut in allen deutschen Staaten *(Kat. Abb. 34)*.

Tafel 85 — Die Möglichkeit der Presse, sich zu wehren, ist gering. Zensierte Zeitungen zeigen die Zensurlücken.

Tafel 86 — Politische Schriften erscheinen häufig in Kleinstformaten, um die Zensurgrenze von 20 Bogen zu überschreiten *(Vitrine)*.

Über die Pressezensur hinaus werden Vertreter der Opposition persönlichen Verfolgungen ausgesetzt. Liberale und Demokraten wandern in die Gefängnisse. Der 1833 vorgelegte Bericht der nach 1819 errichteten Mainzer Centralen Untersuchungskommission, einer ausgesprochenen Spitzelbehörde, erfaßt 1867 Personen, die wegen politischer Delikte verfolgt und verurteilt worden sind *(Vitrine)*.

Tafel 87 — Auch an den Universitäten herrscht politischer Zwang. Kritische Professoren verlieren für Jahre ihre Lehrstühle, Studenten werden von den Universitäten relegiert.

Bis zur Revolution von 1848 bestimmt die reaktionäre Bundespolitik die inneren Verhältnisse in Deutschland.

Raum II

Vormärz

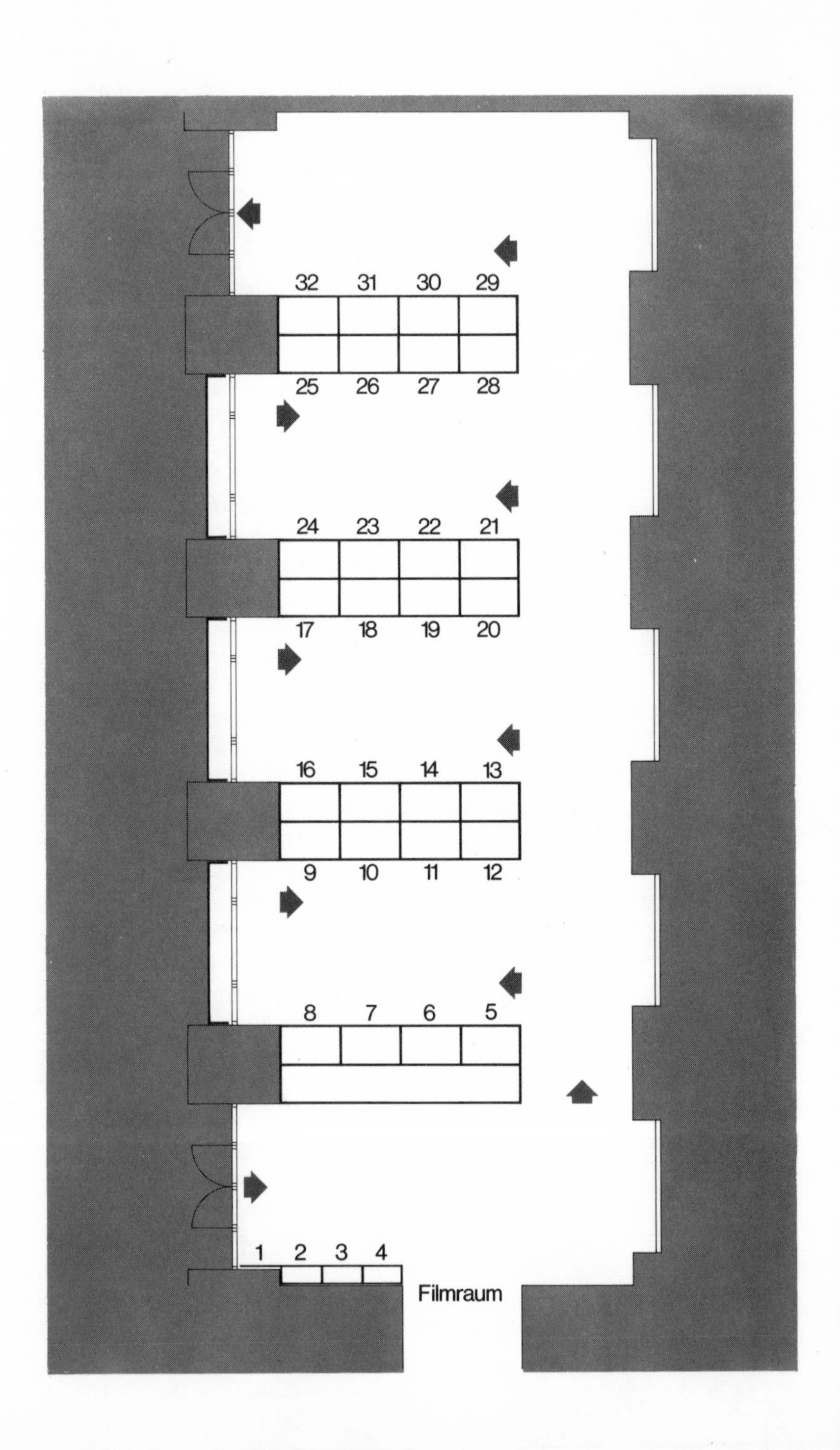
32 31 30 29
25 26 27 28
24 23 22 21
17 18 19 20
16 15 14 13
9 10 11 12
8 7 6 5
1 2 3 4
Filmraum

In den Jahrzehnten zwischen 1815 und 1848, im sogenannten Vormärz – der Zeit, die im weiteren Sinne der Märzrevolution von 1848 vorausgeht –, bilden sich in Opposition gegen das herrschende Restaurationssystem des Deutschen Bundes zahlreiche Reformbewegungen. Getragen von unterschiedlichen gesellschaftlichen Schichten mit verschiedenen Zielvorstellungen, unterschiedlich auch in ihren politischen Methoden, sind sich alle diese Bewegungen darin einig, daß die wirtschaftliche, soziale und politische Ordnung entscheidend verändert werden müsse. Doch weder in den souveränen Einzelstaaten noch im Deutschen Bund können sie sich durchsetzen, weil die herrschenden Kräfte jede Reformbestrebung bekämpfen. Deshalb sehen die Reformbewegungen Möglichkeiten der politischen und sozialen Emanzipation nur in einem Nationalstaat auf parlamentarischer Grundlage, der die zersplitterten Kräfte sammeln und die unzeitgemäßen politischen Ordnungen beseitigen soll.
Und dies nicht allein in Deutschland. Der Nationalgedanke ist zu dieser Zeit ein gesamteuropäisches Phänomen. Die Befreiungskämpfe der Griechen, Spanier, Italiener und Polen wirken in starkem Maße anregend auf die deutsche Nationalbewegung. Es entsteht eine Solidarität der unterdrückten und zerrissenen Völker gegen die Mächte monarchischer Legitimität, die die Befreiung verhindern. Polen- und Griechenvereine sind in Deutschland zugleich Ausdruck der Opposition gegen die reaktionären innerdeutschen Verhältnisse. Die französische Julirevolution von 1830 löst in ganz Europa eine Welle von nationalrevolutionären Erhebungen aus. Auch die deutsche Nationalbewegung artikuliert sich jetzt entschiedener als bisher.
Eine Fülle von Volksfesten findet vor allem in Südwestdeutschland statt, auf denen zum Ausdruck kommt, daß der Nationalstaat nicht allein das Ziel einiger Theoretiker oder Interessengruppen, sondern der Wunsch breiter Volksschichten ist. Dabei wird der Nationalstaat nur selten als politischer Machtfaktor oder als Selbstzweck zur Befriedigung ausschließlich emotionaler Antriebe verstanden. Er dient auch nicht vorwiegend der Erfüllung aus der Geschichte abgeleiteter Ansprüche, wenngleich in der gemeinsamen Sprache und Kultur und in der Erinnerung an eine national verklärte Vergangenheit wesentliche Antriebskräfte für den modernen Nationalgedanken zu sehen sind. Hauptargument der Nationalbewegung ist, daß der Nationalstaat die wirtschaftlichen, politischen und sozialen Miß-

stände beseitigen soll. Für alle Reformbewegungen dieser Zeit stellt er gleichsam das Integrationselement dar.
Starke Impulse zur nationalen Einigung gehen zunächst von der wirtschaftlichen Entwicklung aus. Nach dem Beginn der Industrialisierung in Deutschland leidet die weitere Entfaltung von Handel und Industrie vor allem unter der ökonomischen und politischen Zersplitterung Deutschlands, die sich in einer Fülle von Zollschranken, von uneinheitlichen Münz-, Maß- und Gewichtssystemen zeigt. Nicht nur die deutschen Staaten, sondern auch Provinzen und Städte sind durch Zollschranken voneinander getrennt.
Während die wichtigsten europäischen Nachbarstaaten fremde Waren durch Prohibitivzölle von ihren Märkten fernzuhalten suchen, herrscht umgekehrt in den Beziehungen der deutschen Staaten zum Ausland im großen und ganzen Handelsfreiheit. Ausländische Waren überschwemmen den deutschen Markt und drohen die entstehende deutsche Industrie zu ruinieren. Deshalb erhebt jetzt das Bürgertum, das bereits die Freiheitskriege gegen Napoleon getragen und die Idee der nationalen Einigung proklamiert hatte, auch aus wirtschaftlichen Überlegungen die Forderung nach dem politischen Zusammenschluß der deutschen Staaten.
Ein erster Schritt zur ökonomischen Vereinheitlichung ist die Aufhebung der Binnenzölle in Preußen 1818. Beeinflußt von diesem Schritt wird im Jahr darauf in Frankfurt der »Allgemeine deutsche Handels- und Gewerbeverein« gegründet, der zum Zentrum der Fabrikanten und Kaufleute wird, die an wirtschaftlicher Einheit interessiert sind. Über den mitteldeutschen Zollverein, über Zollverträge zwischen Preußen und den mittel- und süddeutschen Staaten kommt 1833 der Deutsche Zollverein zustande, der unter Führung Preußens die meisten deutschen Staaten unter Ausschluß Österreichs zusammenschließt.
Parallel dazu schafft der Eisenbahn- und Straßenbau die Voraussetzungen für ein einheitliches Wirtschaftsgebiet. Zwar ist das Ziel des Zollvereins hauptsächlich die Vergrößerung des Wirtschaftsraumes, doch stehen bei einigen – etwa bei Friedrich List – von Anfang an politische Überlegungen im Vordergrund. Der wirtschaftliche Aufschwung der im Zollverein zusammengeschlossenen Länder übt eine starke Anziehungskraft auf andere Staaten aus. Nach dem wirtschaftlichen Zusammenschluß legt eine innere Logik auch den weiteren Schritt einer politischen Einigung nahe.

Seine eigentliche Antriebskraft erhält der Nationalgedanke jedoch zunächst aus der Tradition der Befreiungskriege, die vor allem unter den Studenten lebendig ist. Die Vorhut der nationalen Bewegung bilden bis 1830 die Burschenschaften, die sich auf gesamtdeutscher Ebene zusammenschließen. Sie veranstalten mit dem Wartburgfest 1817 die erste öffentliche Kundgebung für die Einheit Deutschlands.
In den »Grundsätzen zum Wartburgfest« wird deutlich die Verbindung zwischen dem Wunsch nach Einheit – »Ein Deutschland ist, und ein Deutschland soll sein und bleiben« – und der Forderung nach sozialer und politischer Emanzipation gezogen: »Der Mensch ist nur frei, wenn er auch die Mittel hat, sich selbst nach eigenen Zwecken zu bestimmen.« Ihr oppositioneller Charakter kommt in der Verbrennung von Symbolen und Schriften der Reaktion zum Ausdruck. Die »Gießener Schwarzen«, der radikale Flügel der Burschenschaft, sehen bereits in der Republik ihr Ziel, das sie nur auf dem Wege der gewaltsamen Beseitigung der Fürsten für erreichbar halten.
Dagegen versuchen die Vertreter des politischen Liberalismus, der wichtigsten Oppositionsbewegung dieser Zeit, auf legalem Wege ihre Ziele zu erreichen. Dies zunächst in den Einzelstaaten. Ihr allgemeines Ziel ist die Erringung persönlicher und politischer Freiheit für alle Untertanen, also die Gewährung bürgerlicher Freiheitsrechte wie Meinungs-, Presse- und Versammlungsfreiheit sowie die Mitbestimmung des Bürgers in den politischen Entscheidungsprozessen. Als Verfassungsform schwebt ihnen die konstitutionelle Monarchie nach englischem und französischem Muster vor. Die in den mittel- und süddeutschen Staaten nach 1815 erlassenen Verfassungen bilden die Grundlage für die Arbeit der Liberalen. Zwar gelingt es ihnen, in diesen Staaten einzelne Reformen durchzusetzen. Tiefergreifende Veränderungen scheitern jedoch auch hier am monarchischen Prinzip, dem Souveränitätsanspruch der Einzelstaaten und den ständigen Versuchen der noch halbabsolutistischen Regierungen, Presse und Parlament zum bloßen Werkzeug der Exekutive zu machen.
Die eingeschränkte Freiheit in den deutschen Staaten verstärkt die nationale Zielsetzung des Liberalismus. Immer häufiger kommt es in den Landtagen zu Demonstrationen für die nationale Einigung: am bekanntesten ist der Welcker'sche Antrag in der Zweiten Badischen Kammer auf Errichtung eines gesamtdeutschen Parlaments geworden, der in klassischer Form den

nationalen Gedanken aus der Forderung nach größerer Freiheit herleitet. Das Schwergewicht liberaler Agitation für den Nationalstaat liegt in Volksversammlungen und in der Presse: in Zweibrücken beispielsweise wird ein »Press- und Vaterlandsverein« gegründet. In ihm treffen die Liberalen mit den Radikalen zusammen, zu denen die Grenzen fließend sind.

Die Radikalen gehen in ihren politischen und sozialen Forderungen weiter als die Liberalen. Statt bloßer Beteiligung des Bürgers verlangen sie die Selbstregierung des »Volkes«. Und über die freie Entfaltung angeborener und erworbener Kräfte hinaus treten sie nachdrücklich für die Idee der sozialen Gleichheit ein. Für sie heißt das: die Aufhebung aller äußeren Unterschiede, jeder Form der Bevorzugung und Privilegierung und damit die gesellschaftliche und politische Besserstellung der sozial Benachteiligten.
Ganz wesentlich für die Stellung der Radikalen ist die mit der Bauernbefreiung und der Industrialisierung eintretende Massenverarmung. Der »Pauperismus« ist das zentrale Problem der gesellschaftlichen Entwicklung des Vormärz. Die Radikalen ziehen aus ihm politisch am weitesten reichende Forderungen. »Die unteren Volksklassen müssen zur Menschenwürde erhoben werden: nur als Mittel zu diesem Zweck haben die freien politischen Institutionen einen Sinn« (Johann Jacoby).
Die Interessen der Verarmten und politisch Rechtlosen sollen in einem »freien Volksstaat«, der Republik, verwirklicht werden. In ihr soll nicht mehr – wie in der konstitutionellen Monarchie – die Regierung dem Volk gegenüberstehen, sondern ausführende Gewalt des »Volkswillens« als der einzigen Quelle aller Macht sein. Der Sieg des Neuen könne nur nach gänzlicher Vernichtung des Alten, nicht auf gesetzlichem Wege errungen werden. Nach der Theorie der Radikalen führt der Weg zur Republik nur über die Revolution.
Noch weiter als die Radikalen in Deutschland gehen die den radikalen Richtungen angehörenden Emigranten, die sich im Ausland zu Verbänden zusammenschließen. Wegen der Vereinsgesetze der einzelnen Staaten sind sie meist Geheimbünde. Der »Bund der Gerechten« und der »Bund der Geächteten« entwickeln unter dem Einfluß französischer Theoretiker frühsozialistische, »kommunistische« Programme, sie sprechen weniger von Freiheit und politischem Fortschritt als von radikaler gesellschaftlicher Umgestaltung.

V (Abb. rechts)
Allegorie auf den Pariser Frieden am 30. Mai 1814

Der allgemeine Weltfriede *geschlossen im Jahr 1814.*

Den hohen Verbündeten Mächten bringt der Genius den von den Völkern so lange ersehnten Oelzweig. Frankreich, mit dem Lilienmantel umgethan, hebt seinen rechtmäßigen König wieder auf den Thron. Die feindlichen Krieger umarmen sich nun wie Brüder. Aber der Weltverwüster wird in den Abgrund geschleudert, und mit ihm der Adler samt dem Tieger, welche die deutsche Tapferkeit ferner zu bewachen wißen wird.

Landung in Algier d. 14. Juni.

Einzug des Herzog von Orleans als General-Verweser v. Frankreich in d. Stadthaus. d. 31. Juli.

Abreise Karl X. v. Rambouillet den 3. Aug.

Aufstandt in Brüssel den 28. Septem.

Die denkwürdigsten Tage
des Jahres 1830.
GEDÄCHTNISSTAFEL
in 12. Tableaux.
Nürnberg in der J. A. Endterschen Handlung.

Vertheidigung des Parks in Brüssel, den 23.–27. Sept.

Aufstandt in Leipzig d. 4. Septemb.

Scene in der großen Woche in Paris den 29. Juli.

Zerstörung d. Polizeyhauses in Dresden d. 10. Sep.

Ruinen d. Schlosses v. Braunschweig d. 8. Sep.

Demolirung d. Licentamts in Hanau d. 24. Sept.

Bombardement von Antwerpen, den 27. October.

Aufstand in Warschau, den 26. November.

VI Bilderbogen zu den revolutionären Ereignissen des Jahres 1830

VII Eisengießerei in Gleiwitz, 1841

INSURRECTION DE FRANCFORT.

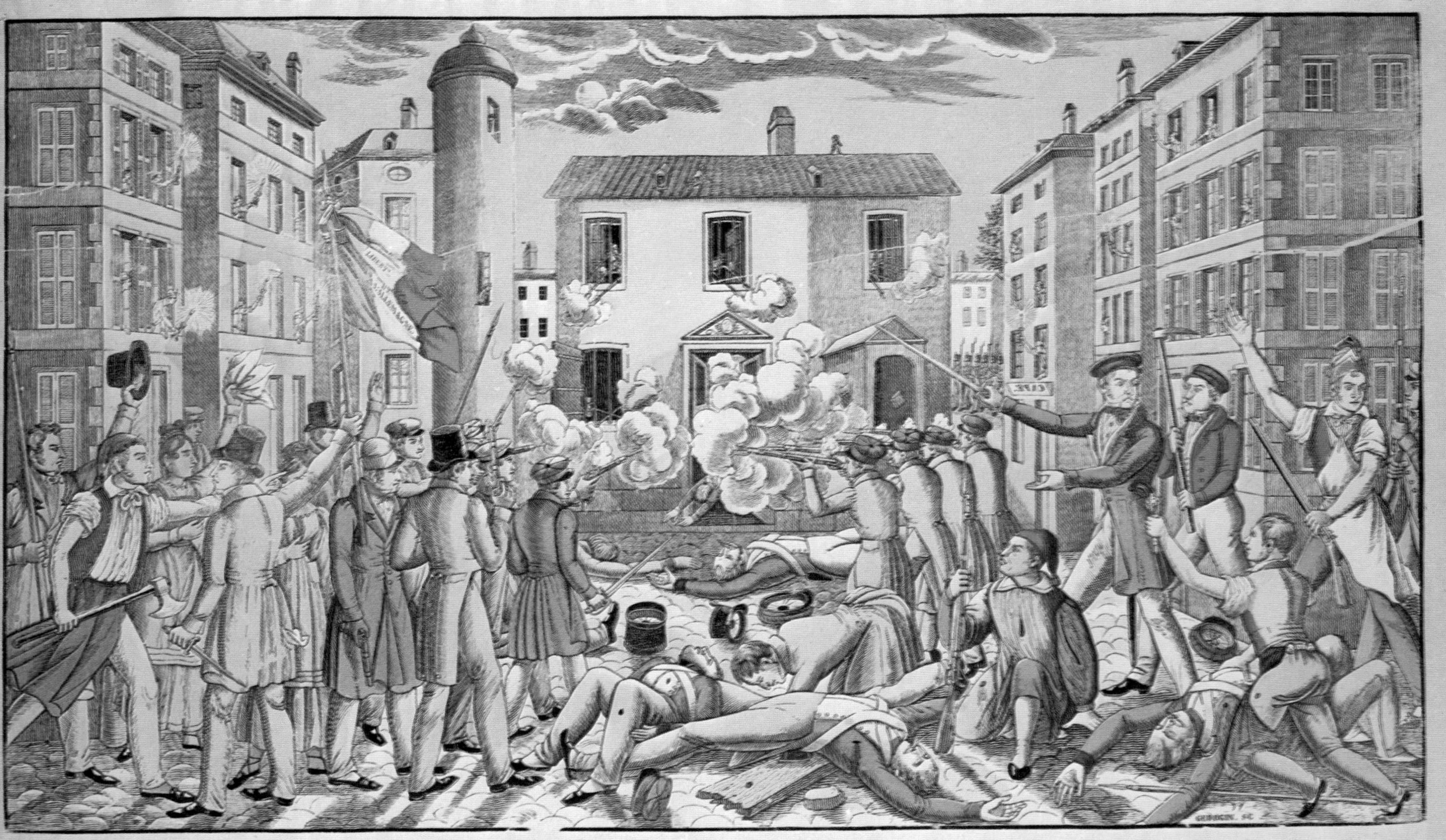

UNE conspiration, dont les progrès rapides pouvaient s'étendre dans toute l'Allemagne, et y opérer une révolution générale, a éclaté à Francfort le 3 avril 1833 : entre neuf et dix heures du soir, des groupes composés d'un grand nombre d'étudians, armés de fusils et de poignards, envahirent les deux corps-de-garde, celui des Constables et celui de la Place, après avoir tué les factionnaires et une partie des soldats qui les défendaient, et s'être emparés de leurs armes. Leur premier soin fut de mettre en liberté les prisonniers pour délits politiques qui y étaient renfermés. Pendant ce temps un détachement était parvenu au clocher de la cathédrale, où il sonnait le tocsin pour rassembler les citoyens et les paysans des environs, déjà en marche sur la ville; la révolution, désirée par tous, allait être complète, lorsque la troupe de ligne, prévenue dès long-temps, accourut des casernes. Après une lutte acharnée, dans laquelle les conjurés ont fait preuve d'une résolution et d'un mépris de la vie dignes d'éloges, ils furent forcés de se retirer. Les soldats de la ligne ont eu beaucoup de tués et de blessés. Telle est la première tentative d'une révolution imminente dans un pays où les peuples supportent en silence, mais non sans impatience, le joug de fer de la Confédération

Die Hauptrichtungen der politischen Opposition, der gemäßigt liberale Flügel und der radikalere demokratische, artikulieren sich beide kurz vor Ausbruch der Revolution von 1848 in verschiedenen Programmen: dem Heppenheimer und dem Offenburger Programm. Darin werden die Alternativen einer Neuordnung aufgezeigt, über die schließlich in der Revolution entschieden werden sollte.

VIII (Abb. links)
Der Frankfurter
Wachensturm
vom 3. April 1833

Die Deutsche Burschenschaft (Tafel 1–4)

Im Vormärz ist die deutsche Universität eines der Zentren der nationalen und liberalen Bewegung. Studenten und Akademiker führen die bürgerliche Opposition gegen die bestehenden politischen Verhältnisse an.
Aus den Befreiungskriegen zurückgekehrt, sind die von nationaler Begeisterung ergriffenen Studenten enttäuscht über die beginnende Restauration. Sie beharren auf der Forderung nach politischer Einheit der Nation und nach Abschaffung absolutistischer Regierungsformen. Diese progressiven Grundideen mischen sich allerdings nicht selten mit antirationalen und christlich-germanischen Vorstellungen. Vielen wird das altdeutsche Kaiserreich zum romantisch verklärten Ideal.

Tafel 1

Um die deutsche Einheit zumindest an den Universitäten vorgreifend zu verwirklichen, gründen die Studenten eine einheitliche deutsche Burschenschaft. Die erste Burschenschaft entsteht schon im Juni 1815 in Jena. Ihr Wahlspruch ist »Ehre, Freiheit, Vaterland«. Schwarz-Rot-Gold, die von den Uniformen des Lützowschen Freikorps übernommenen Farben der Jenenser Burschenschaftsfahne, gelten den Studenten als Farben des Alten Reiches und werden schon bald zum allgemeinen Symbol der nationalen und liberalen Bewegung. Von Jena aus verbreitet sich die Burschenschaft über die meisten deutschen Universitäten.

Tafel 2

Im Jahre 1817 ruft die Jenenser Burschenschaft die Studenten Deutschlands zum Fest auf die Wartburg. Man feiert gleichzeitig das 300jährige Jubiläum der Reformation und die Wiederkehr des Tages der Schlacht bei Leipzig. Etwa 500 Studenten ziehen am 18. Oktober 1817 mit der Burschenschaftsfahne auf die Wartburg und fordern dort die Einheit des Vaterlandes und die Einführung der versprochenen Verfassungen *(Kat. Abb. 35).* »Das deutsche Volk hatte schöne Hoffnungen gefaßt, sie sind alle vereitelt«, so heißt es in der Rede des stud. theol. Heinrich Riemann. Im Anschluß an das Fest werden von den Studenten symbolisch Werke der Reaktion, aber auch der Aufklärung verbrannt, was für den zwiespältigen Charakter dieser Studentenbewegung bezeichnend ist. Unter den Schriften sind Hallers »Restauration der Staatswissenschaften«, aber auch ein Code Napoléon *(Vitrine und Kat. Abb. 36).*

Tafel 3

Im Oktober 1818 schließen sich die Burschenschaften zur »Allgemeinen Deutschen Burschenschaft« zusammen *(Vitrine).* Die radikalste Richtung verkörpern die »Gießener Schwarzen«, so genannt nach ihrer »altdeutschen« Tracht. Ihr Führer, der Gießener Privatdozent Karl Follen, erstrebt den gewaltsamen Sturz der Fürsten und die Errichtung einer deutschen Einheitsrepublik. Karl Ludwig Sand, ein Schüler Follens, sucht dessen Lehre in die Tat umzusetzen und ermordet den Lustspieldichter Kotzebue, der als ein Agent des Zaren gilt. Dies soll ein Signal zum allgemeinen Aufstand geben.

Die Ermordung Kotzebues gibt Metternich im Sommer 1819 die erhoffte Möglichkeit, gegen die politisch gefährlichen Burschenschaften einzuschreiten. Durch die Karlsbader Beschlüsse werden die Burschenschaften verboten, alle Universitäten streng überwacht und Hunderte von Studenten relegiert und verhaftet. Die in Mainz eingesetzte Untersuchungskommission arbeitet jahrzehntelang an der Aufdeckung »revolutionärer Umtriebe und demagogischer Verbindungen« *(Vitrine und Kat. Abb. 37).* Noch 1832 bis 1838 werden 1200 Studenten als Burschenschafter verfolgt.

Tafel 4

Politisch aktiv bleibt nur eine Minderheit der Studenten. Sie setzt die Burschenschaft illegal in Geheimbünden fort und proklamiert auf dem Stuttgarter Burschentag von 1832: »Der Zweck der Burschenschaft soll von nun an sein die Erregung einer Revolution, um durch diese die Freiheit und Einheit Deutschlands zu erreichen.«

In diesem Sinne beteiligen sich 1833 Burschenschafter an einem dilettantischen Putschversuch zur Beseitigung des Bundestages. Sie stürmen die Frankfurter Hauptwache *(Kat. Abb. VIII).* Der Putsch scheitert, eine neue Welle von Verhaftungen ist die Folge.

Direkten politischen Einfluß besitzt die Burschenschaft nicht, doch prägt sie das Bewußtsein jener Akademiker, die im Vormärz und in der Revolution von 1848 die politische Führung des Bürgertums übernehmen. Unter dem Druck der beginnenden Revolution erklärt der Bundestag die Farben der Burschenschaft »Schwarz-Rot-Gold« zu den deutschen Bundesfarben.

Die wirtschaftliche Entwicklung im Vormärz (Tafel 5–8)

Die Voraussetzungen für den Aufstieg eines wirtschaftlich starken Bürgertums wurden in Preußen schon in der Reformzeit durch die Bauernbefreiung und die Einführung der Gewerbefreiheit geschaffen. Auf dem Lande wächst die Zahl der Besitzlosen, in den Städten ist die Macht der Zünfte gebrochen. Preußen geht daher beim Aufbau von Manufakturen und Fabriken voran. Das übrige Deutschland verharrt hingegen noch weitgehend in der überlieferten Wirtschaftsverfassung. Sie nach dem preußischen und westeuropäischen Vorbild umzugestalten, ist das Ziel der Reformkräfte.

Tafel 5

Auch die wirtschaftliche Zersplitterung Deutschlands ist noch nicht überwunden. Zwar sind die Binnenzölle in den meisten Staaten abgeschafft, die Zollschranken an den Grenzen jedes Bundesstaates bleiben jedoch ein Hindernis für den freien Handel.

Friedrich List propagiert einen deutschen »Zollverein«, ein einheitliches Wirtschaftsgebiet in den Grenzen des Deutschen Bundes *(Vitrine und Kat. Abb. 38).*

Am 1. Januar 1834 tritt der von Preußen ins Leben gerufene deutsche Zollverein in Kraft. Er umfaßt 18 Staaten mit 23 Millionen Einwohnern. Ein Zeitgenosse berichtet: »Als die Mitternachtsstunde schlug, öffneten sich die Schlagbäume und unter lautem Jubel eilten die Wagenzüge über die Grenze. Alle waren von dem Gefühl durchdrungen, daß Großes errungen sei.«

Tafel 6

Voraussetzung des freien Warenverkehrs ist ein leistungsfähiges Transportsystem. Der von Napoleon in großem Stil begonnene Straßenbau wird weitergeführt. Bereits in den wenigen Jahren von 1817 bis 1828 wendet Preußen für Chausseen 11 Mill. Taler auf *(Kat. Abb. 41).*

Auch der Bau von Kanälen wird beschleunigt, in der Binnenschiffahrt kommt den Dampfbooten eine wachsende Bedeutung zu *(Kat. Abb. 42).* Der entscheidende Sprung vorwärts ist der Bau von Eisenbahnlinien.

Wieder ist es Friedrich List, der die Entwicklung vorantreibt. Zugleich mit seinen Ideen für den deutschen Zollverein entwirft er ein Eisenbahnnetz für Deutschland *(Kat. Abb. 39).* 1835 wird die erste Strecke von Nürnberg nach Fürth in Betrieb genommen *(Kat. Abb. 40).*

Tafel 7

Zunächst stößt der Bau von Eisenbahnen auf Skepsis. Bald aber hat man die Notwendigkeit und die Rentabilität der Eisenbahn erkannt: Aktiengesellschaften werden gegründet, um das zum Bau benötigte Kapital aufzubringen. 1842 erläßt die preußische Regierung eine Zinsgarantie für Eisenbahnaktiengesellschaften von $3^1/_2$ %. Wer nun Eisenbahnaktien zeichnet, erhält Profite, ohne ein Risiko tragen zu müssen. Die Dividenden beispielsweise der Magdeburg-Leipziger Eisenbahn-Aktiengesellschaft klettern von 4 % (1840) auf 10 % (1843). Auf dieser Grundlage entsteht die erste Spekulationswelle. Das Eisenbahnnetz erweitert sich sprunghaft: allein 1846 werden 1100 km Schienen verlegt.

Tafel 8

Nachdem in der ersten Phase der industriellen Revolution die moderne Produktionsweise vor allem auf die Herstellung von Textilien beschränkt war, gewinnt mit dem Beginn des Eisenbahnbaues die eisenverarbeitende Industrie Vorrang *(Kat. Abb. VII).* In den ersten Jahren des Eisenbahnbaues muß englisches und belgisches Roheisen eingeführt werden, um den Bedarf zu decken. Auch die Lokomotiven selbst werden größtenteils aus England importiert. Doch schon 1844 kann der Zollverein einen Schutzzoll auf englisches Eisen legen. Der entscheidende Fortschritt in der Produktionstechnik von Schmiedeeisen gelingt durch die Einführung des sogenannten Puddelverfahrens *(Kat. Abb. 43).*

Mit steigendem Bedarf an Kohle und Eisen verlagert sich das Schwergewicht der industriellen Produktion ins Ruhrgebiet, das allmählich zum ersten wirtschaftlichen und industriellen Zentrum Deutschlands wird.

Auch in der Textilindustrie vollziehen sich tiefgreifende Veränderungen. Die Spinnmaschinen und Webstühle werden erheblich verbessert *(Kat. Abb. 44).* Tuche und Stoffe werden durch diese produktiver arbeitenden Maschinen billiger, und die noch handwerklich arbeitenden Weber fallen der Konkurrenz zum Opfer.

Die soziale Entwicklung im Vormärz (Tafel 9–12)

Tafel 9

Die wirtschaftlichen Veränderungen sprengen das soziale Gefüge der Gesellschaft: Gegen das in Zünften organisierte Kleinbürgertum hebt sich allmählich das frühindustrielle Unternehmertum ab *(Kat. Abb. 45–47)*. Viele Handwerksmeister unterliegen der Konkurrenz der Fabriken. Zusammen mit den stellungslosen Gesellen bilden sie das Handwerkerproletariat.
In jenen Ländern, in denen die Bauernbefreiung nur gegen Landabtretung verwirklicht wurde, können zahlreiche Bauern ihren verkleinerten Besitz nicht mehr rentabel bewirtschaften. Sie müssen ihr Land verkaufen und sinken zu Landarbeitern herab. Diese Tagelöhner sind das Reservoir für das spätere industrielle Proletariat. Viele von ihnen finden zunächst Arbeit beim Eisenbahnbau.

Tafel 10

Die technische Entwicklung bewirkt, daß neben den Männern für einfachere und leichtere Arbeit auch Frauen und Kinder in den Produktionsprozeß einbezogen werden *(Kat. Abb. 48, 49)*. Dadurch wird die Konkurrenz unter den Arbeitern verstärkt: die schlechter bezahlte Frauen- und Kinderarbeit drückt auch den Lohn des Mannes. Während um 1770 die Arbeitskraft eines Mannes ausreichte, um die $5^1/_2$ Taler Durchschnittslohn für eine Familie zu erarbeiten, müssen um 1830 für diese Summe schon die Frau und drei Kinder mitarbeiten.

Tafel 11

Am härtesten betroffen von der Konkurrenz der billigen Maschinenproduktion sind die Weber *(Kat. Abb. 50)*. Wie die Baumwolle wird jetzt auch der Flachs maschinell versponnen. Die ruinierten dörflichen Flachsspinner suchen Arbeit in der Leineweberei. Aber auch die Ausdehnungsmöglichkeiten der ländlichen Leineweberei sind durch die Einführung des mechanischen Webstuhls beschränkt. Es kommt zu einem Überangebot an Arbeitskräften, die Löhne sinken weit unter das Existenzminimum. Trotz Arbeitszeiten von 12, 14, ja 16 Stunden am Tag lebt die Masse der Bevölkerung in großem Elend. Ein Zeitgenosse berichtet: »Seit sieben und mehr Jahren haben sich die Unglücklichen nicht mehr irgendein Kleidungsstück beschaffen können; ihre Bedeckung besteht aus Lumpen, ihre Wohnungen verfallen, da sie die Kosten zur Herstellung nicht aufbringen können; die mißratenen Ernten der Kartoffeln, namentlich in den beiden letzten Jahren, haben sie auf die billigeren wilden oder Viehkartoffeln und auf das Schwarz- oder Viehmehl zur Nahrung angewiesen; Fleisch kommt nur bei einigen zu Ostern, Pfingsten und Weihnachten ins Haus, und dann für eine Familie von fünf bis sechs Personen ein halbes Pfund!« 1844 kommt es zum Aufstand der schlesischen Weber. Sie plündern die Häuser reicher Fabrikanten. Preußisches Militär schlägt den Aufstand nieder *(Kat. Abb. 51)*. Aber die aussichtslose Rebellion hat die Not und die Verzweiflung der unteren Klassen sichtbar gemacht. Der »Pauperismus«, die Verelendung der Besitzlosen, wird auch im Bürgertum als soziales Problem erkannt. Zahlreiche Broschüren beschäftigen sich mit der sozialen Frage.

Tafel 12

Die soziale Not treibt Zehntausende zur Auswanderung. Wer nicht resigniert, sondern in Deutschland den Kampf um bessere Arbeitsbedingungen aufnimmt, muß mit Gefängnis rechnen; denn Arbeiterkoalitionen sind nach der preußischen Gewerbeordnung von 1845 verboten.

So formieren sich die ersten Ansätze »kommunistischer« Vereine jenseits der Grenzen des Deutschen Bundes, vor allem in der Schweiz und in Frankreich. Hier entstehen im Zusammenhang mit dem »Jungen Europa« Mazzinis und der »Gesellschaft der Jahreszeiten« des französischen Revolutionärs August Blanqui das »Junge Deutschland« und der »Bund der Geächteten«, dessen radikalere Mitglieder sich zum »Bund der Gerechten« zusammenschließen. Schon 1834 hat der »Bund der Geächteten« Menschen- und Bürgerrechte auf der Grundlage sozialer Gleichheit programmatisch formuliert *(Kat. Abb. 52)*. In den 40er Jahren wird der in Paris tätige Schneidergeselle Wilhelm Weitling der bedeutendste Theoretiker des »Handwerksburschenkommunismus«. Dieser noch utopische Gleichheitskommunismus findet seine Anhänger unter radikalen Arbeitern und Gesellen, deren Organisationen in der Tradition der sozialrevolutionären Geheimbünde stehen. Aber erst mit der Revolution von 1848 werden sich die Arbeiter und Gesellen das Koalitionsrecht erkämpfen und in eigenen Vereinen offen ihre Interessen vertreten.

Die politische Reformbewegung: Liberale und Demokraten (Tafel 13–16)

Den wirtschaftlichen und sozialen Veränderungen entsprechen politische Reformbewegungen. Die Forderungen der fortschrittlichen Oppositionellen reichen – je nach gesellschaftlicher Herkunft und politischem Standort – von der Verwirklichung bürgerlicher Freiheitsrechte in den Einzelstaaten bis zur radikalen Beseitigung aller sozialen Mißstände. Alle diese Gruppierungen sind sich einig in dem Ziel, die Zersplitterung Deutschlands zu überwinden und einen freiheitlichen Nationalstaat zu errichten, der entweder eine konstitutionelle Monarchie oder eine Republik sein soll.

Tafel 13

Die bedeutendste neue politische Bewegung in der Zeit vom Wiener Kongreß bis zur Revolution von 1848 ist der Liberalismus.

Getragen vom Bildungs- und Besitzbürgertum, fordert er zeitgemäße »Repräsentativverfassungen« für die deutschen Einzelstaaten. In den bereits vorhandenen Landtagen bildet er eine starke Opposition. Sein Ziel ist der Abbau der wirtschaftlichen Schranken und ein geeintes Deutschland auf parlamentarischer Grundlage. Erst dann sieht er die freiheitlichen Bürgerrechte gesichert *(Kat. Abb. 53).*

Die Bedeutung des Liberalismus im Vormärz liegt mehr auf dem Gebiet der wissenschaftlich-theoretischen als auf dem der praktischen Politik. In einer Fülle staatsrechtlicher Schriften werden die politischen Ziele des Liberalismus erläutert *(Vitrine).*

Rotteck und Welcker, die führenden Theoretiker der süddeutschen Liberalen, fassen im »Staatslexikon« das liberale politische Programm zusammen *(Vitrine).* Rotteck entwickelt in seinen »Ideen über Landstände« als erster in Deutschland ein Konzept einer modernen repräsentativen Verfassung *(Kat. Abb. 54).* Denn die erste und wichtigste Forderung der Liberalen sind Verfassungen, welche Grundrechte garantieren und dem gebildeten und besitzenden Bürger die Teilnahme an den Staatsangelegenheiten sichern sollen. Hierin sehen die Liberalen das Kriterium »zeitgemäßer, dem Kulturgrad der Nation angemessener Staatsverfassungen«. Die Mehrheit der Liberalen will die Macht der Fürsten nicht beseitigen, sondern einschränken. Trotzdem müssen die Verfassungen erkämpft werden, weil die meisten Fürsten nicht freiwillig politische Mitbestimmungsrechte gewähren. In der Zeit nach dem Wiener Kongreß entstehen als Ergebnis der liberalen Verfassungsbewegung in den süd- und einigen mitteldeutschen Staaten moderne Verfassungen, in die erstmals staatsbürgerliche Rechte aufgenommen werden *(Kat. Abb. 58).*

Tafel 14

Diese Rechte zu verwirklichen und auszubauen, ist das Ziel der Liberalen in den bereits vorhandenen Parlamenten der Einzelstaaten *(Kat. Abb. 60).* Allerdings gibt es im Vormärz noch keine liberale »Partei«. Die Einheit der Liberalen besteht praktisch nur im Widerstand gegen die Regierungen der noch halbabsolutistischen Staaten. Sie verstehen sich als ausschließlich ihrem Gewissen verantwortliche freie Persönlichkeiten, die keiner Fraktionsdisziplin unterworfen sind. Die »Partei« des politischen Liberalismus umfaßt deshalb auch die ganze Spannweite von den Gemäßigten, welche die Monarchie nicht in Frage stellen, die ihre Ziele auf dem legalen Wege des Ausgleichs erreichen wollen und die auch unter den gegebenen Umständen zur Beteiligung an der Regierungsverantwortung bereit sind, bis zu den Radikalen, die Staat und Gesellschaft auf revolutionärem Wege von Grund auf umgestalten wollen und die Republik erstreben.

Der Liberalismus ist vor allem eine Bewegung des gebildeten und besitzenden Bürgertums. In der Zweiten Badischen Kammer zum Beispiel sind überwiegend bürgerliche Berufe vertreten: Verwaltungsbeamte, Richter, Bürgermeister und Professoren sowie Geistliche, Stadträte, Gastwirte, Kaufleute und Fabrikanten *(Vitrine).* Die Abgeordneten der süddeutschen Kammern sind nicht mehr an Instruktionen ihrer Stände gebunden, sondern Repräsentanten der ganzen »Nation«. Das »Volk« ist im abstrakten Verständnis der Liberalen die Summe gleichgearteter, mit gleichen Rechten ausgestatteter Individuen. Träger des Staates soll künftig der gebildete und besitzende Bürger sein, der sich als Wortführer der Interessen des Volkes in seiner Gesamtheit versteht. Das im Vormärz bereits sichtbare Problem der sozial Unterprivilegierten bleibt bei den Liberalen jedoch meist unberücksichtigt.

Baden ist die Hochburg des vormärzlichen Liberalismus. Seine Ziele lassen sich deshalb auch am klarsten aus den Anträgen in der Zweiten Badischen Kammer ablesen. Da die badische Verfassung der Kammer noch nicht das Recht der Gesetzesinitiative zubilligt, versuchen die Liberalen mit Anträgen, den sogenannten Motionen, die Regierungen auf den Weg konstitutioneller Reformen zu bringen. Schwerpunkte sind die Sozial-, Wirtschafts- und Justizreform sowie die Umwandlung des Obrigkeitsstaates durch Verwaltungs- und Verfassungsreformen in einen parlamentarischen Rechtsstaat nach westeuropäischem Vorbild.

Auch außerhalb der Kammern entwickeln die Liberalen in kritischen Zeitungen eine rege Aktivität, um ihre politischen Ziele in der Öffentlichkeit zu verbreiten. Ebenso scheuen sie nicht vor politischem Kampf zurück. Die »Göttinger Sieben«, eine Gruppe liberaler Professoren, müssen ihren Protest gegen die absolutistische Willkür des Königs von Hannover, der die Verfassung von sich aus aufgehoben hat, mit dem Verlust ihrer Ämter bezahlen *(Kat. Abb. 61).*

Tafel 15

Aus der eingeschränkten Freiheit in den Einzelstaaten erhält der liberale Nationalgedanke seine Antriebskraft. Die Hoffnungen aller fortschrittlichen Kräfte gelten einem geeinten Deutschland und einer gesamtdeutschen Volksvertretung. Der freiheitliche Nationalstaat soll die zersplitterten Energien sammeln und die politische und soziale Emanzipation ermöglichen. Diesem Ziel gelten Anträge in den einzelnen Parlamenten. Am berühmtesten ist der Antrag Welckers 1831 in der 2. badischen Kammer »zur Vervollkommnung der organischen Entwicklung des Deutschen Bundes zur bestmöglichen Förderung deutscher Nationalität und deutscher staatsbürgerlicher Freiheit«. Die Nationalbewegung wird zu einer Volksbewegung: auf Versammlungen und Festen wird ein einiges und freies Deutschland gefordert *(Kat. Abb. 62).*

Über den Weg freilich bestehen unterschiedliche Meinungen. Die Gemäßigten vertrauen auf Verhandlungen mit den Fürsten. Die Radikalen wollen den Befreiungskampf organisieren und erhoffen sich ein einiges und freies Deutschland nur von einer Revolution.

Tafel 16

Die Kompromißbereitschaft der Gemäßigten führt jedoch nicht zu den erwarteten Erfolgen. Zudem berücksichtigen sie die sozial schwächsten Gruppen kaum. Die Demokraten indessen wenden sich vor allem an die unteren Schichten. Bürgerliche Intellektuelle und Handwerkerproletariat verbünden sich, meist in der Emigration, zu Geheimbünden und fordern in Flugschriften die Republik. Einer der bedeutendsten Geheimbünde ist der »Bund der Geächteten«, der ein eigenes Presseorgan besitzt. Innerhalb Deutschlands ist die wichtigste Stimme der

Demokraten bis zu ihrem Verbot 1843 die »Rheinische Zeitung« mit ihrem Redakteur Karl Marx. Die Demokraten verlangen die Souveränität des ganzen Volkes, auch und gerade der unteren Schichten. Sie wollen soziale Gleichheit und die Republik. In der Reform Deutschlands sehen sie die Grundlage für die Reform Europas und die Befreiung aller unterdrückten und unterprivilegierten Völker.
Der politische Druck im Deutschen Bund und die Erfolglosigkeit der Kompromißbereiten bewirken, daß die radikale und demokratische Bewegung immer mehr Anhänger gewinnt.

Die kulturnationale Bewegung (Tafel 17–20)

Neben die politische und wirtschaftliche Reformbewegung tritt die kulturnationale Bewegung. Sie betont die gemeinsame Kultur, die über die einzelnen Staatsgrenzen in Deutschland hinweg die deutsche Nation verbindet: Deutschland kenne zwar keine politische, jedoch eine kulturelle Einheit. Aus der gemeinsamen Sprache, Dichtung und Geschichte wird der Begriff der einheitlichen deutschen Kulturnation entwickelt. Das Nationalbewußtsein erfüllt sich damit zugleich bei vielen mit der Erinnerung an eine romantisch verklärte Vergangenheit. Abgewandt von der politischen Realität, entdeckt die Romantik den deutschen »Volksgeist«. Erst nach den Erfahrungen der französischen Julirevolution 1830 wenden sich demokratische Dichter wieder unmittelbar den Problemen der Gegenwart zu.

Tafel 17

Die »Heidelberger Romantik«, ein Kreis von Dichtern um Achim von Arnim, Clemens Brentano, Josef Görres, der um 1806 in Heidelberg wirkt, spiegelt diese Abkehr von der Gegenwart und ihren Problemen besonders deutlich. Im Rückblick auf jene Jahre notiert Achim von Arnim: »Die eigentliche Geschichte war mir damals, unter der trübsinnigen Last, die auf Deutschland ruhte, ein Gegenstand des Abscheus, ich suchte sie bei der Poesie zu vergessen, ich fand in ihr etwas, das sein Wesen nicht von der Jahreszahl borgte, sondern das frei durch alle Zeiten hindurch lebte.« So sammelt man die poetischen Zeugnisse des deutschen »Volksgeistes«, die in den unteren Schichten als Märchen, Lieder und Sagen noch lebendig sind *(Vitrine und Kat. Abb. 63, 64, 65).*
An die Stelle des politischen Fortschrittsgedankens des Bürgertums tritt die idealisierte Vergangenheit, aus deren Zeug-

nissen man die Kraft für eine nationale Wiedergeburt schöpfen will: »Was der Reichthum unsres ganzen Volkes, was seine eigene innere lebendige Kraft gebildet, das Gewebe langer Zeit und mächtiger Kräfte, den Glauben und das Wissen des Volkes, was sie begleitet in Lust und Tod, Lieder, Sagen, Kunden, Sprüche, Geschichten, Prophezeiungen und Melodien: wir wollen allen alles wiedergeben ... zu dem allgemeinen Denkmal des größten neueren Volkes der Deutschen« (A. v. Arnim). In der gleichzeitig entstehenden deutschen Philologie wird die Sprache als einigendes Merkmal der Nation wissenschaftlich erforscht. Die Brüder Grimm geben eine historische »Deutsche Grammatik« heraus und begründen damit die germanische Philologie *(Kat. Abb. 63).*

Tafel 18

Aus der Rückwendung zu der gegenüber der trostlosen Gegenwart romantisch verklärten Vergangenheit der »deutschen Nation« empfängt auch die in dieser Zeit entstehende deutsche Geschichtswissenschaft ihre Impulse. Die Anfänge werden wesentlich gefördert vom Freiherrn vom Stein, der eine Sammlung und Edition der Geschichtsquellen des deutschen Mittelalters veranlaßt, die »Monumenta Germaniae Historica« *(Kat. Abb. 66, 67).* Nicht nur in der Geschichtsforschung, sondern auch in Dichtung und Malerei wird das Thema aufgegriffen. Das »Heilige Römische Reich Deutscher Nation«, in dem man deutsche Einheit, Macht und Größe verkörpert sieht, wird zum Gegenbild zu der Zerrissenheit des Deutschen Bundes in der Gegenwart. Der Mythos vom »Schlafenden Kaiser im Kyffhäuser« dokumentiert die Hoffnung auf ein künftiges Volkskaisertum. Dieses »Altdeutschtum« vermischt sich zugleich unklar mit konservativem und restaurativ-ständischem Denken. Weite Kreise der Öffentlichkeit werden von diesen Vorstellungen geprägt: die Vollendung des Kölner Domes, als »Denkmal deutscher Einheit« 1842 in Angriff genommen, wird von allen Seiten begeistert begrüßt und aktiv unterstützt *(Kat. Abb. 68).*

Tafel 19

Die Rückwendung zum Mittelalter und die Hoffnung auf eine Wiederkehr des alten Kaisertums wird von demokratischen Dichtern verspottet. Vor allem Heine richtet seine Angriffe immer wieder auf diese »Teutschtümelei«. Geistiger Mittelpunkt der nationaldemokratischen Bewegung ist eine Gruppe radikaler Schriftsteller: Börne, Freiligrath, Hoffmann von Fallersleben und das »Junge Deutschland« *(Kat. Abb. 69–71).*

Sie alle fordern einen demokratischen Volksstaat, kämpfen gegen Feudalismus und Klerikalismus, gegen Bürokratie und

Monarchie, gegen die staatliche Unterdrückung der Presse-, Rede- und Gedankenfreiheit. Diese Dichter, die nach der französischen Julirevolution 1830 an Einfluß gewinnen, fühlen sich dem liberalen und demokratischen »Zeitgeist« verpflichtet.

Tafel 20

Die deutschen Dichter auf der Linken gehen über die Propagierung liberaler politischer Forderungen hinaus und wenden sich der sozialkritischen Dichtung zu. In den Vordergrund tritt die Anklage gegen soziale Not, gegen Ungerechtigkeit, Hunger und Elend: »Der materielle Druck, unter welchem ein großer Teil Deutschlands liegt, ist ebenso traurig und schimpflich als der geistige; und es ist in meinen Augen bei weitem nicht so betrübend, daß dieser oder jener Liberale seine Gedanken nicht drucken lassen darf, als daß viele tausend Familien nicht imstande sind, ihre Kartoffeln zu schmälzen« (Georg Büchner). Die Beseitigung der gesellschaftlichen Ungleichheit wird zum praktischen revolutionären Programm im »Hessischen Landboten« *(Kat. Abb. 72, 73).* Der Angriff agitatorischer Dichtung zielt nicht mehr allein auf die noch halbabsolutistischen Regierungen und das Metternichsche Polizeisystem, sondern bezieht die bürgerliche Gesellschaftsordnung selbst in seine Kritik ein. »Das Verhältnis zwischen Armen und Reichen ist das einzige revolutionäre Element in der Welt«, schreibt Büchner 1835 an Gutzkow.

Die Reaktion treibt auch diese Dichter in die Emigration oder bringt sie in die Gefängnisse. Pastor Weidig – der Mitherausgeber des »Hessischen Landboten« – wird 1837 in endlosen Gerichtsverhören zu Tode gequält.

Kundgebungen der nationalen Bewegung (Tafel 21–24)

Unterschiedliche politische Bedingungen in den deutschen Staaten verhindern eine einheitliche Organisation der Nationalbewegung. Zudem sind über die einzelnen Staaten hinausgehende Vereinsbildungen verboten. Die Anhänger der Nationalbewegung sind deshalb gezwungen, ihren Willen in Festen und Zusammenkünften primär unpolitischen Charakters zu zeigen.
Starken Auftrieb erhält die nationale Volksbewegung nach der französischen Julirevolution von 1830. Vor allem in Südwestdeutschland finden jetzt zahlreiche Versammlungen statt, auf denen bereits demokratische Forderungen dominieren.

Tafel 21

Höhepunkt ist das Hambacher Fest bei Neustadt an der Haardt im Jahre 1832. Sein Anlaß ist die Feier des Jahrestages der bayerischen Verfassung von 1818, doch wird es zu einer Demonstration für Einheit und Freiheit, wie sie Deutschland bisher noch nicht erlebt hatte. Annähernd 30 000 Menschen aus allen Teilen Deutschlands nehmen teil – eine für jene Zeit außerordentliche Zahl, wenn man berücksichtigt, daß damals die Einwohnerzahl einer Großstadt wie Frankfurt am Main etwa 40 000 betrug. Vor allem Kleinbürger, Handwerker, Studenten und Bauern beteiligen sich an dem Fest, das mit einem großen Zug aller Anwesenden auf die Burgruine Hambach beginnt *(Kat. Abb. 74)*. Dabei werden schwarz-rot-goldene Fahnen mit der programmatischen Inschrift »Deutschlands Wiedergeburt« *(Vitrine)* und die Farben des polnischen Befreiungskampfes gezeigt.
Die Initiative zu dem Fest geht von den Journalisten Wirth und Siebenpfeiffer aus, zwei der mutigsten Vertreter der liberalen Opposition in Süddeutschland *(Kat. Abb. 75, 76)*.
In seinem Festaufruf »Der deutsche Mai« schreibt Siebenpfeiffer, daß nicht Errungenes, sondern ein Fest der Hoffnung gefeiert werden solle, eine Manifestation des Kampfes »für Abschüttelung innerer und äußerer Gewalt, für Erstrebung gesetzlicher Freiheit und deutscher Nationalwürde«. Das Fest wird zu einem Ausdruck der Opposition gegen die Politik des Deutschen Bundes. Folgerichtig solidarisiert sich hier die entschiedene Nationalbewegung mit den demokratischen Kräften, die wegen ihrer Opposition gegen die herrschenden politischen

Zustände in Deutschland zur Emigration gezwungen worden sind *(Kat. Abb. 77)*.

Tafel 22

Auf dem Fest werden mehr als 20 Reden gehalten. Gemeinsam ist ihnen der Zorn über die Zerstückelung Deutschlands, die Erbitterung über den Druck der Fürsten und die materielle Not der unteren Schichten. Wohlfahrt, Freiheit und Einheit sollen Gestalt gewinnen in einem deutschen Nationalstaat. Hauptredner sind Wirth und Siebenpfeiffer. Wirths Rede endet mit den Worten: »Hoch, dreimal hoch leben die vereinigten Freistaaten Deutschlands! Hoch, dreimal hoch das konföderirte republikanische Europa!« Ihre berühmteste Stelle ist der »ewige Fluch« auf die Könige als die »Verräter an den Völkern und dem gesamten Menschengeschlechte«. Noch stärker ist die revolutionäre Leidenschaft in der Rede Siebenpfeiffers, der dazu aufruft, »erst wieder ein Vaterland, eine freimenschliche Heimat zu erstreben«. Der Plan allerdings, eine feste Organisation zu schaffen, die im Volk die Ideen der Volkssouveränität, der Demokratie und der Verständigung mit anderen Völkern stärken soll, scheitert, weil man sich auf kein gemeinsames Programm einigen kann.

Die Antwort der Reaktion auf das Fest ist eine neue Verhaftungswelle, die viele Teilnehmer und die Redner von Hambach trifft. Der Deutsche Bund verschärft mit der drakonischen »Maßregel zur Aufrechterhaltung der gesetzlichen Ruhe und Ordnung im Deutschen Bund« die Überwachungsmethoden. Die Farben »Schwarz-Rot-Gold«, Ausdruck der liberalen und demokratischen Opposition, dürfen bis zur Revolution von 1848 nicht mehr öffentlich gezeigt werden.

Tafel 23

Das Hambacher Fest ist die bedeutendste, aber nicht die einzige Manifestation für Einheit und Freiheit in diesen Jahren. Auf zahlreichen Gelehrtenkongressen wird der geistige und kulturelle Zusammenhang Deutschlands betont. »Hier repräsentiert sich Deutschland in seiner geistigen Einheit«: mit diesen Worten begrüßt Alexander von Humboldt 1828 die Teilnehmer der Berliner Tagung der 1822 gegründeten »Gesellschaft deutscher Naturforscher und Ärzte« und drückt damit den politischen Charakter dieser Zusammenkünfte aus.

Zeugnisse der Nationalbewegung sind auch die Sänger- und Turnerfeste *(Kat. Abb. 78)*. Auf ihnen treffen sich Menschen aus allen Teilen Deutschlands. Sie wünschen den freiheitlichen Nationalstaat, aber sie artikulieren sich unpolitisch, um keine Handhabe für Verbote zu liefern. Vor allem auf den Turnerfesten wird die nationale Tradition der Freiheitskriege aufrechterhalten.

Tafel 24

Allerdings sind schon damals nicht nur freiheitliche Ziele und natürliches Zusammengehörigkeitsgefühl Antriebskräfte des Nationalgedankens. Da, wo das Nationale zum Selbstzweck erhoben wird, entsteht ein emotionaler Nationalismus. So wird das Nationaldenkmal, wie in der Walhalla, zum Nationalheiligtum, zu einer pathetischen Selbstdarstellung der Nation in ihren geistigen Heroen stilisiert. In ihrer unkritischen Verherrlichung alles Deutschen zeigt die Turnerbewegung Jahns ihr »Jahnusgesicht« *(Kat. Abb. 79).* Die Vaterlandsliebe übersteigert sich im Rheinkult zum Franzosenhaß. Nicolaus Beckers Rheinlied *(Kat. Abb. 80)* ist um 1840 und danach populär wie eine Nationalhymne. Hier zeigt sich eine gefährliche Verfälschung der Nationalidee in aggressives Überlegenheitsdenken gegenüber den Nachbarvölkern.

Nationale Vorbilder in Europa (Tafel 25–28)

Die liberale und die nationale Bewegung in Deutschland sind nur Teil einer europäischen Gesamtströmung. Überall kämpfen die Völker um nationale Einheit und Unabhängigkeit, um Verfassungen und liberale Reformen. Hand in Hand damit geht der Kampf um nationale Einigung und Unabhängigkeit. Ausländische Vorbilder liefern starke Impulse. Die nationale Erhebung Griechenlands, der italienische Einigungskampf, die französische Julirevolution und der Polenaufstand von 1830 beflügeln die nationale Bewegung in Deutschland.

Tafel 25

Als sich 1821 die Griechen gegen die türkische Herrschaft erheben, unterstützen in Deutschland die Vereine der »Philhellenen« den griechischen Freiheitskampf mit Geldspenden und Freiwilligen *(Kat. Abb. 81).* Gegen den Widerstand Metternichs, der die »Legitimität« der Herrschaft des Sultans betont, entsendet Bayernkönig Ludwig I. Offiziere nach Griechenland. Aus England schifft sich Lord Byron als berühmtester der Freiwilligen ein. Als 1827 Rußland, Frankreich und England die Unabhängigkeit Griechenlands erfechten, hat die Metternichsche Legitimitätspolitik ihre erste Niederlage im Kampf mit der Nationalbewegung erlitten.

In Spanien und Italien dagegen werden durch Intervention der Großmächte die liberalen Bewegungen niedergeworfen. Der

Aufstand der spanischen Liberalen von 1820 zwingt König Ferdinand VII. zwar vorübergehend zur Wiedereinführung der napoleonischen Verfassung. Aber das Eingreifen Frankreichs verhilft der Reaktion erneut zum Sieg. Dem Beispiel Spaniens folgend, erheben sich im gleichen Jahr die italienischen Carbonari und erzwingen in Neapel eine liberale Verfassung. Die Carbonari (Köhler) sind Mitglieder einer über ganz Italien sich ausbreitenden Geheimgesellschaft, die den ersten Anstoß zur italienischen Einigungsbewegung gibt. Ihren Aufstand in Neapel und Piemont läßt Metternich durch den Einmarsch österreichischer Truppen niederschlagen. Aus der Gruppe der Carbonari geht Giuseppe Mazzini (1805–72) hervor, der erste Programmatiker der italienischen Nationalbewegung. Im Exil gründet er 1831 den republikanischen Geheimbund Giovine Italia (Junges Italien). Eine gleiche Organisation schaffen deutsche Flüchtlinge – meist Handwerksburschen – 1834 unter dem Namen »Junges Deutschland« in der Schweiz. Zusammen mit dem »Jungen Polen« verbrüdern sich diese Emigrantengruppen unter Mazzinis Leitung zum »Jungen Europa«.

Tafel 26

Den stärksten Einfluß auf die politische Situation in Deutschland hat die Pariser Julirevolution von 1830. Der vom Bürgertum erzwungene Sturz des reaktionären Königs wirkt auf Europa wie ein Signal. In Deutschland, Italien, Belgien und Polen kommt es zu Aufständen *(Kat. Abb. VI)*. Unruhen in Braunschweig, Sachsen, Hannover und Kurhessen erzwingen ebenfalls neue Verfassungen. In Braunschweig geht das Schloß des noch immer absolutistisch regierenden Herzogs in Flammen auf. Die deutschen Liberalen und Demokraten gewinnen Anhang und Unterstützung in der Masse des Volkes.

Tafel 27

Tafel 28

Eine weitere Folge der Pariser Julirevolution ist der polnische Aufstand von 1830/31. Die Polen, noch immer aufgeteilt zwischen Rußland, Preußen und Österreich, erstreben die Wiederbegründung eines polnischen Nationalstaates. Sie alarmieren damit die drei betroffenen Großmächte. Während Preußen die Provinz Posen durch Militärbesatzung sichert, wirft der Zar den Aufstand nieder. In Rußland wie auch in Preußen setzt eine scharf antipolnische Politik ein, Tausende von Polen sehen sich zur Emigration gezwungen. Das Scheitern des Aufstandes und die Leiden der Polen nach der Unterwerfung erwecken die Teilnahme aller europäischen Liberalen und Demokraten. Auch durch das liberale Deutschland geht eine Welle der Polenbegeisterung. Die Emigranten werden öffentlich gefeiert und von zahlreichen Polenvereinen unterstützt. Der Bundestag läßt sie aus Furcht vor der erstarkenden Nationalbewegung verbieten. Wie die Heldentaten der Griechen werden auch die Leiden der Polen zum bevorzugten Gegenstand der politischen Publizistik *(Vitrine und Kat. Abb. 82).* Die liberale und nationale Bewegung in Deutschland begeistert sich am Beispiel anderer europäischer Völker und macht ihre Sympathien zu einem Element der Opposition gegen die bestehenden politischen Verhältnisse.

Sammlung der politischen Kräfte (Tafel 29–32)

1847 haben sich die politischen, wirtschaftlichen und sozialen Verhältnisse in Deutschland weiter verschlechtert. Die politischen Gruppen beginnen, sich über die Grenzen der Einzelstaaten hinweg zu verständigen. Dabei zeigt sich immer deutlicher die Kluft zwischen der Mehrheit der gemäßigten Liberalen, die ihre Hoffnungen immer noch auf Reformen und Vereinbarungen mit den Fürsten setzen, und der Minderheit der radikalen Demokraten, deren Bestrebungen sozialrevolutionäre Züge tragen.

Tafel 29/30

Die Republikaner, konzentriert in Baden, versammeln sich unter der Führung Heckers und Struves am 12. September 1847 in Offenburg. In den »Forderungen des Volkes in Baden« verlangen sie die Wiederherstellung der Presse- und Lehrfreiheit, die Abschaffung aller Privilegien, die Ausgleichung des »Mißverhältnisses zwischen Arbeit und Kapital«. Und sie fordern eine Vertretung des Volkes beim Deutschen Bund *(Kat. Abb. 83).*

Tafel 31/32

Die gemäßigten Liberalen treffen sich am 10. Oktober 1847 in Heppenheim. Unter ihnen sind überwiegend Abgeordnete der süddeutschen Kammern, aber auch rheinische Liberale wie die Rheinpreußen Hansemann und Mevissen. Organ ihrer Bestrebungen ist die eben gegründete »Deutsche Zeitung« in Heidelberg. Die Teilnehmer verwerfen ausdrücklich jede Einigung Deutschlands auf gewaltsamem Wege. Sie lehnen eine Vertretung des Volkes beim Deutschen Bund ab, da diesem die zentrale Regierungsgewalt fehle. Dagegen entwickeln sie den Plan, den Zollverein schrittweise zu einer Deutschland auch politisch einigenden Institution auszubauen. Zusätzlich beraten sie über die Lage der ärmeren Klassen und die »gerechte Vertheilung der öffentlichen Lasten zur Erleichterung des kleineren Mittelstandes und der Arbeiter«.

Raum III

Die Revolution von 1848/49

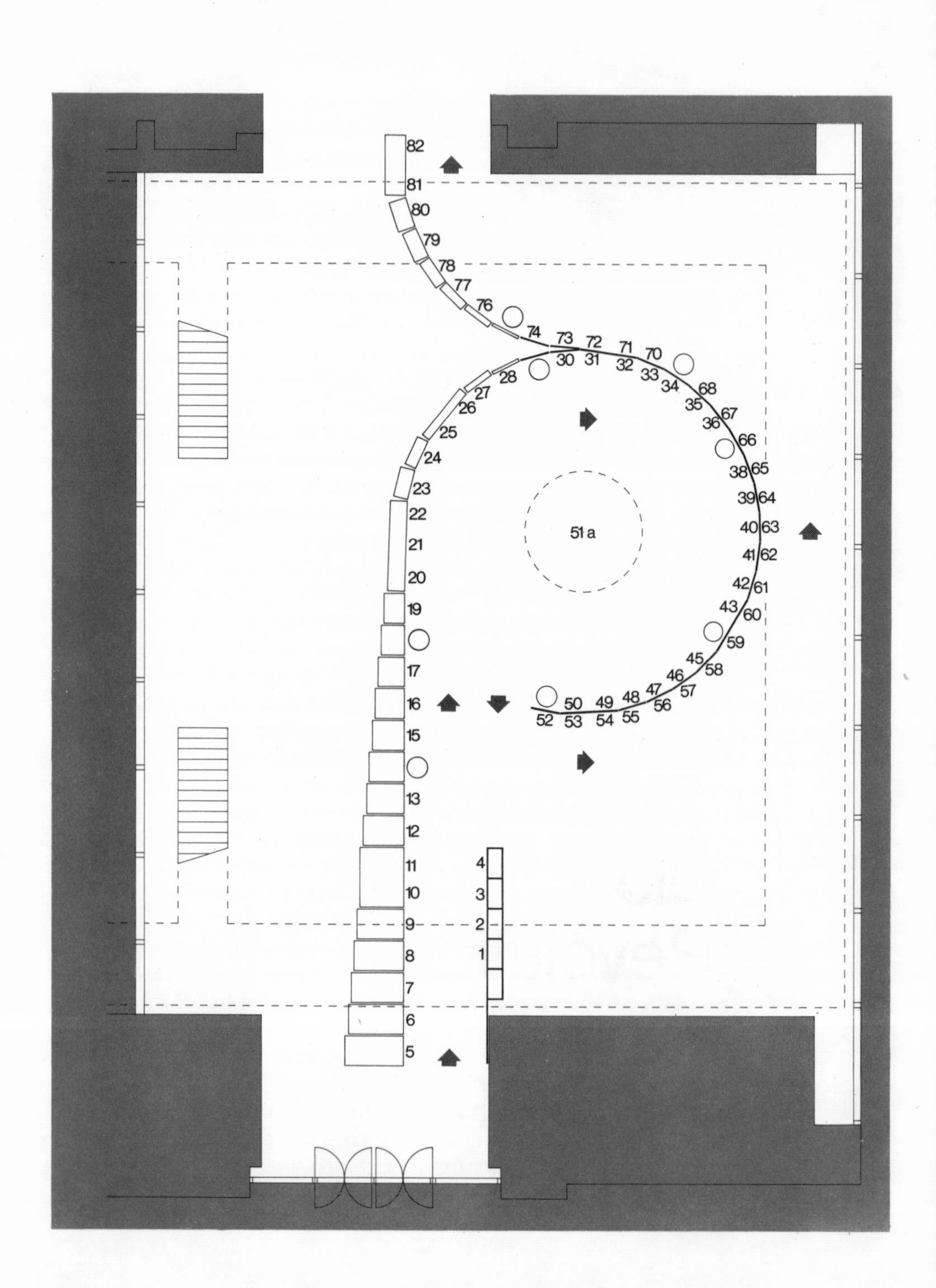

82
81
80
79
78
77
76
74
73
72
71
70
30
31
32
33
34
68
28
27
26
35
67
36
25
66
24
38
65
23
39
64
22
51 a
40
63
21
41
62
20
42
61
19
43
60
59
17
45
58
46
57
47
48
49
50
56
16
55
54
53
52
15
13
12
4
11
3
10
2
9
1
8
7
6
5

Um die Mitte des 19. Jahrhunderts hat sich in Deutschland eine starke Bewegung liberaler und demokratischer Oppositionsgruppen gebildet. Gemeinsam ist ihnen die Forderung nach der nationalstaatlichen Einigung Deutschlands – eine Forderung, die gegen die herrschenden staatlichen Mächte gerichtet ist und mit dem nationalen Problem zugleich das einer gründlichen sozialen Veränderung aufwirft. Nationale und soziale Frage sind unmittelbar aufeinander bezogen, und je nach der politischen Ausrichtung der divergierenden Bewegungen ist die Forderung nach nationaler Einheit Resultat oder Voraussetzung der wirtschafts- und sozialreformerischen Bestrebungen. Wenngleich die Nationalidee zuweilen auch pangermanisch-irrationale Züge annimmt, so hat sie sich insgesamt noch keineswegs gegenüber den sozialemanzipatorischen Tendenzen verselbständigt, ja die Mehrheit der Opposition distanziert sich von »dem Dünkel und der Eigensucht der Deutschtümelei« (Varnhagen). Vor 1848 vereint der nationale Gedanke die unterschiedlichsten Reformvorstellungen; während der Diskussionen, Verhandlungen und Kämpfe der Revolutionsjahre 1848/49 zeigt sich dann jedoch, daß diese Vorstellungen in der praktischen Politik kaum noch auf einen Nenner zu bringen sind.
Vor dem Hintergrund einer gesamteuropäischen Wirtschaftskrise seit dem Jahre 1846 verschärfen sich die sozialen und politischen Spannungen um die Jahreswende 1847/48: Volksversammlungen, Bauernrevolten, Petitionen an die Regierenden häufen sich. Die sogenannten Märzforderungen, die zuerst in Südwestdeutschland formuliert werden, zielen vor allem auf Pressefreiheit, Schwurgerichte, konstitutionelle Verfassungen in den Einzelstaaten und Berufung eines deutschen Parlaments. Schließlich führt das Vorbild der Pariser Februarrevolution zu den Märzaufständen in Wien und in Berlin. Die Regierenden der deutschen Staaten sehen sich zu Konzessionen gezwungen: sie gewähren liberale Verfassungen, berufen liberale Ministerien, versprechen Presse- und Versammlungsfreiheit und ein deutsches Parlament.
Frankfurt wird der wichtigste Schauplatz der Revolution. Hier tagt das unmittelbar aus der revolutionären Bewegung entstandene Vorparlament. Das Bemühen der zahlenmäßig schwachen republikanischen Linken, das Vorparlament zu einer Art permanentem revolutionärem Exekutivausschuß umzuwandeln, scheitert. Es siegt die liberale Mehrheit, die die Wahl eines Nationalparlaments in Übereinstimmung mit den Regierungen an-

strebt. Am 18. Mai 1848 wird schließlich die gewählte Nationalversammlung in der Frankfurter Paulskirche eröffnet, in der das Bildungsbürgertum überwiegt. Noch gibt es keine Parteien im modernen Sinn. Erst in den Debatten entwickeln sich parteiähnliche Gruppierungen. Die liberale Mitte ist in der Mehrheit. Eine bemerkenswerte Bereitschaft zum Kompromiß mit den inzwischen im liberalen Sinn reformierten Regierungen kennzeichnet die Nationalversammlung von Anfang an.
Sie hat eine doppelte Aufgabe: die nationale Verfassung und eine zentrale Regierungsgewalt zu schaffen. Schon seit Anfang Juni beschäftigt sie sich mit der Frage einer Reichsexekutive und setzt aus eigener Vollmacht eine provisorische Reichsregierung ein. In deren Zusammensetzung spiegelt sich die Problematik des Verhältnisses eines deutschen Einheitsstaates zu den Einzelstaaten, insbesondere den mächtigsten unter ihnen: während die Wahl des österreichischen Erzherzogs Johann zum Reichsverweser den Weg nach Wien offen halten soll, herrscht im neugeschaffenen Reichsministerium der preußische Einfluß vor. Doch gelingt es der Nationalversammlung, die mit dieser Regierungsbildung von der Fiktion eines schon bestehenden Nationalstaates ausgeht, nicht, der Zentralgewalt Macht und Autorität zu verleihen. Insbesondere verfügt sie über keinen eigenen Beamtenapparat und kein Heer; ein Teil der deutschen Monarchen hintertreibt, daß ihre Truppen dem Reichsverweser huldigen.
Wichtigstes und am leidenschaftlichsten diskutiertes Thema der Parlamentsdebatten von Juni bis September sind die »Grundrechte des deutschen Volkes«, die erst am 27. Dezember 1848 verabschiedet werden. Läßt man mit diesen Debatten kostbare Zeit verstreichen, in der die alten Mächte wieder erstarken, so zeigen sie doch die Bedeutung, die der Liberalismus der Sozial- und Rechtsreform innerhalb des zu schaffenden Nationalstaates beimißt. Die Grundrechte sind Ausdruck des Bemühens, die ständisch gestufte Hierarchie der alten Sozialordnung und mit ihr die Privilegien des Adels und die unzeitgemäßen Reste feudaler Verhältnisse zu beseitigen. Sie sollen abgelöst werden durch die gesetzliche Verankerung der Rechts- und Chancengleichheit aller Staatsbürger nach dem Vorbild der amerikanischen und französischen Revolution.
Während die Abgeordneten zur Beratung der Reichsverfassung übergehen, kommt es im Spätsommer des Jahres zu der entscheidenden Krise der Nationalversammlung. An der schleswig-

holsteinischen Frage offenbart sich die Ohnmacht der Zentralregierung. Einer nationaldeutschen Erhebung in Schleswig, das von Dänemark annektiert zu werden droht, sind der Deutsche Bund und die Nationalversammlung mit preußischen Truppen zu Hilfe gekommen. Doch Preußen gibt dann im Waffenstillstand von Malmö dem russischen und englischen Druck nach. Die Bundestruppen werden zurückgezogen. Nachdem die Nationalversammlung den Waffenstillstand zunächst abgelehnt hat, sieht sie sich schließlich gezwungen, ihn doch zu akzeptieren. Für eine eigene Politik fehlt ihr jede reale Macht. Auf der anderen Seite verstärken die radikaldemokratischen Kräfte ihre Agitation: in Lörrach ruft Struve am 21. September die soziale Republik aus. Der Putschversuch scheitert ebenso wie der Heckers vom April 1848. In Frankfurt wird die Nationalversammlung von einem Aufstand der Gegner des Waffenstillstands und der sich darin ausdrückenden Kompromißpolitik der liberalen Mehrheit unmittelbar bedroht. Sie kann sich nur mit Hilfe österreichischer und preußischer Truppen retten.
Seit September 1848 wird in der Paulskirche eine deutsche Verfassung ausgearbeitet. Auch in ihr schlägt sich die Kompromißbereitschaft der Versammlung nieder: unitarische und föderative, demokratische und monarchische Elemente gehen eine Verbindung ein. Der Hauptgegenstand der Beratungen ist die Frage nach der territorialen Abgrenzung des deutschen Nationalstaates. Anfänglich neigt die Mehrheit der Abgeordneten einer großdeutschen Lösung zu, die Deutsch-Österreich einbeziehen und damit staatsrechtlich von den übrigen Gebieten des Habsburgerreiches trennen soll. Diese Lösung wird durch den österreichischen Ministerpräsidenten Fürst Felix Schwarzenberg vereitelt, der nach der Niederschlagung der nichtdeutschen Nationalbewegungen eine zentralistische Verfassung für Gesamtösterreich einführt. Damit ist einem großdeutschen Einheitsstaat der Boden entzogen, und die Versammlung beschließt, dem preußischen König die erbliche Kaiserwürde eines kleindeutschen Nationalstaats anzutragen.
Doch Friedrich Wilhelm IV., der einer romantisch-legitimistischen Nationalidee anhängt, lehnt 1849 diesen Beschluß der auf revolutionärem Wege zustande gekommenen Volksvertretung ab und spricht sich gegen die inzwischen von 28 Regierungen anerkannte Reichsverfassung aus. Im Frühjahr 1849 kommt es darauf zu erneuten Aufständen mit dem Ziel, die Reichsverfassung durch Druck von unten dennoch durchzusetzen. Diese

Erhebungen werden jedoch blutig niedergeschlagen. Nach dem Auszug der Liberalen wird die Nationalversammlung von den Linken beherrscht und schließlich in Stuttgart, wo das Rumpfparlament weitertagt, von württembergischem Militär auseinandergejagt. Damit ist das Werk der Paulskirche gescheitert. Nachdem sich schon 1848 – im Oktober in Wien, im November in Berlin – die reaktionären Kräfte gegen erneute Aufstände durchgesetzt hatten, werden die Märzerrungenschaften in allen deutschen Staaten mit Hilfe des wiedereingesetzten Deutschen Bundes rückgängig gemacht. Auch die Grundrechte werden 1851 fast überall wieder beseitigt.
Die deutsche Revolution von 1848/49, der Versuch, den wirtschaftlich und sozial reformierten Nationalstaat auf freiheitlichem und demokratischem Wege von unten her durchzusetzen, scheitert in ihrer Endphase insbesondere an dem Problem der deutschen Einheit. Die nationale Frage wird zu einer reinen Machtfrage zwischen dem wiedererstarkten Preußen und Österreich. Während mit der beginnenden Reaktion der Weg für soziale Reformen vorläufig abgeschnitten ist – erst die »Neue Ära« eröffnet für sie wieder eine Chance –, bleibt die Frage eines einheitlichen deutschen Nationalstaates weiterhin im Mittelpunkt des preußisch-österreichischen Dualismus, der die Politik der folgenden Jahrzehnte bestimmt. Im Zuge einer um sich greifenden Skepsis gegenüber den Idealen der vorausgegangenen Jahre kommt es zu einer »realpolitischen« Orientierung an praktikablen Lösungen innerhalb der bestehenden Verhältnisse. So schreibt einer der einstigen Anhänger der Revolution im Jahre 1852: »Neben dieser Einheitsfrage betrachte ich das Mehr oder Weniger von Despotismus oder Konstitutionalismus, Junker- oder Demokratentum in den einzelnen deutschen Ländern als sehr gleichgültig« (D. F. Strauß). Der nationale Gedanke beginnt sich nunmehr von den sozialreformerischen Bestrebungen zu lösen.

Die Märzrevolution von 1848 (Tafel 1–16)

1847/48 verschärfen sich, vor dem Hintergrund einer gesamteuropäischen Wirtschaftskrise, die sozialen und politischen Spannungen und führen in allen europäischen Ländern, mit Ausnahme Rußlands und Englands, zu Erhebungen gegen die bestehende Ordnung: in Frankreich gegen die Klassenherrschaft der Großbourgeoisie, in Italien und Deutschland gegen die staatliche Zersplitterung, gegen die Überreste der alten Feudalordnung und die absolutistische Staatsverfassung; in den osteuropäischen Gebieten gegen Fremdherrschaft und soziale Ungerechtigkeit. Die Erhebung in Deutschland wird vorangetrieben von einer starken nationalen Bewegung, in der die Forderungen nach nationaler Einheit und politischen und sozialen Reformen zusammentreffen und ihren Ausdruck finden in dem von allen Schichten des Volkes getragenen Wunsch nach einem deutschen Parlament und einer Verfassung. In der ersten Phase der Revolution gelingt es den revolutionären Kräften, die Regierungen zu Konzessionen zu bewegen – ein Erfolg, der im weiteren Verlauf der Entwicklung durch die Gegenrevolution weitgehend zunichte gemacht wird.

Tafel 1–3 Der Aufstand in Paris, getragen von Demokraten, Arbeitern und Studenten, gibt das Signal für die Revolution und den Umsturz der alten politischen Ordnung in Europa.

Tafel 6 Die Wirtschaftskrise von 1846/47 hat Frankreich eine Hungersnot gebracht. Das neue städtische Proletariat und die Landbevölkerung radikalisieren sich. Kleinbürger und Arbeiter fordern – geführt von Louis Blanc – staatliche Arbeitssicherung in Nationalwerkstätten. Politische Reformversuche des demokratischen Bürgertums scheitern. So kommt es schließlich zur Februarrevolution. Arbeiter, Bürger und Nationalgarde kämpfen gemeinsam, erzwingen die Abdankung des »Bürgerkönigs« Louis Philippe, das Palais Royal wird gestürmt und die Republik ausgerufen *(Kat. Abb. 84).* Der wachsende Widerspruch zwischen der bürgerlichen Mehrheit und den radikalen Sozialisten über die Ziele der Revolution endet im Bündnis von Bürgertum und Militär: der Juniaufstand der Arbeiter wird blutig niedergeschlagen.

Tafel 7 Alle Phasen der französischen Revolution haben in Deutschland tiefgreifende Auswirkungen. Auch hier führt die Wirtschaftskrise des Jahres 1846, verstärkt durch eine Mißernte, zu Teuerung und Lohnverfall. Das Jahr 1848 beginnt mit Hungerunruhen

(Kat. Abb. 88) und einer Bauernbewegung in Süd- und Mitteldeutschland. Wie in den Tagen des großen Bauernkrieges ziehen rebellierende Bauern gegen die Schlösser und verlangen von den Feudalherren Aufhebung der noch bestehenden Verpflichtungen *(Kat. Abb. 89).* Ganze Dörfer verweigern Steuern und Abgaben.

Tafel 8

Während im Frühjahr 1848 in den Städten und Gemeinden Süddeutschlands Volksversammlungen stattfinden und in Flugblättern und Petitionen die Forderungen an die Regierungen vorgebracht werden *(Kat. Abb. 92; Vitrine 1),* spielen sich die entscheidenden Ereignisse zunächst in Wien und Berlin ab, wo es zum bewaffneten Aufstand kommt. Die wirtschaftliche Not der Arbeiter und Bauern, verschärfte Unterdrückung der Presse- und Meinungsfreiheit und der von den Massen begeistert begrüßte Ausbruch der Revolution in Paris fördern die soziale Erhebung in Österreich. Während um die gleiche Zeit die Tschechen, Ungarn und Italiener rebellieren, kommt es am 13. März in Wien zur Errichtung von Barrikaden und zum Kampf zwischen dem Militär und den Arbeitern und Studenten *(Kat. Abb. 85).* Der leitende Minister, Staatskanzler Metternich, wird gestürzt und flieht nach England. Die kaiserliche Regierung muß die Bewaffnung der Bürgergarde zulassen und eine Konstitution versprechen, die im April erlassen wird.

Tafel 9–11

Im Zusammenhang mit der Wirtschaftskrise, die in Deutschland zunächst die Textilindustrie, dann die eisenverarbeitenden Betriebe erfaßt, geht in Berlin der Maschinenbau um 42% zurück. Das Unternehmen Borsig beschäftigt 1200 Arbeiter; Anfang 1848 muß es 400 Arbeiter entlassen. Zusammen mit der allgemeinen Arbeitslosigkeit verschärft das die Spannung in Berlin. Anfang März werden die politischen Zusammenkünfte »In den Zelten« immer häufiger. Am 13. März nehmen zahlreiche Arbeiter an der Versammlung teil und beschließen eine Petition, die vom König Maßnahmen gegen die Arbeitslosigkeit fordert. Schließlich schlägt eine Demonstration für Bürgerwehr, Pressefreiheit und ein preußisches Parlament am 18. März in den offenen Aufstand um. Barrikaden werden errichtet und von Bürgern, Arbeitern und Studenten verteidigt *(Kat. Abb. IX und 86; Vitrine 1).* Der König befiehlt schließlich den Abzug der Truppen. Die Revolution hat vorerst gesiegt.

Tafel 12

Mit den Worten »Preußen geht fortan in Deutschland auf« kommt der König am 21. März der Forderung nach nationaler Einheit entgegen. Ein liberales Ministerium wird eingesetzt, eine preußische Nationalversammlung tritt im Mai zusammen. Preußen soll konstitutionelle Monarchie werden.

Tafel 13–15

Damit aber sind die zugleich auf einschneidende soziale Veränderungen drängenden unteren Schichten nicht zufrieden. Arbeiter und Gesellen, die die Koalitionsfreiheit errungen haben, organisieren sich in gewerkschaftlichen und parteiähnlichen Vereinen zum erstenmal als eigene gesellschaftliche Klasse. Sie schaffen sich eigene Zeitungen und formulieren ihre wirtschaftlichen, sozialen und politischen Ziele *(Kat. Abb. 90; Vitrine 1)*. Während der 48er Revolution werden die sozialen Gegensätze der verschiedenen Gruppen immer deutlicher. Die Einheit der Kämpfer der Märztage zerfällt. Das Bürgertum hindert die radikalen Kräfte daran, die Revolution voranzutreiben. Deren erster Elan ist bald gebrochen. Vergeblich suchen die Arbeiter, sich wieder zu bewaffnen: der Zeughaussturm vom 14. Juni scheitert *(Kat. Abb. 87)*. Nach den Kämpfen von Wien und Berlin liegt die Entscheidung nun in der Frankfurter Paulskirche.

Die Entstehung der Nationalversammlung (Tafel 17–26)

Politische Versammlungen, Barrikadenkämpfe und Bauernunruhen bestimmten bisher den Gang der revolutionären Ereignisse. Die von allen erstrebte Nationalversammlung soll nun eine regierungsfähige Zentralverwaltung errichten und eine gesamtdeutsche Verfassung ausarbeiten.

Tafel 18

Am 5. März 1848 versammeln sich in Heidelberg führende Liberale und Demokraten Süd- und Westdeutschlands und erklären die Einberufung einer Nationalversammlung für unaufschiebbar. Zwar wenden sie sich mit ihrem Appell an die bestehenden Regierungen, ernennen aber dann selbst einen Siebenerausschuß zur Vorbereitung und Wahl der Nationalversammlung. Damit ist ein erstes revolutionäres Organ geschaffen. Der Siebenerausschuß lädt alle »früheren oder gegenwärtigen Ständemitglieder und Teilnehmer an Gesetzgebenden Versammlungen in allen deutschen Landen« und darüber hinaus eine Anzahl weiterer Persönlichkeiten des öffentlichen Lebens zu einem »Vorparlament« nach Frankfurt. Am 30. März ziehen über 500 Männer in die Paulskirche ein *(Kat. Abb. 91)*.

In dieser revolutionären Versammlung sind die einzelnen deutschen Staaten unterschiedlich stark vertreten. Ein festes Programm besitzt nur die Minderheit der demokratischen Linken unter der Führung Gustav von Struves. Sie fordert die Errichtung einer föderativen Republik und die sofortige Übernahme der revolutionären Vollzugsgewalt durch das Vorparlament. Von solchen Forderungen ist die Mehrheit weit entfernt. Sie will die politische Neuordnung durch eine Vereinbarung mit den Fürsten erreichen. Mit dieser Haltung, die später auch die Mehrheit der Nationalversammlung vertreten wird, ist die revolutionäre Position im Grunde bereits preisgegeben. Es ist der Weg des Kompromisses mit den alten Gewalten. Als die Radikalen dies erkennen, verlassen unter der Führung Heckers 40 Mitglieder die Versammlung.

Sofort beginnt Hecker mit Freiwilligenscharen in Baden den Aufstand zur Verwirklichung der sozialen Republik. Er wird von einer Gruppe deutscher Emigranten aus der Schweiz und Frankreich unterstützt, überschätzt aber die Werbekraft der republikanischen Idee. Nach wenigen Tagen unterliegt er den regulären badischen und hessischen Truppen. Hecker flieht in die Schweiz und emigriert später in die USA, aber sein Andenken als Volksheld bleibt im populären »Heckerlied« erhalten *(Vitrine 2 und Kat. Abb. 93).*

Tafel 19

Das Vorparlament hat Grundsätze zur Wahl und zur künftigen deutschen Verfassung beraten und einen Fünfzigerausschuß für die Wahlvorbereitung eingesetzt. Dieser revolutionäre Ausschuß arbeitet mit dem alten Bundestag und den Regierungen der Einzelstaaten zusammen, die sich beeilen, die Wahl zu legitimieren und Wahlgesetze zu erlassen. Alle »Selbständigen« sollen das Wahlrecht besitzen, was die Einzelstaaten sehr unterschiedlich interpretieren. Teilweise werden Arbeiter und Dienstboten von der Wahl ausgeschlossen. Eine direkte Wahl gestatten nur sechs Staaten, während in allen anderen indirekt über Wahlmänner gewählt wird *(Kat. Abb. 95).* Vergeblich fordern in Berlin die Mitglieder des Politischen Clubs auf einer Wahlversammlung »In den Zelten« für Preußen das direkte Wahlrecht *(Kat. Abb. 94).* Politische Parteien existieren noch nicht. Die örtlichen Kandidaten werden von den überall entstehenden politischen Klubs oder von schnell organisierten Wahlkomitees aufgestellt. Gewählt werden fast überall bürgerliche Liberale.

Tafel 20–22

Am 18. Mai tritt die Nationalversammlung in der Paulskirche zusammen *(Kat. Abb. 96, 97).* Der Enthusiasmus und die Erwartungen sind groß. In seiner ersten Ansprache beruft sich der eben gewählte Präsident Heinrich von Gagern auf die »Souveränität der Nation«, durch die die neue Verfassung geschaffen werden soll. Gleichzeitig betont er aber die Mitwirkung der Regierungen.

Tafel 23

Einschließlich der Stellvertreter werden in die Paulskirche 831 Abgeordnete gewählt, von denen zu Beginn 330, später durchschnittlich 400–500 anwesend sind. Die Nationalversammlung spiegelt nicht die soziale Zusammensetzung der Nation. Das gehobene Bildungsbürgertum überwiegt. Beamte (54%) und Akademiker (etwa 60%) – darunter vor allem Juristen – bestimmen das Bild; Handel, Gewerbe und Großgrundbesitz entstammen nur 13% der Abgeordneten. Ohne Vertretung in der Nationalversammlung bleiben Bauern und Arbeiter.

Tafel 24

Unter den Abgeordneten sind hervorragende Persönlichkeiten, aber es fehlt der Honoratiorenversammlung an politisch-parlamentarischer Erfahrung. Der Prozeß der politischen Gruppenbildung steht erst am Anfang, es gibt weder innerhalb noch außerhalb des Parlaments fest umrissene Fraktionen und Parteien. Die Folge sind Hunderte von Petitionen, Anträgen und Wortmeldungen zu den einzelnen Verhandlungspunkten, die den zügigen Fortgang der Beratungen blockieren *(Kat. Abb. 102).*

Tafel 25/26

Obgleich sich bald parteiähnliche Gruppierungen im Parlament abzeichnen, bleiben während der gesamten Verhandlungsdauer der Nationalversammlung die Grenzen zwischen ihnen fließend. Die meisten Abgeordneten gehören politischen Klubs an, die sich regelmäßig in Frankfurter Gasthäusern treffen und sich nach diesen benennen. Die Klubs wählen Vorstände, legen Mitgliederlisten an und beschließen Programme *(Vitrine 2).* Sie übernehmen bald die Vorberatungen für das Plenum und werden von manchen schon »Parteien« genannt.

Am schnellsten organisiert sich die in der Minderheit befindliche demokratische Linke, die in den demokratischen Volksvereinen auch außerhalb des Parlaments eine feste organisatorische Basis hat *(Kat. Abb. 99, 100).* Unter der Führung Robert Blums sammelt sie sich im »Deutschen Hof«, schon bald aber spalten sich die entschiedenen Republikaner als Fraktion »Donnersberg« ab und bilden damit die äußerste Linke im Parlament. Zunächst zentralistisch gesinnt, schließt sich der größte Teil der Linken im Februar 1849, als sich die kleindeutsch-preußische Lösung abzeichnet, mit dem »Pariser Hof« der

Rechten zur großdeutschen Koalition zusammen. Die Rechte der Paulskirche ist eine liberal-konservative Gruppe, die sich – zuerst katholisch und österreichisch orientiert – im »Steinernen Haus«, dann unter der Leitung des preußischen Freiherrn von Vincke im »Café Milani« organisiert *(Vitrine 2).* Im Gegensatz zur Linken will diese Gruppe die Aufgabe der Nationalversammlung auf die Ausarbeitung der Verfassung beschränken und die Konstitution auf eine Vereinbarung mit den Fürsten stützen.
Der größte Teil der Abgeordneten rechnet sich der liberalen Mitte zu, die sich wiederum in den Flügel des »Württemberger Hofs« (linkes Zentrum) und der Casinopartei (rechtes Zentrum) scheidet *(Kat. Abb. 98).* Der Württemberger Hof lehnt wie die Linke die Vereinbarung mit den Fürsten ab. Die zahlenmäßig und intellektuell stärkste Gruppe ist die Casinopartei, die weitgehend das Geschehen im Parlament bestimmt und mit Heinrich von Gagern auch den Präsidenten stellt. Zum »Casino« gehören viele der Professoren, wie die Historiker Dahlmann, Droysen, Waitz und Giesebrecht. Die meisten Mitglieder der Fraktion erstreben eine konstitutionelle Monarchie mit beschränktem Wahlrecht und treten später für die kleindeutsche Lösung ein. Sie fürchten die Anarchie mehr als die wiedererstarkende Macht der Fürsten.

Bildung der provisorischen Zentralgewalt: der Reichsverweser (Tafel 28–32)

Die Reichsverweserwahl, erster demonstrativer Höhepunkt der Nationalversammlung, entsteht aus einem Kompromiß zwischen den Vorstellungen der verschiedenen Fraktionen über eine provisorische Zentralgewalt. Die Linke will einen einzigen Mann als Träger der Exekutive, die Rechte ein Kollegium, die Linke einen Abgeordneten der Nationalversammlung, der durch die Versammlung selbst gewählt und ihr verantwortlich sein soll, die Rechte die Ernennung durch die Fürsten und den Status, sich nicht vor dem Parlament verantworten zu müssen.

Tafel 29

Um aus diesen Gegensätzen heraus und zu einer Entscheidung zu kommen, verfällt Heinrich von Gagern, Präsident der Versammlung, auf seinen berühmten »kühnen Griff« und schlägt der Nationalversammlung die Wahl eines Reichsverwesers vor

(Kat. Abb. 101). Gewählt wird Erzherzog Johann, »nicht weil, sondern obgleich er ein Fürst ist«. Er ist der Nationalversammlung nicht verantwortlich und wird nach seiner Wahl von den Fürsten der Einzelstaaten anerkannt. Er ist damit »legitimer« Nachfolger der Bundesversammlung, die ihre Kompetenzen dem Reichsverweser überträgt.

Mit dieser Entscheidung geht die Nationalversammlung, wie sich zeigen soll, in die Sackgasse des Kompromisses mit den alten Mächten. Außerdem steht jetzt an der Spitze ein Mitglied des österreichischen Herrscherhauses. Die Entscheidung über die Zugehörigkeit des österreichischen Vielvölkerstaates zum künftigen deutschen Nationalstaat wird damit noch schwieriger.

Jubel herrscht über den Reichsverweser nur bei seinem Amtsantritt *(Kat. Abb. 103).* In einem Aufruf »An das deutsche Volk« verspricht er »nach Jahren des Drucks ... die Freiheit voll und unverkürzt« und die Vollendung des Verfassungswerks für Deutschland *(Vitrine 3 und Kat. Abb. 104).* Demokratische Vereine appellieren an den Reichsverweser, die Volkssouveränität zu achten und für die Verantwortlichkeit eines künftigen Reichsoberhaupts einzutreten *(Vitrine 3).* Bald jedoch enthüllt sich die Schwäche der Zentralgewalt. Der Reichsverweser beruft ein Ministerium, dessen Handlungsfähigkeit durch organisatorische Mängel und durch Kompetenzstreitigkeiten mit den deutschen Staaten stark begrenzt ist *(Schaubild).*

Tafel 30

Tafel 31/32

So sehr das erste Ministerium unter Leiningen, einem hohen Aristokraten und Verwandten des englischen Königshauses, auch die Autorität der Zentralgewalt durchzusetzen versucht: die effektive Macht liegt weiter bei den Einzelstaaten, nicht bei der Zentralgewalt. Sie regiert über ein illusionäres Reich. Ohne Armee, Polizei und Beamte ist sie bei der Durchführung ihrer Beschlüsse auf den guten Willen der Einzelstaaten angewiesen *(Vitrine 3).* Die Zentralgewalt verhandelt mit Bevollmächtigten der deutschen Staaten in Frankfurt. Unklar ist die völkerrechtliche Vertretung, die die Staaten nicht der Zentralgewalt allein überlassen wollen. Ebenso stellen nicht alle ihre Truppenkontingente unter den Oberbefehl der Zentralgewalt. Der Appell, dem Reichsverweser zu huldigen, der an die Truppen aller Staaten am 6. August ergeht, wird von den entscheidenden Staaten Preußen und Österreich nur mit Vorbehalten befolgt.

Die Grundrechte des deutschen Volkes (Tafel 34–38)

Tafel 34

Die Menschen- und Bürgerrechte, zum erstenmal formuliert in der amerikanischen Unabhängigkeitserklärung und dann durch die französische Revolution, sind auch für die verfassunggebende Versammlung in der Paulskirche das erste Ziel ihrer Bemühungen. Am 3. Juli 1848, nach der Konstituierung der provisorischen Zentralgewalt, beschließt die Nationalversammlung, »mit der Feststellung der allgemeinen Rechte, welche die Gesamtverfassung dem deutschen Volke gewähren sollte, den Anfang zu machen ... Das Verfassungswerk, welches jetzt unternommen ist, soll ja die Einheit und Freiheit Deutschlands, das Wohl des Volkes auf Dauer begründen«.

Das liberale Bürgertum debattiert monatelang über die Inhalte der endlich errungenen Freiheiten. Es geht um eine neue soziale Ordnung und um die Bildung eines deutschen Nationalstaates mit demokratischer Verfassung *(Kat. Abb. X)*.

In ganz Deutschland folgt man den Debatten in der Paulskirche mit großer Aufmerksamkeit. Viele Deutsche versuchen mit Flugschriften, Petitionen und Änderungsvorschlägen Einfluß auf die Formulierung der fundamentalen Rechte der Bürger zu nehmen *(Vitrine 4)*.

Tafel 35/36

Der Beschluß der Nationalversammlung, mit der Diskussion der Grundrechte zu beginnen und die Frage der Verfassung zurückzustellen, ist die unmittelbare Folge der Erfahrungen der Abgeordneten mit dem vormärzlichen Polizeisystem. Sie haben den Willen, vor allem die Rechte des einzelnen dem Staat gegenüber zu sichern: »Wir wollen jetzt aus dem herauskommen, was uns der Polizeistaat der letzten Jahrhunderte gebracht hat. Wir wollen den Rechtsstaat auch für Deutschland begründen. ... Es soll die Bevormundung entfernt werden, die von oben her auf Deutschland lastet.«

Tafel 37

Die Grundrechte garantieren den bürgerlichen Rechtsstaat. Zum ersten Mal in der deutschen Geschichte wird zugleich ein einheitliches »Reichsbürgerrecht« (§ 2) geschaffen. Ständische Vorrechte sollen durch die allgemeine Gleichheit vor dem Gesetz abgelöst werden: »Der Adel als Stand ist aufgehoben; die Deutschen sind vor dem Gesetze gleich« (§ 7).

Rechtsgleichheit, einheitliches Staatsbürgerrecht und Gleichheit der Bürger vor dem Gesetz bilden das Kernstück der Grundrechte. Vor allem geht es der Paulskirchenversammlung darum, die Rechte des Individuums gegenüber dem Staat zu

IX Barrikade an der Neuen Königsstraße in Berlin am 19. März 1848

X Die Grundrechte des Deutschen Volkes, Lithographie von Adolf Schroedter, Mainz 1848

Das merkwürdige Jahr 1848. — Eine neue Bilderzeitung. — 37stes Bild.

Wüthender Angriff der Republikaner

uf das in der Paulskirche zu Frankfurt versammelte deutsche National-Parlament, am 18. September 1848.

Was woget und brauset so dumpf heran,
Erfüllt mit Gebrülle die Straßen?
Es ist der Pöbel im tollen Wahn,
Er wüthet über die Maßen.

Warum wogt und braus't er so dumpf heran,
Erfüllt mit Morden die Straßen?
Er will sie morden Mann für Mann,
Die vom Recht sich nicht abbringen lassen.

Wer hat sie getrieben so toll heran,
Zu erfüllen mit Morden die Straßen?
Die Republikaner im irren Wahn,
Sie können die Ruhe nur hassen.

Die Abgeordneten Preußens für die deutsche National-Versammlung hatten sich ermannt, hatten für ffenstillstand mit Dänemark, für Ruhe und Frieden in ihrem Lande und in ganz Deutschland, für nd Ordnung gesprochen und der Fürst Lichnowsky und General v. Auerswald sich besonders chnet; und der größte Theil der Versammlung war auf ihre Seite getreten. Das hatte nun die Re- er, deren Dichten und Trachten nur darauf geht, durch eine allgemeine Revolution alles von Unterst st zu kehren, alles Bestehende zu vernichten und sich selbst zur Herrschaft zu bringen, aufs Höchste Sie hetzten das Volk in großen Volksversammlungen auf, machten Verschwörungen und beschlossen durch ihre angeworbenen Haufen die National-Versammlung in der Paulskirche aus einander zu jagen , welche für die gute Sache gestimmt hatten, umzubringen. Sie setzten dies am 18. September in's lebende Haufen umlagerten die Paulskirche und wollten hineindringen, wurden aber durch das Militair vertrieben. Nun vertheilten sie sich in die Straßen, bauen Barrikaden und schießen aus den Fenstern der Häuser. Das Militair wird nun kommandirt, die Barrikaden zu nehmen, die Anführer zu vertreiben. Und sie rücken vor, die Oesterreicher treu, die Hessendarmstädter muthig und gewandt und die Preußen sicher, rasch und ohne Besinnen. Die Barrikaden werden überwältigt, das Feuer aus den Häusern gedämpft. Es war eine Freude, Offiziere und Mannschaft so vieler Stämme wie eine lebendige, muthvolle Mauer für die National-Versammlung des deutschen Reichs in den Tod geben zu sehen. Das Gefecht entschied sich unaufhörlich zu Gunsten der Truppen. Aus der Umgegend waren schnell 6 — 7000 Mann versammelt. 12 Geschütze mit Kartätschen und Kavallerieangriffe bereiteten dem frevelhaften Aufruhr raschen Untergang. Abends 8 Uhr war der Sieg entschieden.

XI Straßenkampf vor der Paulskirche am 18. September 1848

garantieren: »Die Freiheit der Person ist unverletzlich« (§ 8). Jeder Staatsbürger erhält die Meinungs- und Glaubensfreiheit: »Jeder Deutsche hat das Recht, durch Wort, Schrift, Druck und Bild seine Meinung frei zu äußern« (§ 13). Die Vereins- und Versammlungsfreiheit wird gesichert (§§ 29, 30), besonders die Freiheit der Wissenschaft und der Lehre (§§ 22, 23). Die Unabhängigkeit der Kirche vom Staat wird in den Debatten leidenschaftlich diskutiert *(Vitrine 4)*. Schließlich sichern die Grundrechte die freie Verfügungsgewalt des Bürgers über sein Eigentum: »Das Eigentum ist unverletzlich« (§ 32). Alle noch bestehenden Adelsprivilegien werden beseitigt. Einerseits werden alle noch auf Grund und Boden lastenden Abgaben und Leistungen für ablösbar erklärt, andererseits erhalten die besitzlosen Abhängigen freie Verfügungsgewalt über ihre Arbeitskraft: »Jeder Untertänigkeits- und Hörigkeitsverband hört für immer auf« (§ 34).

Die Grundrechte zielen auf die freie, durch die Sicherung des Eigentums gewährleistete Entfaltung des Individuums, also auf die Freisetzung aller Kräfte des einzelnen unter allgemein verbindlichen gesetzlichen Regeln. Dagegen werden alle über die rechtliche Sicherung des Individuums hinausgehenden sozialreformerischen Maßnahmen von der Mehrheit der Abgeordneten nicht gebilligt *(Vitrine 4)*. Obwohl die »soziale Frage« durch das Elend breiter Volksschichten schon ins allgemeine Bewußtsein gedrungen ist, findet sich in den Grundrechten nichts über das Recht auf Arbeit und soziale Sicherheit. Nur die politische Gleichheit gehört zum Inhalt der fundamentalen Rechte der Bürger, die soziale Gleichheit wird abgelehnt. Hier setzt die Kritik der Arbeiter- und Gesellenvereine und der entschiedenen Demokraten an *(Vitrine 4)*. Die sozialen Interessengegensätze, an denen das Werk der Paulskirche schließlich vor allem scheitern sollte, zeichnen sich bereits ab.

XII (Abb. links) Gefecht bei Waghäusel am 22. Juni 1849 zwischen Aufständischen und preußischen Truppen

Die Krise der Nationalversammlung und die zweite Welle der Revolution (Tafel 40–51)

Tafel 40–42

Der Waffenstillstand von Malmö

Noch während der Diskussion über die Grundrechte tritt die für das Schicksal der Nationalversammlung entscheidende Krise ein. Die Herzogtümer Schleswig und Holstein, deren Herzog der dänische König ist, haben sich der deutschen Revolution angeschlossen und sich gegen ihren dänischen Herrscher erhoben, weil er das im Unterschied zu Holstein nicht zum Deutschen Bund gehörende Schleswig dem dänischen Nationalstaat einverleiben wollte *(Vitrine 5)*. Die revolutionäre provisorische Regierung der Herzogtümer ersucht den Bundestag um militärische Hilfe, die sie unter preußischem Oberkommando erhält. Die deutsche Nationalbewegung nimmt sich des Kampfes der Schleswig-Holsteiner mit einem Enthusiasmus ohnegleichen an. Er wird zu einem Kristallisationspunkt der deutschen Einheitsbestrebungen und zur Prestigefrage für die Nationalversammlung. Die Bundestruppen kämpfen unter preußischem Kommando erfolgreich. Trotzdem zwingt ausländischer Druck, vor allem von England und Rußland, Preußen zur Annahme des Waffenstillstands von Malmö, dessen Bestimmungen weitgehend zu Lasten der Schleswig-Holsteiner gehen *(Vitrine 5)*. Die Frankfurter provisorische Zentralgewalt, Rechtsnachfolgerin des Bundestages, in dessen Namen der Krieg geführt worden ist, wird bei den Waffenstillstandsverhandlungen von Preußen übergangen. Preußen verwirft damit den nationalen Gedanken zugunsten seiner Interessen als europäische Macht.

Tafel 41

Diese erste außenpolitische Krise zeigt die Probleme, vor denen die Nationalversammlung steht und die sie zum Teil selbst geschaffen hat. Mit der Wahl des Reichsverwesers hatte die Nationalversammlung für kurze Zeit Autorität, wenn nicht gar Macht vorgetäuscht. Nun kommt es im Verlauf der Auseinandersetzungen um Schleswig-Holstein zu einer Konfrontation mit den tatsächlichen Machtverhältnissen. Die gemäßigten und die radikalen Abgeordneten der Paulskirche reagieren unterschiedlich. Die tiefgreifenden Differenzen zwischen Liberalen und Demokraten treten deutlicher als je zuvor zutage.
Die Nationalversammlung muß eine Entscheidung über das

eigenmächtige Vorgehen Preußens fällen. Denn von Annahme oder Ablehnung des Waffenstillstands durch die Nationalversammlung hängt nicht nur das Schicksal Schleswig-Holsteins, sondern das ganz Deutschlands ab. Die Annahme bedeutet den Sieg Preußens über die deutsche Nationalbewegung, den Sieg eines Monarchen über das gesamtdeutsche Parlament. Die Ablehnung würde bedeuten, daß die Nationalversammlung entschlossen ist, sich gegen Preußen und auch gegen die europäischen Mächte durchzusetzen und damit den Weg der Vereinbarung mit den Fürsten zu verlassen.

Tafel 42

Am 5. September lehnt die Nationalversammlung mit 238 gegen 221 Stimmen nach der turbulentesten Debatte seit ihrem Bestehen *(Kat. Abb. 105)* den Waffenstillstand ab. Es ist der erste Sieg der Linken in der Paulskirche. Viele Liberale stimmen für diese Entscheidung. Darunter der Hauptredner der Schleswig-Holsteiner, Dahlmann, der in seiner Rede sagt, daß das Parlament sein ehemals stolzes Haupt nie wieder erheben werde, falls es sich bei diesem ersten großen Anlaß vor dem Ausland beuge und die Einheit Deutschlands in Schleswig-Holstein verrate. Das Ministerium Leiningen tritt nach der Abstimmung zurück. Dahlmann gelingt allerdings weder die Bildung eines neuen Ministeriums, noch kann er sich dazu entschließen, die Forderung der Linken zu übernehmen und zum Kampf gegen Preußen aufzurufen.

Die Nationalversammlung verharrt in ohnmächtiger Passivität. Am 16. September schließlich akzeptiert sie mit 257 gegen 236 Stimmen doch noch den Waffenstillstand mit den Stimmen vieler Liberaler wie auch Dahlmann, die sich vorher leidenschaftlich dagegen ausgesprochen hatten. Damit opfert sie ihr Ansehen, indem sie jetzt für die Politik Preußens eintritt. Die Paulskirche begibt sich endgültig in die Abhängigkeit der Fürsten. In dieser Entscheidung sehen Karikaturisten schon die Beerdigung des »Siebenmonatskindes« der deutschen Einheit *(Kat. Abb. 106)*.

Das Unvermögen der Nationalversammlung, die preußische Regierung zur Ablehnung des Waffenstillstands von Malmö zu bewegen, dokumentiert ihre Ohnmacht vor den bestehenden Gewalten. Für die Republikaner ist dies der Beweis für die Aussichtslosigkeit der gemäßigt-liberalen Konzeption, die Fürsten auf dem Wege von Verhandlungen zu freiwilligem Verzicht auf einige Souveränitätsrechte zugunsten eines deutschen Nationalstaates und eines parlamentarischen Systems zu bewegen.

Tafel 43—45

Aufstände gegen die Nationalversammlung

Republikaner und Demokraten finden jetzt in der Frankfurter Bevölkerung immer mehr Anhänger. Die Befürworter des Waffenstillstandes werden als Verräter bezeichnet, die Republikaner dagegen zunehmend als die Sachwalter der revolutionären Nationalbewegung angesehen. Stark besuchte Versammlungen der Arbeiter- und Demokratenvereine, bei denen bereits die roten Fahnen die schwarz-rot-goldenen zu verdrängen beginnen, verlangen den geschlossenen Auszug der gesamten Linken aus der Paulskirche oder die Auflösung der Nationalversammlung *(Vitrine 6 und Kat. Abb. 107).* Die provisorische Zentralgewalt fordert gleichzeitig zum Schutz der Nationalversammlung preußisches und österreichisches Militär an. Die Lage verschärft sich. Die Erbitterung richtet sich vor allem gegen die preußischen Truppen, die nun gegen die Revolutionäre auf der Straße eingesetzt werden. Während in der Paulskirche über die Freiheit der Wissenschaft debattiert wird, tobt draußen der Straßenkampf *(Kat. Abb. XI).* Nach dem Mord an zwei Abgeordneten der Rechten, Lichnowsky und Auerswald, wird über die Stadt der Belagerungszustand verhängt *(Vitrine 6).* Der Aufstand wird niedergeschlagen *(Kat. Abb. 108).*

Tafel 43/44

Tafel 45

Nach diesem militärischen Sieg fühlt sich die Zentralgewalt gestärkt. Sie verbündet sich zunehmend mit den alten Dynastien und leitet jetzt ihrerseits gegenrevolutionäre Maßnahmen ein. Sie plant die Ahndung von »Pressvergehen« gegen Beamte und Behörden und fordert die Einzelstaaten zur Einsendung einer genauen »Statistik der in Deutschland bestehenden demokratischen Volksvereine und deren Verzweigungen« auf. Doch der Sieg kommt schließlich nicht der Zentralgewalt, sondern den alten Mächten zugute.

Tafel 46/47

Die Republik wird ausgerufen

Die Ereignisse in Frankfurt greifen auf die mittel- und südwestdeutschen Staaten über. Überall werden jetzt sozialrevolutionäre und republikanische Forderungen erhoben, die über die Ziele der Mehrheit in der Nationalversammlung hinausgehen.

In Baden, wo neue Finanzgesetze und Gerichtsverfahren gegen die Aufständischen des Frühjahres in den unteren Schichten große Unruhe verbreitet haben, versucht Gustav von Struve einen Putsch. Seine Flugblätter nach der Annahme des Malmöer Waffenstillstands durch die Nationalversammlung geben die Stimmung wieder: »Triumph! Das Frankfurter Parlament ist entlarvt! Es gibt kein deutsches Parlament mehr – nur noch ein erzürntes Volk, ihm gegenüber eine Handvoll Schurken... Ganz Deutschland erhebt sich im Augenblick gegen die Fürstenherrschaft und für die Erringung der Volksfreiheit.« Am 21. September ruft er vom Lörracher Rathaus die deutsche soziale Republik aus *(Kat. Abb. 109)* unter der Losung »Wohlstand, Bildung, Freiheit für alle«. Zu ihrer Finanzierung wird gegen Schuldscheine Geld aus der Bevölkerung aufgenommen *(Vitrine 6).* Die Anhänger der Monarchie sollen verhaftet, das Vermögen des Staates, der Kirche und der Monarchisten eingezogen und den Gemeinden übergeben werden *(Kat. Abb. 110).* Der Aufstand breitet sich rasch über das badische Oberland aus, wird aber am 26. September von der Übermacht badischer Truppen bei Stauffen niedergeschlagen.

Tafel 48/49 Sieg der Reaktion in Wien

Auch in den nichtdeutschen Teilen der Habsburger Monarchie, vor allem in Ungarn und Italien, kommt es zu neuen Unruhen. Der ungarische Landesverteidigungsausschuß unter Lajos Kossuth plant eine Offensive zur Erringung der Unabhängigkeit. Als die in Wien stationierten deutschen und italienischen Truppen am 5. Oktober den kaiserlichen Kontingenten gegen die Ungarn eingegliedert werden sollen, bricht in der österreichischen Hauptstadt der offene Aufstand aus. Studenten der »Akademischen Legion« verbünden sich mit der Bürgerwehr und Arbeitern und verhindern den Abmarsch der Truppen. Die Minister und der Kaiser fliehen aus der Stadt. Wien ist in den Händen der Revolutionäre.
Die provisorische Zentralgewalt in Frankfurt entsendet den liberalen Abgeordneten Welcker und Oberst Mosle als »Reichskommissare« nach Österreich, um »alle zur Beendigung des Bürgerkrieges, zur Herstellung des Ansehens der Gesetze und des öffentlichen Friedens erforderlichen Vorkehrungen zu treffen« *(Vitrine 6).* Sie wagen es jedoch nicht, Wien zu betreten, und kehren aus dem kaiserlichen Hauptquartier ohne Ergebnis zurück. Robert Blum dagegen, linker Abgeordneter der Paulskirche, kämpft mit den Aufständischen auf den Barrikaden.

Von kaiserlichen Truppen unter Fürst Windischgrätz wird über Wien der Belagerungszustand verhängt. Nach fünf Tagen ist die Stadt zurückerobert. Die Aufständischen leisten erbitterten, aber vergeblichen Widerstand. Mehrere tausend Tote und brennende Häuser *(Kat. Abb. 112)* sind die Bilanz des Sieges der monarchistischen Reaktion über die Stadt. Robert Blum wird ohne Rücksicht auf seine Immunität als Abgeordneter standrechtlich erschossen *(Kat. Abb. 111)*. Die Nationalversammlung protestiert nur matt.
Fürst Schwarzenberg, ein eiserner Verfechter der absoluten Monarchie und des großösterreichischen Machtstaates, wird Ministerpräsident, der Reichstag aufgelöst, eine Verfassung oktroyiert. Die Revolution in Österreich ist gescheitert.

Tafel 50/51 Gegenrevolution in Berlin

Ein anderes Zentrum der zweiten revolutionären Welle ist Berlin. Der äußere Anlaß ist die Ernennung des Generalleutnants Brandenburg, eines Verwandten des Königshauses und reaktionären Mitglieds der »Kamarilla«, zum Ministerpräsidenten. Er soll die »Contrerevolution« einleiten. In der Stadt kommt es zu Unruhen. Auch die Liberalen sind nicht bereit, diesen Affront zu akzeptieren. Fast einstimmig lehnt die preußische Nationalversammlung am 2. November das Ministerium der Krone ab. Sie teilt diesen Beschluß durch eine Deputation dem König mit, der sie jedoch nicht zu Wort kommen läßt *(Kat. Abb. 113)*. Die preußische Nationalversammlung wird gegen ihren Widerstand aus Berlin in die Stadt Brandenburg verlegt. Den demokratischen Abgeordneten und denen des linken Zentrums, die sich weigern, der Verlegung Folge zu leisten, werden die Versammlungslokale gesperrt. Schließlich werden sie mit Waffengewalt auseinandergetrieben *(Kat. Abb. 114)*.
Obgleich die am 10. November in Berlin einziehenden 40000 Soldaten des Generals von Wrangel auf keinen Widerstand treffen, wird am 12. November der Belagerungszustand über die Stadt verhängt *(Kat. Abb. 115)*. Erst jetzt wächst der Widerstand der demokratischen Gruppen in der Stadt. Zur Unterstützung der Linientruppen wird die Landwehr einberufen. So bleibt die Monarchie Herr der Lage. Sie kann es sich schließlich erlauben, die nach Brandenburg verlegte Nationalversammlung endgültig aufzulösen und eine Verfassung zu oktroyieren, die mit einer

Anzahl Konzessionen das liberale Bürgertum besänftigt. Doch schon vorher war das Auseinanderbrechen der im März noch weitgehend geschlossenen revolutionären Gruppen deutlich geworden, nachdem bei den Spandauer Krawallen Bürgerwehr auf demokratische Arbeiter geschossen hatte *(Kat. Abb. 116).* In Berlin erscheint die Broschüre »Gegen Demokraten helfen nur Soldaten«. Die Mehrheit des liberalen Bürgertums resigniert. Die monarchistische Gegenrevolution hat auch in Preußen gesiegt.

Der Kampf um die Einheit (Tafel 52–62)

Tafel 53/54

Nach der Niederschlagung der »zweiten Revolution« wird die deutsche Einheit zur Machtfrage zwischen Preußen und Österreich. Österreich will seine Großmachtstellung festigen. Nach Schwarzenbergs Idee eines Siebzigmillionenreiches soll Österreich mit seinem gesamten Territorium gemeinsam mit allen deutschen Staaten in einen mitteleuropäischen Staatenbund einteten.
Dagegen steht die kleindeutsch-preußische Lösung: ein kleindeutscher Bundesstaat unter preußischer Führung, der später eventuell zu einem »Doppelbund« mit Österreich erweitert werden soll.
Die Mehrheit der Nationalversammlung bekennt sich zu Beginn der Einheitsdebatte im Oktober 1848 zum großdeutschen Prinzip, das auch dem ersten Verfassungsentwurf zugrunde liegt. Das Reichsgebiet soll danach das Gebiet des bisherigen Deutschen Bundes umfassen und darüber hinaus das Herzogtum Schleswig und die preußischen Ostprovinzen einbeziehen.

Tafel 55

Immer deutlicher zeichnet sich ab, daß Österreich nicht bereit ist, seine staatliche Einheit für einen deutschen Nationalstaat preiszugeben. So findet Heinrich von Gagern als neuer Ministerpräsident der provisorischen Zentralgewalt schließlich eine Mehrheit für sein kleindeutsches Programm *(Kat. Abb. 117).*

Tafel 56

In der Debatte um das Reichsoberhaupt im Januar 1849 tritt die kleindeutsche Partei für ein preußisches Erbkaisertum ein. Die großdeutsche Seite mit ihren politischen Fraktionen bietet dagegen widersprüchliche Konzeptionen an: sie reichen von einem dynastischen Reichsdirektorium bis zu einer unitarischen demokratischen Republik.

Tafel 57

Die Verabschiedung einer zentralistischen Gesamtstaatsverfassung für das Habsburgerreich im März 1849 zerstört endgültig die großdeutschen Hoffnungen. Viele Großdeutsche treten zur kleindeutschen Fraktion Gagerns über. Die Linke läßt sich durch das Zugeständnis des gleichen, direkten und geheimen Wahlrechts gewinnen.

Tafel 61

Am 27. März wird die Verfassung *(s. Verfassungsschautafel im Anhang)* beschlossen, am 28. der preußische König zum »Kaiser der Deutschen« gewählt *(Kat. Abb. 118).*

Tafel 62

Die »Kaiserdeputation« der Nationalversammlung unter Leitung ihres Präsidenten Eduard von Simson überbringt dem preußischen König das Ergebnis der Wahl *(Kat. Abb. 119).* Aber die Erwartung, die dieser mit seiner Losung »Preußen geht fortan in Deutschland auf« in den Märztagen 1848 geweckt hatte, war trügerisch. Die deutsche Einheit soll nicht das Werk einer vom Volk gewählten, souveränen Nationalversammlung sein, sondern allein auf dem Weg der »Vereinbarung« mit den anderen Fürsten geschaffen werden. In einem Schreiben an Bunsen erklärt der König im Dezember 1848: »Einen solchen imaginären Reif, aus Dreck und Letten gebacken, soll ein legitimer König von Gottes Gnaden, und nun gar der König von Preußen sich geben lassen, der den Segen hat, wenn auch nicht die älteste, doch die edelste Krone, die niemandem gestohlen ist, zu tragen ... Ich sage es Ihnen rund heraus: soll die tausendjährige Krone deutscher Nation, die 42 Jahre geruht, wieder einmal vergeben werden, so bin ich es und meinesgleichen, die sie vergeben werden; und wehe dem, der sich anmaßt, was ihm nicht zukommt.«

Mit der Ablehnung der Kaiserkrone durch den preußischen König ist das Verfassungswerk der Paulskirche gescheitert *(Kat. Abb. 120).*

Die Kampagne für die Reichsverfassung im Frühsommer 1849 (Tafel 64–70)

Tafel 64

»Die Stunde ist gekommen, da es sich entscheiden wird, ob Deutschland frei und stark, oder geknechtet und verachtet sein soll. Die Vertreter der deutschen Nation, von allen Bürgern und von Euch gleichfalls gewählt, haben die Reichsverfassung für ganz Deutschland beschlossen und als unverbrüchliches Gesetz verkündet. Die ganze Nation ist fest entschlossen, die Reichsverfassung durchzuführen ... Die größeren Fürsten und ihre Kabinette verweigern der Reichsverfassung den Gehorsam. Sie sind Rebellen gegen den Willen und das Gesetz der Nation.«
Mit diesen Worten ruft der Kongreß sämtlicher Märzvereine Deutschlands am 6. Mai 1849 zur Durchsetzung der Reichsverfassung auf, die von den größeren Staaten – insbesondere Preußen, Sachsen, Bayern – abgelehnt worden ist. Überall in Deutschland versuchen Arbeiter-, Volks- und Vaterlandsvereine mit Petitionen, Pressekampagnen und Straßenversammlungen, Druck auf die Regierungen auszuüben. Man beruft sich auf das »heilige Recht der Revolution«. Durch die Ablehnung der monarchistischen Regierungen erscheint in Deutschland alles, was die bürgerlich-demokratische Revolution bisher erreicht hat, in Frage gestellt. Die Resolutionen sprechen immer deutlicher davon, die Verfassung notfalls auch mit Waffengewalt zu sichern. So erklären Heidelberger Bürger am 8. Mai »aus eigenem Antrieb und freiem Willen, öffentlich und feierlichernst, daß wir die von der deutschen verfassungsgebenden National-Versammlung in Frankfurt a. M. geschaffene und bekanntgemachte deutsche Reichsverfassung samt den Grundrechten und dem Wahlgesetz ... bereit sind, ... mit Leib und Leben, Gut und Blut zu schützen und zu verteidigen *(Vitrine 7 und Kat. Abb. 122)*. In Sachsen, im Rheinland, in der Pfalz und in Baden schlägt die Agitation in den offenen Aufstand um.

Tafel 65

In Dresden ruft der Ausschuß des »Vaterlandsvereins« zur bewaffneten Demonstration auf: »Eilt schleunigst mit Waffen und Munition herzu! Es gilt!« Am Nachmittag des 3. Mai stürmt das Volk das Zeughaus. Der König flieht. Eine provisorische Regierung wird eingesetzt *(Vitrine 7 und Kat. Abb. 123)*. Für kurze Zeit ist die Volkssouveränität Wirklichkeit.

Tafel 66

In der Altstadt werden Barrikaden gegen das sächsische Militär und die anrückenden preußischen Truppen errichtet. Aber der Kampf bleibt auf Dresden beschränkt, der Aufruf der provisorischen Regierung an die Bürger Sachsens ohne Echo *(Kat. Abb. 124).* Angesichts der Überlegenheit des Gegners bricht die Front der Aufständischen in der belagerten Stadt auseinander. Die Bürgerwehr zieht sich von den Barrikaden zurück. Die Demokraten, die Arbeiter und Gesellen – unter ihnen der russische Anarchist Michail Bakunin und Richard Wagner – werden in sechstägigem Kampf von den aus Preußen herbeigerufenen Truppen geschlagen.

Tafel 67

Trotz der Niederlage in Sachsen bricht der Aufstand nun in der Pfalz und in Baden aus. Die Pfälzer erheben sich *(Kat. Abb. 121).* Sie kämpfen zugleich für die Loslösung der Pfalz von Bayern. Demokratisch-republikanische Ideen prägen diesen Volkskrieg. Am 17. Mai trennt sich die Pfalz von Bayern.

In Baden beschließt am 13. Mai eine Landesvolksversammlung in Offenburg, an der etwa 35 000 Menschen teilnehmen: »Die deutschen Fürsten haben sich zur Unterdrückung der Freiheit verschworen und verbunden; der Hochverrath an Volk und Vaterland liegt offen zutage ... Das badische Volk wird daher die Volksbewegung in der Pfalz mit allen ihm zu Gebote stehenden Mitteln unterstützen.« Zwar hat die badische Regierung die Verfassung akzeptiert; doch die badischen Republikaner wollen mehr; anstelle der monarchisch-konstitutionellen Lösung fordern sie die Republik und demokratische und soziale Reformen, freie Wahl der Offiziere, unentgeltliche Aufhebung sämtlicher Grundlasten, Schutz gegen das Übergewicht der Kapitalisten und staatliche Arbeitslosenunterstützung *(Kat. Abb. 125).*

Tafel 68/69

Zwischen dem 10. und 12. Mai meutert das badische Militär in den wichtigsten Festungen des Landes *(Kat. Abb. 126).* Die Rebellion der Truppen gegen ihre Offiziere ermuntert die demokratische Volksbewegung zum offenen Aufstand. Die Chancen der Revolution sind günstig. Sie wird zur letzten Hoffnung aller Demokraten in Deutschland. Turner- und Schützenkompanien, Arbeiterbataillone, polnische und ungarische Legionen ziehen zur Unterstützung nach Baden. Preußisches Militär und Truppen des Reichsverwesers unter dem Oberbefehl des Prinzen von Preußen, des späteren Kaisers Wilhelm I., marschieren ein. In nahezu zweimonatigem Kampf wird die badisch-pfälzische Erhebung besiegt *(Vitrine 7 und Kat. Abb. XII).*

Ausdauer, Zähigkeit und der Mut der Volksarmee konnten die wachsende militärische Desorganisation nicht aufwiegen.

Die provisorische Regierung in Baden selbst, unter Leitung des zaudernden Lorenz Brentano, verhindert ein energisches Vorgehen: zunächst versagt sie den nur schlecht bewaffneten Pfälzern ernsthafte militärische Unterstützung, in Baden verbietet sie die radikal-demokratische Opposition, die sich im »Klub des entschiedenen Fortschritts« zusammengefunden hat; vor allem wendet sie sich gegen eine Ausweitung des Kampfes auf andere deutsche Länder.

Auch die Linke in der Frankfurter Paulskirche vermag nicht, sich an die Spitze der Bewegung zu stellen, nachdem die liberalen und konservativen Abgeordneten ausgezogen waren und die Durchsetzung der Reichsverfassung der »selbstthätigen Fortbildung der Nation« überlassen hatten *(Vitrine 7).*

Tafel 70

Rastatt, die letzte Festung der Aufständischen und Ausgangspunkt der Revolution, fällt am 23. Juli 1849.

Bis Ende Oktober 1849 arbeiten in Baden die preußischen Militärtribunale: standrechtliche Erschießungen, Zuchthaus und Gefängnis für die Aufständischen sind das Ende *(Vitrine 8 und Kat. Abb. 127).* 80000 Verfolgte, ein Fünftel der badischen Bevölkerung, wandern aus.

Im Herbst 1849 ist die demokratisch-liberale Bewegung in allen Ländern Europas – in Frankreich, Italien, Ungarn und Deutschland – besiegt.

Die Reaktion (Tafel 72–78)

Die Revolution ist gescheitert. Sie ist gescheitert am Widerstand der alten Dynastien, der königstreuen Heere und der Bürokratie, aber auch an wachsenden Gegensätzen im eigenen Lager. Die bürgerlichen Liberalen scheuten vor den radikalen politischen Forderungen der Republikaner und Demokraten zurück. Hinzu kommt der Interessenkonflikt zwischen Besitzenden und Besitzlosen, der sich im Zeitalter der beginnenden industriellen Revolution ständig verschärft.

Tafel 73

In der nun einsetzenden Reaktion werden die liberalen Ministerien in allen deutschen Ländern durch konservative ersetzt. Die Parlamente werden aufgelöst, die Verfassungen revidiert. Die Monarchen regieren wieder ohne wirkliche Kontrolle durch das Volk.

Tafel 74

Die preußische Regierung führt das Dreiklassenwahlrecht ein.

Die Wähler werden darin je nach der Höhe des von ihnen entrichteten Steuerbetrages in drei Klassen eingeteilt: die kleine Zahl der Großverdiener der ersten Klasse (4% der Bevölkerung) kann ebensoviele Wahlmänner und Abgeordnete stellen, wie die zahlenmäßig stärkste Klasse der Kleinverdiener (80% der Bevölkerung). Durch die Öffentlichkeit der Wahl soll darüberhinaus eine Kontrolle der abhängigen Wähler gesichert werden *(Schautafel Dreiklassenwahlrecht).*

Tafel 75/76 Meinungs- und Pressefreiheit werden durch Zensur und Polizeispitzel eingeschränkt, 1851 hebt der Deutsche Bund die »Grundrechte des deutschen Volkes« wieder auf. Er ist von Österreich und Preußen, den Hauptmächten der Reaktion, wieder eingesetzt worden als Instrument der Unterdrückung *(Kat. Nr. 128, 129).*

Tafel 77 Während im Vielvölkerstaat Österreich die letzten nationalen Aufstände niedergeschlagen werden, triumphiert unter Leitung des Deutschen Bundes überall die Reaktion. Liberale, Demokraten und Sozialrevolutionäre werden verhaftet und zu langjährigen Freiheitsstrafen verurteilt *(Kat. Abb. 130).* Alle »verdächtigen« politischen Vereine werden verboten *(Vitrine 8).*

Tafel 78 Die Folgen der Unterdrückung sind Massenauswanderungen in die Schweiz, nach England und in die Vereinigten Staaten von Amerika *(Kat. Abb. 131).* Der Versuch einer demokratischen Reichsgründung durch das deutsche Volk ist gescheitert.

Raum IV

Die Reichsgründung

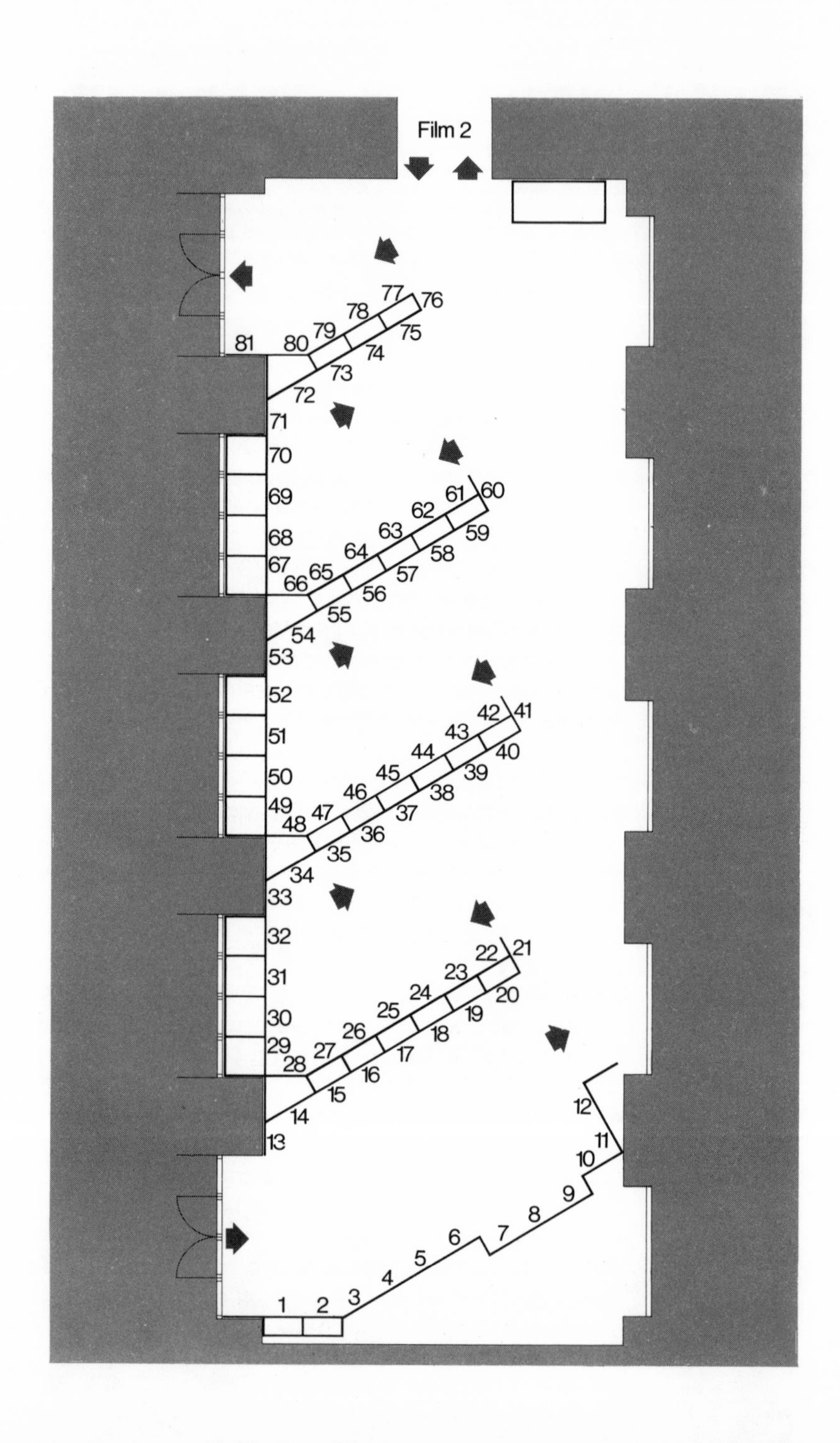
Film 2
1
2
3
4
5
6
7
8
9
10
11
12
13
14
15
16
17
18
19
20
21
22
23
24
25
26
27
28
29
30
31
32
33
34
35
36
37
38
39
40
41
42
43
44
45
46
47
48
49
50
51
52
53
54
55
56
57
58
59
60
61
62
63
64
65
66
67
68
69
70
71
72
73
74
75
76
77
78
79
80
81

In den fünfziger Jahren, der Zeit politischer Reaktion, schafft die wirtschaftliche Entwicklung eine völlig neue Situation: auch in Mitteleuropa setzt sich jetzt die industrielle Revolution durch. Die Schwerindustrie wächst sprunghaft; industrielle Ballungsräume entstehen vor allem im Ruhr- und im Saargebiet und in Oberschlesien; moderne Produktionsverfahren werden angewandt, neuartige Industriezweige entwickelt, die dem bis dahin wirtschaftlich zurückgebliebenen Deutschland auf einigen Gebieten bereits eine führende Stellung verschaffen. Aktiengesellschaften und Wirtschaftsbanken finanzieren die Unternehmen. Deutschland wird ein modernes Industrieland.
Die sozialen Folgen der Industrialisierung werfen neue Probleme auf. Es entsteht ein ständig wachsendes Industrieproletariat, das sich vor allem aus ehemals selbständigen Handwerkern und aus den in die großen Städte strömenden Landarbeitern rekrutiert. Mit sinkenden Reallöhnen verschlechtert sich dessen Situation zunehmend. Die Arbeiter wohnen in oft menschenunwürdigen Behausungen. Ihr Verdienst liegt meist an der Grenze des Existenzminimums. Selbsthilfeorganisationen wie Konsumgenossenschaften, Krankenversicherungen und Darlehenskassen versuchen die ärgste Not zu lindern. In die gleiche Richtung zielen karitative Einrichtungen wie Kolpings Gesellenvereine. Alle diese Einrichtungen stellen die bestehende wirtschaftliche und soziale Ordnung nicht in Frage. Der Sozialismus dagegen zieht radikale Konsequenzen und ruft zum Umsturz des kapitalistischen Systems durch die Arbeiter selbst auf. In Karl Marx findet er seinen führenden Theoretiker.
Das Kernland der industriellen Entwicklung ist Preußen, das – noch dazu als Führungsmacht des Zollvereins – ein immer stärkeres wirtschaftliches Gewicht innerhalb Deutschlands gewinnt. Damit wird zugleich auch seine politische Stellung gegenüber Österreich gestärkt. Bedeutsam für die weitere politische Entwicklung ist außerdem, daß bereits in den Jahren der Reaktion die Wirtschaftspolitik Preußens den Interessen weiter Kreise des Bürgertums entspricht.
Seit 1858 scheint sich noch einmal die Chance zu bieten, daß der preußische Staat auch den politischen Wünschen des liberalen Bürgertums entgegenkommt. In dem Regierungsantritt des Prinzregenten Wilhelm, der ein gemäßigt liberal-konservatives Ministerium beruft und in einer programmatischen Ansprache an das Staatsministerium weitreichende Reformen ankündigt, sehen viele Zeitgenossen den Beginn einer »Neuen

Ära« in Preußen. Sie gibt überall in Deutschland dem politischen Liberalismus großen Auftrieb. Man hofft auf die Einlösung der versprochenen Reformzusagen und darüber hinaus auf eine nationale Einigung unter Führung eines liberalen Preußen.
Ermutigt von der Entwicklung in Preußen, angespornt überdies von der italienischen Einigung, gründen jetzt Liberale und Demokraten den Nationalverein, der sich über den ganzen Deutschen Bund ausweiten soll. Er nimmt das 1849 gescheiterte kleindeutsche Konzept einer nationalen Einigung auf parlamentarischer Grundlage unter preußischer Führung wieder auf. 1861 entsteht mit der Deutschen Fortschrittspartei die »Exekutive des Nationalvereins in Preußen«: ein Parteibündnis ebenfalls aus entschiedenen Liberalen und Demokraten, deren führende Männer dem Nationalverein angehören. Die Fortschrittspartei hat innerhalb Preußens die gleiche Zielsetzung wie der Nationalverein. Auch in anderen deutschen Staaten beginnen sich jetzt die Liberalen politisch durchzusetzen. Am weitesten geht die Entwicklung in Baden. Die dortige »Neue Ära« übertrifft die preußische insofern, als hier das Bündnis zwischen Krone und Liberalismus die gleichen Ziele hat und Reformen nicht nur angekündigt, sondern auch verwirklicht werden.
Ausschlaggebend für Deutschland ist aber vor allem Preußen, auf das sich die Erwartungen konzentrieren und das als stärkste Wirtschaftsmacht zugleich das größte politische Gewicht hat. Statt zur Zusammenarbeit mit den Liberalen kommt es hier jedoch über die Frage der Heeresreform bald zu einer grundsätzlichen Auseinandersetzung mit dem Parlament, die sich mehr und mehr zu einem Verfassungskonflikt entwickelt. Die Fortschrittspartei sieht in ihm die entscheidende Machtprobe mit dem monarchisch-konservativen Staat und dem »mit absolutistischen Tendenzen verbündeten Junkertum«. Doch sie kann diese Machtprobe nicht für sich entscheiden. Mit Bismarck, der im September 1862 zum preußischen Ministerpräsidenten berufen wird, betritt jetzt der große Gegenspieler der liberalen Bewegung die politische Bühne. Schon 1848 als ultrakonservativer Junker bekannt geworden, steuert er nun einen schroff antiparlamentarischen Kurs und regiert mit der Theorie der Verfassungslücke ohne parlamentarische Budgetbewilligung. Die Fortschrittspartei steht dem letztlich ohnmächtig gegenüber. Die konservative Haltung der Landbevölkerung und die

XIII (Abb. rechts) Innenansicht eines Eisenwalzwerks in Königshütte (Oberschlesien), Gemälde von Adolf Menzel

XIV Gedenkblatt zum deutschen Schützenfest in Frankfurt 1862

XV Fürst Otto von Bismarck, Gemälde von Franz von Lenbach

XVI Die Kaiserproklamation in Versailles am 18. Januar 1871, Gemälde von Anton von Werner

Interessenbindung weiter Kreise des besitzenden Bürgertums an den preußischen Staat lassen sie vor einem revolutionären Vorgehen zurückschrecken. Sie opponiert deshalb in dem Rahmen, »wo sich die besitzenden Schichten noch nicht von uns trennen«.
Diese Haltung ist einer der Gründe dafür, daß sich die Arbeiterschaft von der Fortschrittspartei abwendet. Mit der Gründung des Allgemeinen Deutschen Arbeitervereins durch Lassalle im Jahre 1863 bleibt der Fortschrittspartei, die sich ursprünglich als Sammelbecken aller liberalen und demokratischen Reformkräfte verstanden hat, nur noch das Wählerreservoir des Bürgertums. Bürgerliche und proletarische Demokratie gehen von nun an eigene Wege.
Während so die Front der Opposition zerfällt, gelingen Bismarck auf außenpolitischem Gebiet ständig neue Erfolge. Im Konflikt um Schleswig-Holstein, in dem sich alle nationalen Kräfte – ob großdeutsch oder kleindeutsch – leidenschaftlich engagieren, übernimmt Preußen die Führung und zwingt Österreich an seine Seite. Nach dem Sieg über Dänemark werden die Herzogtümer unter die Verwaltung der beiden kriegführenden Mächte gestellt. Preußen aber dringt schließlich auf eine Annexion der Herzogtümer und treibt damit den Konflikt mit Österreich bis zum Kriege. Mit Preußens Sieg ist der Kampf um die Vormachtstellung in Deutschland endgültig zu seinen Gunsten entschieden. Der Deutsche Bund wird aufgelöst, der Weg zur kleindeutschen Lösung der nationalen Frage unter Führung des konservativen Preußen zeichnet sich ab.
Der außenpolitische Sieg bringt Bismarck auch einen innenpolitischen Erfolg. Ein Teil der Liberalen unterstützt fortan seine Machtpolitik, weil er sich von ihr – obgleich sie allen liberalen Traditionen widerspricht – den deutschen Nationalstaat erhofft.
Während der linke Flügel der Fortschrittspartei am Primat der Freiheit festhält und den nationalen Führungsanspruch Preußens ablehnt, »solange Preußen nicht innerlich zur Freiheit gelangt ist« (Waldeck), glauben andere Liberale, daß die Verhältnisse in Preußen erst dann im liberalen Sinne geändert werden können, wenn Deutschland geeint ist. »Ohne eine andere Gestaltung der deutschen Verhältnisse ... ist für die Dauer auch die Existenz einer vernünftigen und freien Verfassung Preußens eine Unmöglichkeit« (Forckenbeck).
Der Norddeutsche Bund – die erste Stufe der Einigung

Deutschlands – dehnt den Machtbereich Preußens bis zur Main-Linie aus. Die Abgeordneten des Reichstags sind zwar nach dem allgemeinen, geheimen, gleichen und direkten Wahlrecht gewählt, doch bleiben die Rechte des Parlaments begrenzt. Bismarck als Bundeskanzler ist allein vom König von Preußen als dem »Inhaber« des Bundespräsidiums, nicht aber vom Parlament abhängig.
Die Verfassung des Norddeutschen Bundes ist bereits auf den möglichen Beitritt der süddeutschen Staaten hin angelegt. Überdies sind die süddeutschen Staaten durch Schutz- und Trutzbündnisse mit dem Norddeutschen Bund verbunden. Eine weitere Klammer bildet das neugeschaffene Zollparlament des deutschen Zollvereins, zu dem Abgeordnete aus allen deutschen Staaten gewählt werden. Doch folgt Bismarck aus außenpolitischen Gründen dem Drängen der Nationalliberalen, die politische Einigung voranzutreiben, zunächst nicht. Vor allem befürchtet er eine Intervention Frankreichs, das seit dem preußischen Sieg über Österreich seine europäische Vormachtstellung in Gefahr sieht. Die wachsenden Spannungen zwischen Preußen und Frankreich führen über die Verwicklungen der Hohenzollernschen Thronkandidatur schließlich zur französischen Kriegserklärung. Sie löst in ganz Deutschland eine Welle nationaler Empörung aus. Die militärischen Bündnisverträge zwischen den deutschen Staaten treten in Kraft und werden im Verlauf des Krieges nach diplomatischen Verhandlungen durch völkerrechtsähnliche Verträge zwischen den deutschen Monarchen und Regierungen ergänzt. Nach der militärischen Niederlage Frankreichs und dem Sturz des französischen Kaisertums wird am 18. Januar 1871 im Spiegelsaal von Versailles in einem höfisch-militärischen Zeremoniell der Akt der Reichsgründung von oben, durch die konservative preußische Staatsmacht und die Fürsten, vollzogen.

Der Durchbruch der industriellen Revolution (Tafel 1–12)

Zu Beginn der fünfziger Jahre setzt in ganz Europa ein neuer wirtschaftlicher Aufschwung ein, der mit kurzen Unterbrechungen mehr als zwanzig Jahre, bis zur großen Krise von 1873, dauert. Eisenbahnbau und Schwerindustrie werden nun auch in Deutschland in einem im Vormärz nicht gekannten Ausmaß vorangetrieben. Das dazu erforderliche Kapital kann ein einzelner nicht mehr aufbringen: Aktiengesellschaften und Großbanken sind die Voraussetzung für die wirtschaftliche Entfaltung. Damit entsteht ein selbstbewußtes, wirtschaftlich mächtiges, aber oft unpolitisches industrielles Großbürgertum.

Tafel 2

Nach wie vor bietet in Deutschland der Eisenbahnbau eine bevorzugte Kapitalanlage; sprunghaft wächst das Schienennetz weiter, um 1850 sind es 6044 km, 1860 sind es schon 11 633 km und schließlich 1870 19 575 km. In der Hausse der 60er Jahre schütten Eisenbahnaktiengesellschaften Dividenden zwischen 10 und 20 % aus.

Seit 1852 wachsen auch die Kapitalanlagen in der Schwerindustrie, Dampf- und Werkzeugmaschinen setzen sich durch *(Kat. Abb. XIII und 132).* Während die Regierungen der Reaktionszeit alle liberalen Bestrebungen im politischen und gesellschaftlichen Leben unterdrücken, zeigen sie in wirtschaftspolitischer Hinsicht Entgegenkommen, denn sie wollen die Finanz- und Wirtschaftskraft ihrer Staaten stärken. Vor allem die preußische Regierung geht hierbei voran: Das immer noch bestehende Konzessionswesen – für die Gründung von Fabriken, ja selbst für die Aufstellung von Maschinen bedurfte es bisher der staatlichen Genehmigung – wird eingeschränkt. 1851 fällt im Bergbau auch das alte Direktionsprinzip: Neuinvestitionen können von nun an ohne die Zustimmung des Bergamts vorgenommen werden.

Tafel 3

Industrielle Unternehmungen in den neuen Größenordnungen können nicht mehr von einzelnen finanziert werden. Die moderne Form der Kapitalbeschaffung, die Aktiengesellschaft, tritt ihren Siegeszug an. Während zwischen 1818 und 1849 in Deutschland nur 18 Aktiengesellschaften gegründet wurden, sind es allein in der Zeit von 1850 bis 1859 271 Neugründungen *(Kat. Abb. 133).*

Tafel 5/6

Aktiengesellschaften und Banken fördern die für das wirtschaftliche Wachstum notwendige Konzentration des Kapitals. Es entstehen Aktienbanken allein zu dem Zweck, industrielle Unternehmen zu finanzieren. Zunächst widersetzt sich die preußische Regierung dieser Konzentration der wirtschaftlichen Macht in den Händen des Bürgertums. Der rheinische Großindustrielle Mevissen ist gezwungen, die von ihm geplante Aktienbank 1853 außerhalb Preußens, in Darmstadt, zu gründen. Die Funktion dieser Wirtschaftsbanken geht aus dem Geschäftsbericht der »Darmstädter Bank für Handel und Industrie« hervor: »Sie hat das Recht und die Aufgabe, das Kapital, das bei dem einen Industriellen zeitweilig disponibel, dem andern, der dasselbe im gleichen Augenblick bedarf, zuzuführen und durch diesen steten Austausch die industrielle Tätigkeit zu beleben und zu steigern.« Private Geschäftsbanken erhalten nach 1850 das Recht, eigene Banknoten auszugeben; damit soll die finanzielle Mobilität gesteigert werden. 1857 beträgt der Umlauf derartiger Banknoten bereits 375 Millionen Taler. Die neuen Geschäfts- und Wirtschaftsmethoden dringen ins allgemeine Bewußtsein: der Typus des Börsenspekulanten erscheint als Inkarnation des Kapitalismus *(Kat. Abb. 134).*

Tafel 10

Neue technische Verfahren steigern die Produktivität. Ein Puddelofen brauchte zum »Frischen« von drei Tonnen Roheisen 24 Stunden. Eine Bessemerbirne schafft die gleiche Menge in 20 Minuten. Neue Industriezweige entstehen, so die Chemie- und die Elektroindustrie. 1863 wird die Badische Anilin- und Sodafabrik gegründet. 1866 entwickelt Werner von Siemens die Dynamomaschine.

Zentrum der wirtschaftlichen Entwicklung ist Preußen. Durch den Zollverein gelingt es ihm, die süddeutschen Staaten wirtschaftlich immer stärker an sich zu binden – mögen sie auch politisch zu Österreich neigen oder unabhängig bleiben wollen. In Österreich hingegen gibt es keine vergleichbare wirtschaftliche Entwicklung.

Tafel 11

Im internationalen Vergleich holt Deutschland in den beiden Jahrzehnten vor der Reichsgründung den ehemals beträchtlichen Rückstand gegenüber England und Frankreich auf. Zwar bleibt England weiterhin die führende Industrienation der Welt, doch Frankreich wird auf manchen Gebieten überflügelt. Die Weltausstellungen werden zum Schauplatz der konkurrierenden Nationen *(Kat. Abb. 135, 136).* Selbstbewußt urteilt ein deutscher Zeitgenosse über die Pariser Ausstellung von 1867: »Unser Gußstahl war unerreicht; unser Glas, unser Papier standen auf der höchsten Stufe, in chemischen Produkten schlugen wir die englische und französische Konkurrenz. Unsere mechanischen Webstühle, Werkzeugmaschinen, Lokomotiven, standen englischen und amerikanischen mindestens gleich – und dieses Ziel war in verhältnismäßig sehr kurzer Zeit erreicht worden.«

Tafel 12

Auch in der Landwirtschaft bemüht man sich, rationeller zu produzieren. Vor allem die ostelbischen Gutsbesitzer profitieren davon, weil sie über große und zusammenhängende Gebiete landwirtschaftlich nutzbaren Bodens verfügen. 1850 findet die Ablösungsgesetzgebung, die mit der Agrarreform von 1807 begonnen hatte, ihren Abschluß: noch einmal verändern sich die Besitzverhältnisse auf dem Lande zugunsten der Junker und großen Grundbesitzer.

Die Mineraldüngung, die bahnbrechende Entdeckung Justus von Liebigs, setzt sich durch. In großer Zahl entstehen landwirtschaftliche Vereine, die die neuen Produktionsmethoden propagieren und die erforderlichen Maschinenparks beschaffen. Auch die Landwirtschaft wird in einem bisher nicht gekannten Ausmaß mit maschineller Hilfe rationalisiert. Die Absatzchancen für landwirtschaftliche Produkte sind günstig wie nie zuvor. Zur Zeit der Reichsgründung haben Industrie *und* Landwirtschaft eine gleich gute Konjunktur. Die Idee des Freihandels vereint das politisch reaktionäre Junkertum mit dem liberalen Bürgertum.

Die sozialen Folgen der Industrialisierung (Tafel 15–20)

Die Jahre der raschen wirtschaftlichen Entwicklung zwischen 1850 und 1870 bringen den Übergang vom Handwerker- zum Industrieproletariat. Gleichzeitig beginnt die Verstädterung: vom Lande wandern viele in die industriellen Zentren; Handwerksgesellen, die nicht mehr hoffen können, sich seßhaft zu machen, und kleine Meister, die der Konkurrenz erliegen, verdingen sich in den Fabriken. Die Lage der Arbeiter ist miserabel. Es entstehen karitative Vereine, die die unmittelbare Not lindern wollen. Zur gleichen Zeit breiten sich neue sozialistische Theorien aus, die die Befreiung der Arbeiterklasse nur durch den Sturz des Kapitalismus für möglich erklären.

Tafel 16

In den 50er und 60er Jahren saugen die wachsenden Industriestädte vor allem die Arbeitskräfte der unmittelbaren Umgebung an. Erst später setzt die große Ost-West-Wanderung ein. Die ostelbischen Landarbeiter werden nun in immer stärkerem Maße zum Arbeitskräftereservoir der rheinisch-westfälischen Industrie. Die Bevölkerungszahl steigt zwischen 1850 und 1870 von 35 auf 41 Millionen; davon leben um 1860 2,6 Millionen in Großstädten. Die Werksanlagen verändern die alte Silhouette der Städte. Vor allem im Ruhrgebiet entsteht bereits eine Industrielandschaft *(Kat. Abb. 137).* 1873 leben aber noch immer zwei Drittel der deutschen Bevölkerung auf dem Lande.

Die Lage der Industriearbeiter bessert sich durch die günstige Konjunktur der Wirtschaft keineswegs. Vor allem die Wohnverhältnisse der neu in die Städte geströmten Proletarier sind menschenunwürdig *(Kat. Abb. 138, 139).*

Tafel 17

Die von der industriellen Entwicklung bedrohten sozialen Gruppen schließen sich zu Selbsthilfeorganisationen zusammen: Raiffeisen gründet ländliche Darlehnskassen, Schulze-Delitzsch Kreditvereine für das Kleingewerbe. Die katholische und evangelische Kirche richtet karitative Vereine für Gesellen und Arbeiter ein; Kolping und Ketteler, Wichern und Bodelschwingh versuchen, aus dem Geist des Christentums eine Antwort auf die sozialen Probleme der Zeit zu finden. Alle diese Versuche, die sozialen Folgen der Industrialisierung und der kapitalistischen Wirtschaftsordnung für bestimmte Gruppen der Bevölkerung zu mildern, beschränken sich auf Verbesserungsvorschläge im Rahmen der bestehenden Ordnung.

Tafel 18/20

Für Marx und Engels dagegen ist die Arbeiterklasse kein Gegenstand der Fürsorge. Die Arbeiterklasse müsse sich selbst befreien: es gehe nicht um reformistische Verbesserungen, sondern das System der kapitalistischen Ausbeutung selbst müsse abgeschafft werden. Zu Beginn der Revolution von 1848 haben Marx und Engels in London das »Manifest der Kommunistischen Partei« verfaßt. Erst jetzt gewinnt es allgemeine Bedeutung. Es endet mit den Sätzen: »Die Proletarier haben nichts zu verlieren als ihre Ketten. Sie haben eine Welt zu gewinnen. Proletarier aller Länder, vereinigt euch!« *(Kat. Abb. 140, 141).* In den 50er und 60er Jahren geht Marx daran, die Bewegungsgesetze und Tendenzen der kapitalistischen Produktionsweise zu erforschen, um nachzuweisen, daß die Revolution des Proletariats nicht nur ein subjektiver Willensakt, sondern zugleich eine objektiv-historische Notwendigkeit sei. Diese grundlegenden Untersuchungen veröffentlicht er in seinem unvollendeten Hauptwerk: »Das Kapital« *(Vitrine).*

Parteien und Vereine (Tafel 22–40)

Tafel 22–24

Wiedererstarken des politischen Liberalismus

Tafel 23

Das seit der gescheiterten Revolution von 1848 politisch einflußlose Bürgertum erstarkt im Zeichen der Hochkonjunktur der fünfziger Jahre und drängt mit neuem Selbstbewußtsein auf einen politischen Kurswechsel. Erste Anzeichen eines Umschwungs im liberalen Sinne zeigen sich in Preußen. Prinz Wilhelm, bisher ein entschiedener Vertreter der konservativen preußischen Staatstradition, übernimmt 1858 die Regentschaft für seinen geisteskranken Bruder Friedrich Wilhelm IV. *(Kat. Abb. 142).* Er entläßt das reaktionäre Ministerium und löst das Abgeordnetenhaus auf. Bei den diesmal nicht von der Regierung kontrollierten Wahlen gewinnen die Liberalen die Mehrheit. Das von ihm neu berufene, gemäßigt liberal-konservative Ministerium *(Kat. Abb. 143, 144)* und seine Regierungserklärung erwecken bei den Liberalen große Erwartungen. In seiner Rede vor dem Staatsministerium am 8. November 1858 spricht Wilhelm selbst von den »moralischen Eroberungen«, die Preußen in Deutschland machen wolle. Die Regierung kündigt einschneidende Reformen an. Presse-, Vereins- und Versammlungsfreiheit werden wieder garantiert. Man spricht allgemein von einer »Neuen Ära« in Preußen und erwartet von ihr Impulse für ganz Deutschland *(Kat. Abb. 145).* Bald aber wird deutlich, daß es dem Prinzregenten nur um die Stabilisierung des alten Systems geht. Im preußischen Verfassungskonflikt zeigt sich schließlich die Unterschiedlichkeit der Zielsetzung zwischen ihm und den Liberalen in aller Schärfe.

Tafel 24

Der Kurswechsel in Preußen beeinflußt auch die Politik anderer deutscher Staaten. Die Opposition wird überall ermutigt, das System der Reaktion in vielen Staaten schrittweise abgebaut. Am weitesten geht das Großherzogtum Baden. Auch dort kommt es zu einer »Neuen Ära«. Im Unterschied zu Preußen gehen Krone und Liberalismus hier ein wirkliches Bündnis ein. Das parlamentarische System wird vom Großherzog anerkannt. Das Land erhält ein vom Vertrauen des Großherzogs und des Parlaments getragenes liberales Ministerium *(Kat. Abb. 146–148).* Um über die Pläne der neuen Regierung aufzuklären, entwirft der Großherzog in seiner Osterproklamation vom 7. April 1860 das Bild einer »Zukunft, die niemand verletzen will, weil sie gegen alle gerecht sein will« *(Kat. Abb. 149).* Es kommt zu einschneidenden Reformen in der Verwaltung, im Schulwesen und in der Wirtschaft. Die liberale Innenpolitik soll zugleich die Grundlage schaffen für eine badische Initiative zur »kleindeutschen« Einigung Deutschlands. Damals entstand das Wort vom badischen liberalen »Musterländle«. So macht Baden die von Preußen versprochenen moralischen Eroberungen in Deutschland.

Zur gleichen Zeit wird auch Österreich zum Verfassungsstaat. Die Februarverfassung verfügt die Bildung eines österreichischen Reichsrats als parlamentarische Gesamtrepräsentation der Monarchie *(Kat. Abb. 150).*

Tafel 25–32

Neuer Aufschwung der Nationalbewegung

Mit der Neuen Ära in Preußen verbindet sich die Hoffnung, Preußen werde sich an die Spitze der kleindeutschen Nationalbewegung stellen. Gleichzeitig gibt die Entwicklung in Italien, wo sich in den Jahren zwischen 1859 und 1862 zum ersten Male in Europa eine geteilte Nation ihre Einheit erkämpft, der deutschen Nationalbewegung neuen Auftrieb. Hinzu kommt, daß die wirtschaftlichen Interessen der aufstrebenden Industriegesellschaft immer stärker auf einen politischen Zusammenschluß Deutschlands hindrängen. Nach der Resignation der fünfziger Jahre kommt es daher nun zu einem neuen Aufschwung der Nationalbewegung.

Tafel 26

Nach dem Vorbild der italienischen »società nazionale« vereinigen sich Liberale und Demokraten im Nationalverein, der als organisierter Bürgerwille die Einigung Deutschlands beschleunigen soll.

Der Nationalverein nimmt das Konzept von 1848 wieder auf und fordert die Errichtung einer starken Zentralgewalt und die Berufung einer Nationalversammlung. Als Führungsmacht wird Preußen angesehen, das der Nationalverein mit zahlreichen Appellen zu Initiativen in der nationalen Einigung zu bewegen versucht. Die Resonanz des Nationalvereins ist groß. Das Coburger Treffen des Vereins ruft die Erinnerung an die großen Nationalfeste der Zeit vor der 48er Revolution wach. 1863 zählt der Nationalverein 25000 Mitglieder.

Doch das politische Ergebnis bleibt aus. Der Nationalverein entschließt sich nicht zu selbständiger Aktivität, sondern begnügt sich mit Appellen an die Fürsten, namentlich an den preußischen König. Die Mehrheit der Fürsten jedoch erfüllt die liberalen Hoffnungen nicht. Im Gegenteil. In einigen Bundesstaaten wird der Nationalverein unterdrückt. Der liberale Nationalgedanke stößt, wie 1848/49, erneut auf den Widerstand der alten Mächte *(Kat. Abb. 155)*.

Tafel 27

Über die Frage der Heeresreform kommt es in Preußen zum Konflikt zwischen Krone und Parlament. Oppositionelle Linksliberale und Demokraten, teilweise führende Vertreter des Nationalvereins, gründen die Deutsche Fortschrittspartei (*Kat. Abb. 152–154)*. Sie ruft zum entschlossenen Kampf für den parlamentarischen Rechtsstaat und für eine neue soziale Ordnung auf. Erstmals bezieht eine preußische Partei auch die Forderung nach der nationalen Einigung in ihr Programm ein. Die Tendenz nach links im preußischen Bürgertum zeigt sich bei den Wahlen zum Abgeordnetenhaus 1861: Die Fortschrittspartei erhält 109 Sitze. Die Konservativen schrumpfen auf 14 Mandate zusammen. Die Forderung nach innenpolitischen Reformen, verbunden mit dem Verlangen nach einem liberalen Nationalstaat, hat erneut zahlreiche Anhänger gefunden.

Tafel 28/29

Der antiparlamentarische Kurs der preußischen Regierung im Heereskonflikt desillusioniert das liberale Bürgertum, das die

nationale Einigung unter Führung Preußens will. Nun werden auch die Anhänger der großdeutschen Lösung wieder aktiv. 1862 gründen Konservative, Liberale und Demokraten in Frankfurt einen antipreußischen Reformverein *(Vitrine)*. Einer der führenden Köpfe ist Julius Fröbel, ein Demokrat aus der 48er Revolution. In diesem letzten Versuch, die nationale Einigung mit Österreich zu erreichen, finden sich vor allem süd- und mitteldeutsche Beamte und Intellektuelle zusammen.
Zugleich erarbeiten die Regierungen der Mittelstaaten Pläne für eine engere Zusammenarbeit. Österreich versucht, die antipreußische Strömung für seine Zwecke auszunutzen. Sein Vorschlag auf dem Frankfurter Fürstentag für eine Bundesreform scheitert, weil Preußen sich weigert teilzunehmen *(Kat. Abb. 151)*.

Tafel 30

Der Rückhalt, den die Bestrebungen, einen liberalen Nationalstaat zu schaffen, in allen sozialen Schichten finden, kommt in den vielen Volksfesten dieser Zeit zum Ausdruck. Sie alle haben nationalen Charakter. Vor allem Schillers hundertster Geburtstag 1859 wird als gesamtdeutsches Fest gefeiert. Die Erinnerung an das gemeinsame kulturelle Erbe überdeckt dabei trügerisch die politischen Gegensätze *(Kat. Abb. 156)*.

Tafel 31/32

Anfang der sechziger Jahre sind Sänger-, Turn- und Schützenfeste, an denen Zehntausende teilnehmen, Anlaß, um den Volkswillen zur Einheit zu bekunden. Die Feste erhalten politischen Charakter. Oft sind sie Sammelpunkt der Liberalen und Demokraten, nicht selten aber arten sie in naives oder auftrumpfendes Pathos aus *(Kat. Abb. XIV)*.

Tafel 35—38

Die Entstehung der Sozialdemokratie

Mit dem Amtsantritt Bismarcks als Ministerpräsident verliert der Nationalverein immer mehr an Bedeutung. Die Fortschrittspartei wird in eine Verteidigungsstellung gedrängt. Jetzt trennt sich die Arbeiterschaft von den bürgerlichen Parteien. Bisher hatte sie, deren Vereinigungen aus der 1848er Revolution in den Jahren der Reaktion zerschlagen worden waren, die Fortschrittspartei unterstützt. Während des Verfassungskonflikts gründet Ferdinand Lassalle 1863 den ADAV, den »Allgemeinen Deutschen Arbeiterverein«, die erste eigene Partei des Proletariats *(Kat. Abb. 157, 158)*. Der Arbeiterverein erhebt die Forderung nach dem allgemeinen, gleichen, direkten und geheimen Wahlrecht, das den Massen des Volkes den gebührenden Anteil am politischen Leben sichern soll. Zugleich verlangt er die Einrichtung staatlich unterstützter Produktivgenossenschaften. In Frontstellung gegen die Kompromisse der »liberalen Bourgeoisbewegung« (Lassalle) bezieht er sich ausdrücklich auf die demokratischen Traditionen der Revolution von 1848.

Tafel 38

1869 tritt neben den ADAV eine von August Bebel und Wilhelm Liebknecht geführte, an Marx und seiner Lehre orientierte Arbeiterpartei, die in Eisenach gegründete »Sozialdemokratische Arbeiterpartei« (SDAP). Beide Richtungen, »Lassalleaner« und »Eisenacher«, vereinigen sich erst 1875 in Gotha zu einer einheitlichen deutschen Arbeiterpartei *(Kat. Abb. 159).*

Tafel 39/40

Die Konservativen

Während die Vertreter der Arbeiterbewegung die Liberalen wegen ihrer Kompromißbereitschaft bekämpfen, werden sie von den Konservativen als Umsturzpartei angegriffen. Die Konservativen haben in der Revolution von 1848 eine eigene Partei gegründet. Ihr führendes Organ ist die »Neue Preußische Zeitung«, die nach dem im Titelkopf geführten Eisernen Kreuz auch »Kreuzzeitung« genannt wird. Der Konservativismus bekämpft den »vermeintlichen Fortschritt« als Angriff auf die natürliche, von Gott bestimmte Ordnung des menschlichen Lebens. Sein Kampf gegen den Liberalismus ist zugleich ein Kampf um die Bewahrung der alten Ordnung gegen die aufstrebende Macht des industriellen Bürgertums. Gerade jene Männer beschwören allerdings eine gottgewollte Ordnung, denen diese Ordnung politische und wirtschaftliche Privilegien garantiert: adlige Großgrundbesitzer und Anhänger der Krone kämpfen gegen die Aufhebung der Standesschranken, gegen gleiches Wahlrecht und für die Wiederherstellung der guts- und standesherrlichen Rechte.
Die Karikatur zeigt die »Ritter der ›Kreuzzeitungspartei‹«: Ludwig von Gerlach, der Führer der Partei, als Don Quichotte auf dem Esel, flankiert vom »Jesuitenpater« Friedrich Julius Stahl, dem Theoretiker des Konservativismus, und Bismarck im Krebspanzer der Rückständigkeit *(Kat. Abb. 160–163).*

Die Anfänge Bismarcks und die preußische Heeresreform (Tafel 42–45)

Otto von Bismarck *(Kat. Abb. XV und 164)*, der väterlicherseits einem altmärkischen Adelsgeschlecht, mütterlicherseits dem aufgeklärten Bürgertum entstammt, beginnt seine politische Tätigkeit 1847 im preußischen Vereinigten Landtag, wo er als Vertreter des altpreußischen, ständisch-konservativen Junkertums die Rechte der Krone und des Adels gegen die Reformforderungen der Liberalen verteidigt. Während der 48er Revolution bekannt durch seine kompromißlose Haltung gegenüber der demokratischen Volksbewegung, gehört er auch in den folgenden Jahren innenpolitisch dem christlich-konservativen Kreis um die Gebrüder Gerlach an *(Vitrine)*. Dies bedingt zunächst auch eine Ablehnung des deutschen Nationalstaatsgedankens, der ihm als eine Bedrohung der traditionellen inneren Ordnung und der Macht und Selbständigkeit Preußens erscheint.
1851 wird Bismarck Gesandter am wieder eingesetzten Frankfurter Bundestag *(Vitrine)*. Das Verhalten Österreichs, das nach den Vorgängen von 1848/49 und nach dem Scheitern der Erfurter Unionspläne Preußens seine Vorherrschaft im Deutschen Bund mit Nachdruck betont, bringt Bismarck zu einer außenpolitisch pragmatischen Haltung. Statt für die von Gerlach geforderte Solidarität der konservativen Mächte tritt Bismarck fortan ausschließlich für die reinen Machtinteressen Preußens ein: »In betreff der *inneren* preußischen Politik« – so schreibt er 1860 – »bin ich nicht bloß aus Gewohnheit, sondern aus Überzeugung und aus Utilitätsgründen so konservativ, als mir mein Landes- und Lehnsherr irgend gestattet ... In betreff der Zustände aller *andern* Länder aber erkenne ich keine Art *prinzipieller* Verbindlichkeit für die Politik eines Preußen an; ich betrachte sie lediglich nach Maßgabe ihrer Nützlichkeit für preußische Zwecke.« Als Bismarck 1859 nach dem innenpolitischen Kurswechsel in Preußen Frankfurt verläßt – er wird auf den preußischen Gesandtenposten in Petersburg abgeschoben – ist seine Einschätzung des preußisch-österreichischen Dualismus unverändert: Preußen bleibe »immer zu dick, um Östreich so viel Spielraum zu lassen, als es erstrebt. Unsre Politik hat keinen andern Exerzierplatz als Deutschland ... Wir atmen einer dem andern die Luft vor dem Munde fort, einer muß

weichen oder vom andern ›gewichen werden‹.« In dieser Zeit vollzieht sich auch bereits eine gewisser Wandel in Bismarcks Einstellung zur deutschen Nationalbewegung: mehr und mehr sieht er in ihr einen Machtfaktor, der sich vielleicht auch zugunsten der großpreußischen Interessenpolitik einsetzen lasse.

Tafel 43

Nach kurzer diplomatischer Tätigkeit in Paris wird Bismarck im Herbst 1862 vom König in einer innenpolitisch verfahrenen Situation an die Spitze der preußischen Regierung berufen. Über der Frage der Heeresreform ist es zur entscheidenden Machtprobe zwischen der Krone und der liberalen Mehrheit des preußischen Abgeordnetenhauses gekommen. Einerseits ist die vom König erstrebte Umgestaltung des Heeres ohne die Bewilligung der nötigen Mittel durch das Abgeordnetenhaus undurchführbar, andererseits widersprechen die Ziele der Reform – Vermehrung des stehenden, auf den König vereidigten Heeres, Ausgliederung der »bürgerlichen« Landwehr aus der Feldarmee und dreijährige Dienstzeit – den Interessen des Bürgertums. Zwar sind die Liberalen inzwischen aus nationalpolitischen Gründen von der Notwendigkeit der Stärkung des preußischen Heeres überzeugt, sie wollen sie jedoch nicht in dieser Form, die ihnen als eine einseitige Begünstigung der Macht der Krone erscheint.

Bismarck wird in einem Moment der äußersten Zuspitzung zum preußischen Ministerpräsidenten ernannt, als fast alles für eine Niederlage der preußischen Krone zu sprechen scheint. Wilhelm I. hat bereits seine Abdankungsurkunde verfaßt, der Sieg der Liberalen scheint unmittelbar bevorzustehen.

Bismarck ist bereit, die Heeresreform auch gegen das Parlament durchzusetzen und den Machtanspruch der Krone selbst gegen die Verfassung zu verteidigen: »Das preußische Königtum hat seine Mission noch nicht erfüllt, es ist noch nicht reif dazu, einen rein ornamentalen Schmuck Ihres Verfassungsgebäudes zu bilden, noch nicht reif, als ein toter Maschinenteil dem Mechanismus des parlamentarischen Regiments eingefügt zu werden«, erklärt er dem Abgeordnetenhaus. Er regiert ohne Budgetbewilligung und verschärft den innenpolitischen Kampf durch rücksichtslose Unterdrückung der Opposition: die Presse wird zensiert, oppositionelle Beamte werden aus ihren Ämtern entfernt *(Vitrine und Kat. Abb. 165).* Der Heereskonflikt wird zum Verfassungskonflikt. Aber das alles gerät schon bald in den Schatten der Außenpolitik. Hier fällt denn auch die Entscheidung über die weitere innenpolitische Entwicklung.

Bismarcks Außenpolitik 1863–1867 (Tafel 46–59)

Tafel 47–49

Die Schleswig-Holstein-Krise und der Deutsch-Dänische Krieg 1863/64

Tafel 47

Wie schon einmal im Jahre 1848 trifft der Versuch Dänemarks, Schleswig zu annektieren *(Kat. Abb. 166)*, auf den erbitterten Widerstand nicht nur der Schleswig-Holsteiner, sondern auch der deutschen Nationalbewegung insgesamt.
National- und Reformverein – sonst in heftiger Auseinandersetzung um die Gestalt eines zukünftigen Deutschland – vereinigen sich zu einer ganz Deutschland ergreifenden Protestaktion *(Vitrine)*. Sie wird zur letzten großen Manifestation der nationalen Bewegung im Sinne von 1848, bevor sie im deutschen »Bruderkrieg« zerschlagen und in der Reichsgründung von oben gewaltsam in andere Bahnen gelenkt wird.
Bismarck gelingt in dieser Situation auf der deutschen und europäischen Ebene ein Meisterstück der Diplomatie: Preußen übernimmt die Führung im Kampf gegen Dänemark, es zwingt Österreich an seine Seite und manövriert schließlich die europäischen Großmächte aus. Der Konflikt verliert seinen nationalrevolutionären Inhalt und erhält durch Preußen und Österreich rein machtpolitischen Charakter.

Tafel 48

Der preußisch-österreichische Sieg über Dänemark bringt den Schleswig-Holsteinern, die schon Friedrich von Augustenburg zu ihrem Herzog ausgerufen haben, nicht die erhoffte Unabhängigkeit. Im Vertrag von Gastein wird Schleswig preußischer und Holstein österreichischer Verwaltung unterstellt *(Kat. Abb. 167)*. Die Einigung ist nicht von langer Dauer: Österreichs geschwächte Position – es ist von seinen früheren Bundesgenossen im »dritten Deutschland« isoliert – erlaubt es Preußen, immer unverhohlener für eine Annexion der Herzogtümer einzutreten. Gleichzeitig scheitern Österreichs Pläne für eine wirtschaftliche Zollunion Mitteleuropas. Der österreichisch-preußische Dualismus im Kampf um die politische und wirtschaftliche Vormachtstellung in Deutschland spitzt sich zu.

Tafel 49

Preußen steuert auf die kriegerische Auseinandersetzung mit Österreich hin. Wichtigste Voraussetzung ist die außenpolitische Isolierung Österreichs; sie gelingt durch taktisches Geschick gegenüber Frankreich und durch ein preußisch-italienisches Bündnis.

Als Österreich den Deutschen Bund als Schiedsrichter in der Schleswig-Holstein-Frage anruft, ist der Konfliktfall da: Preußen erklärt den Gasteiner Vertrag für gebrochen und marschiert in Holstein ein – Österreich ruft zum Bundeskrieg gegen Preußen auf. Bismarck sucht aus rein taktischen Erwägungen die »Allianz mit dem Volke« und verspricht ein deutsches Nationalparlament auf der Grundlage eines demokratischen Wahlrechts.

Tafel 50–55

Das Entscheidungsjahr 1866

Tafel 50

Der preußisch-österreichische Krieg dauert wider Erwarten nur fünf Wochen. Er verändert die Situation in Deutschland grundlegend. Auf Seiten Österreichs kämpfen alle deutschen Mittelstaaten, wie Sachsen, Hannover, Bayern, Württemberg und Baden, auf Seiten Preußens nur zum Bündnis gezwungene Kleinstaaten. Ausschlaggebend für den Sieg wird die strategische Leistung des preußischen Generalstabschefs Helmuth von Moltke. Hauptkriegsschauplatz ist Böhmen, wo am 3. Juli Österreich die entscheidende Niederlage von Königgrätz hinnehmen muß *(Kat. Abb. 168)*. Damit entscheidet Preußen den Kampf um die Vormacht in Deutschland endgültig zu seinen Gunsten. Der Deutsche Bund ist aufgelöst, Bismarck sieht den Weg frei zur nationalen Einigung unter preußischer Führung. Nach der 1848 gescheiterten Revolution von unten setzt sich das Bismarcksche Konzept einer nationalen Einigung »von oben« mit den Mitteln der alten Diplomatie und Kriegführung durch.

Tafel 51/52

Auf der Friedenskonferenz in Nikolsburg ist Bismarck die beherrschende Figur *(Kat. Abb. 169)*. Geschickt weiß er die Situation zum Ausbau der preußischen Vormachtstellung zu nutzen. Im Prager Frieden wird – entgegen den Absichten Wilhelms I. – Österreich geschont; es muß dafür auf die Wiederherstellung des Deutschen Bundes verzichten, den preußischen Annexionen nördlich der Mainlinie sowie der geplanten Errichtung eines Norddeutschen Bundes zustimmen. Mit der Annexion von Schleswig-Holstein, Hannover, Kurhessen, Nassau und Frankfurt setzt sich Bismarck – was die liberale Bewegung nicht wagte – über das Legitimitätsprinzip hinweg *(Kat. Abb. 170, 171)*. Preußen beherrscht jetzt Kleindeutschland, denn die süddeutschen Staaten, militärisch und wirtschaftlich von Preußen abhängig, finden nicht zu einem eigenen Bund zusammen. Die Habsburger Monarchie geht von nun an eigene Wege.

Tafel 55

Wie die außenpolitische Situation verändert sich auch die innenpolitische durch den Krieg entscheidend. Schon die Wahl zum preußischen Abgeordnetenhaus am Tag der Schlacht von Königgrätz zeigt einen Rückgang der Liberalen zugunsten der Konservativen. Den militärischen Sieg ausnutzend, ersucht Bismarck das Abgeordnetenhaus am 3. September in der sogenannten Indemnitätsvorlage um die nachträgliche Bewilligung des Heeresbudgets, also um die Sanktionierung seines Verfassungsbruchs. Unter dem Eindruck der Erfolge Bismarcks stimmt das Parlament zu. Die Mehrheit der Liberalen gibt ihre Opposition gegen die Bismarcksche Machtpolitik auf und erhofft jetzt gerade von ihr die Verwirklichung des Nationalstaates. Damit wird der nationale Gedanke zunächst dem liberalen übergeordnet. Die Parole »Durch Einheit zur Freiheit« erweist sich freilich bald als eine Formel der Selbstbeschwichtigung. Nur ein Teil der Fortschrittspartei, die Linksliberalen, stellt weiterhin die Verwirklichung liberaler Verfassungsrechte über die Lösung der Einheitsfrage. Damit ist die liberale Bewegung entscheidend geschwächt und gespalten in einen oppositionellen und in einen regierungstreuen Flügel. Noch im Herbst 1866 bilden sich die Ansätze der Nationalliberalen Fraktion, auf die Bismarck seine Politik mehr als ein Jahrzehnt stützen kann. Führer der Nationalliberalen im Norddeutschen Reichstag wird Rudolf von Bennigsen, der Vorsitzende des Nationalvereins. Die Liberalen haben sich um die Chance gebracht, im neuen Staat ihre Ziele als geschlossene Oppositionspartei gegen einen autoritären Obrigkeitsstaat durchzusetzen. Seine Herrschaft wird durch ihre Spaltung gefestigt.

Tafel 56—59

Der Norddeutsche Bund 1867—71

Tafel 56

Der hessische Minister Dalwigk hat den Norddeutschen Bund einmal das Bündnis eines Hundes mit seinen Flöhen genannt. Es sind 21 Mitgliedstaaten, deren Wappen im Bundessiegel das preußische Wappen umgeben. Vier Fünftel des bis zum Main reichenden Staatsgebietes gehören zu Preußen. Als Bundesfarben wählt man Schwarz-Weiß-Rot. Die Verfassung des am 16. April 1867 gegründeten Bundes ist überwiegend von Bismarck selbst gestaltet worden *(Vitrine und Kat. Abb. 172)*. Sie sichert die preußische Hegemonialstellung und wird 1871 weitgehend als Reichsverfassung übernommen. Das Bundespräsi-

Tafel 57

dium hat erblich der König von Preußen inne, der Bundeskanzler Bismarck ist nur von ihm, nicht von dem gewählten Reichstag abhängig. Im Bundesrat verfügt ebenfalls Preußen über das entscheidende Gewicht. In dieser monarchisch-konstitutionellen Verfassung bedeutet die Einführung des allgemeinen, gleichen, direkten und geheimen Wahlrechts wenig, da der gewählte Reichstag in seinen Rechten begrenzt und auf die Legislative beschränkt bleibt; es dient letztlich nur der plebiszitären Absicherung der machtpolitisch erfolgreichen Staatsführung *(Kat. Abb. 173, 174).*

Tafel 58

Durch den Norddeutschen Bund hat sich der preußische Militär- und Obrigkeitsstaat praktisch bis zum Main ausgedehnt. Das nationalliberale Bürgertum, das den Bund trägt, profitiert wirtschaftlich von den zahlreichen Gesetzen, die Norddeutschland zu einem einheitlichen Staats- und Wirtschaftsgebiet machen. Gegner der Politik Bismarcks bleiben im Norddeutschen Reichstag Linksliberale, Sozialisten, Altkonservative und die katholische Fraktion. Antipreußisch gesinnt sind auch viele Bürger der annektierten Staaten, die sich vor allem in Hannover und Frankfurt politisch organisieren.

Tafel 59

Bismarck hat die Verfassung des Norddeutschen Bundes auf den möglichen Beitritt süddeutscher Staaten hin angelegt. Die Nationalliberalen drängen zum weiteren Einigungswerk, doch Bismarck ist zunächst nur an einer Konsolidierung in Norddeutschland interessiert. Er verhält sich – auch mit Rücksicht auf Frankreich und Österreich – gegenüber den Staaten Süddeutschlands abwartend. In doppelter Hinsicht jedoch bestehen zwischen dem Norddeutschen Bund und Süddeutschland schon Bindungen. Bereits nach dem Krieg von 1866 hat Bismarck die Staaten Bayern, Baden, Württemberg und Hessen-Darmstadt zu militärischen Schutz- und Trutzbündnissen mit Preußen veranlaßt. Im Kriegsfall wird Preußen der Oberbefehl zugestanden. Darüber hinaus verstärkt die Reform des Zollvereins von 1867 die wirtschaftspolitische Einigung Deutschlands. In dem neugeschaffenen Zollparlament beraten die Abgeordneten des Reichstags des Norddeutschen Bundes gemeinsam mit Abgeordneten Süddeutschlands, die gleichfalls nach dem allgemeinen und gleichen Wahlrecht gewählt werden. Von der fortschreitenden wirtschaftlichen Einigung geht zunächst jedoch nicht der erwartete Impuls für die politische Einigung aus: an einem freiwilligen Beitritt zum Norddeutschen Bund zeigt sich bis 1870 nur Baden interessiert.

Die Reichsgründung (Tafel 61–70)

Tafel 61

Seit dem Sieg Preußens über Österreich muß Frankreich um seine Hegemonialstellung in Europa fürchten, ohne für sein Stillhalten die erhofften Kompensationen am Rhein erhalten zu haben. Die Krise im Verhältnis Preußen – Frankreich bleibt latent bis zum Jahre 1870. Sie kommt zum Ausbruch, als Ende Juni 1870 spanische Pläne bekannt werden, einen Hohenzollernprinzen der Sigmaringer Linie zum König von Spanien zu wählen. In einer äußerst scharfen Rede vor der französischen Kammer richtet Außenminister Gramont an Preußen eine in ultimativer Form gehaltene Warnung: Frankreich werde eine solche Verletzung seiner Interessen nicht dulden. Zumindest formal aber ist Preußen nicht der richtige Adressat; denn dafür, daß Bismarck tatsächlich die Kandidaturpläne begünstigt und vorangetrieben hat, kann man damals in Paris noch keine Beweise vorlegen.

Tafel 62

Was zunächst nach einer diplomatischen Niederlage für Preußen aussieht – der Verzicht des Sigmaringers auf die spanische Krone –, verkehrt sich durch das weitere Vorgehen der Regierung in Paris, die Preußen um jeden Preis als eigentlichen Sündenbock bloßstellen will, in sein Gegenteil.

Auf das Drängen des französischen Gesandten, König Wilhelm solle garantieren, daß nie wieder ein Hohenzollernprinz in Spanien kandidiere, reagiert dieser mit entschiedener Ablehnung *(Kat. Abb. 175)*. Der von Bismarck in verschärfter Form als »Emser Depesche« veröffentlichte Bericht des Königs über die Zurückweisung des Gesandten wird in Paris als neuer »Affront« gewertet *(Vitrine und Kat. Abb. 177)*.

Die französische Regierung hat sich auf diese Weise in eine Lage gebracht, in der die Kriegserklärung als letztes Mittel erscheint, Frankreichs »Ehre« – konkret: seine Vormachtstellung in Europa – zu retten. Die Kriegserklärung Frankreichs wird in der chauvinistisch aufgeheizten Atmosphäre in Paris mit Jubel begrüßt *(Kat. Abb. 176)*.

Tafel 63

In Deutschland erzeugt die Kriegserklärung eine Welle nationaler Empörung. Die süddeutschen Staaten eilen daher Preußen sofort zu Hilfe und entsenden Truppen. In unerwarteter Schnelligkeit vollzieht sich der Aufmarsch an der französischen Grenze. In der Schlacht von Sedan wird der entscheidende Sieg über die besser bewaffnete französische Armee erfochten *(Vi-*

trine und Kat. Abb. 178–180). Zu den Gefangenen gehört auch Napoleon III. In Deutschland wird der Sieg von Sedan überschwänglich gefeiert. Die Waffenbrüderschaft vor Sedan leitet ein neues Kapitel deutscher Geschichte ein: in maßloser Selbstüberhebung wird der Sieg über die Franzosen als schicksalhaftes Signum für die Berufung der Deutschen zu Größe und Einheit gedeutet *(Kat. Abb. 181).* Der Krieg tritt nun in eine neue Phase: in Paris wird die Republik ausgerufen. Léon Gambetta organisiert den Volkskrieg.

Tafel 64

Nach der Beseitigung des Kaiserreiches in Frankreich ist ein annehmbarer Friede nicht ausgeschlossen. Aber die deutsche Seite zögert einerseits, die Republik als Verhandlungspartner zu akzeptieren. Andererseits wird durch den militärischen Erfolg einer Kriegszielpolitik Auftrieb gegeben, die sich nicht mehr mit Verteidigung begnügt, sondern auf finanziellen Gewinn und Gebietserwerb aus ist.

Tafel 65

Die meisten politischen Gruppen in Deutschland fordern nach den großen Siegen im August stürmisch die Einbeziehung Elsaß und Lothringens in den entstehenden Nationalstaat. Auch Bismarck spricht sich aus machtpolitischen Gründen dafür aus. Nur wenige Stimmen verweisen darauf, daß die Elsässer und Lothringer nicht zu Deutschland wollen, und lehnen die Annexion ab, so die liberaldemokratische »Frankfurter Zeitung« und viele Vertreter der politischen Arbeiterbewegung: die Abtrennung von Frankreich sei eine eklatante Verletzung des für die eigene Nation so oft proklamierten Selbstbestimmungsrechts.
»Die Militärkamarilla, Professorschaft, Bürgerschaft und Wirtshauspolitik gibt vor, dies (die Annexion) sei das Mittel, Deutschland auf ewig vor Krieg mit Frankreich zu schützen. (...) Es ist das unfehlbarste Mittel, den kommenden Frieden in einen bloßen Waffenstillstand zu verwandeln, bis Frankreich so weit erholt ist, um das verlorene Terrain herauszuverlangen. Es ist das unfehlbare Mittel, Deutschland und Frankreich durch wechselseitige Selbstzerfleischung zu ruinieren.« (Manifest der Sozialdemokratischen Arbeiterpartei, 5. Sept. 1870)
Mit der Annexion wird das Verhältnis zu Frankreich in der Tat auf Jahrzehnte hinaus vergiftet. Die Folge ist, daß sich Deutschland außenpolitisch Fesseln anlegt.

Tafel 66

Der Krieg wird unter großen Verlusten der französischen Bevölkerung fortgesetzt *(Kat. Abb. 184).* Die Belagerung von Paris seit Oktober 1870 soll die Regierung der »Nationalen Verteidigung« den deutschen Forderungen nach Kriegsentschädigung

gefügig machen. Am 28. Januar 1871 wird in Versailles der Vorfriede geschlossen.
Gegen die Kapitulationspolitik der bürgerlichen Republik schließen sich wenig später in Paris Arbeiter und Kleinbürger zur »Kommune« zusammen. Frankreich droht nach der Niederlage in einen blutigen Bürgerkrieg zu stürzen. Die aus deutscher Gefangenschaft entlassene Armee vernichtet die Kommune. Damit wird in Frankreich die Gefahr einer monarchisch-konservativen Restauration heraufbeschworen.

Tafel 67

Nach den Waffenerfolgen der ersten Kriegsmonate, dem Sturz des französischen Kaisertums und der Einschließung von Paris ist der Weg frei für die Vollendung der deutschen Einheit durch den Zusammenschluß der süddeutschen Staaten mit dem Norddeutschen Bund. Diplomatische Verhandlungen und die militärische Macht Preußens ermöglichen die Reichsgründung »von oben«. Nicht aus den Beschlüssen einer deutschen Nationalversammlung, sondern aus völkerrechtsähnlichen Verträgen zwischen den verschiedenen Monarchen und Regierungen, die dann vom norddeutschen Reichstag und von den süddeutschen Landtagen ratifiziert werden, entsteht das Deutsche Reich *(Vitrine und Kat. Abb. 183).*

Tafel 68

Am 18. Januar 1871 wird der Akt der Reichsgründung vollzogen; Bismarck verliest im Spiegelsaal von Versailles vor den Vertretern der deutschen Fürsten die Kaiserproklamation; anschließend bringt der Großherzog von Baden im Namen der deutschen Fürsten ein Hoch auf »Kaiser Wilhelm« aus, womit er den Streit um den Titel »Deutscher Kaiser« oder »Kaiser von Deutschland« umgeht. Die symbolischen Namen »Kaiser und Reich« appellieren an eine romantisch verbrämte Reichstradition *(Kat. Abb. 182).* In Wirklichkeit gründet das Deutsche Kaiserreich von 1871 auf der Macht des preußischen Staates und hat mit dem alten »Heiligen Römischen Reich Deutscher Nation« nichts gemeinsam. Die Kaiserproklamation von Versailles ist ein preußisch-militärisches Schauspiel, eine Selbstdarstellung des Fürstenstaates *(Kat. Abb. XVI).* Die nationale Begeisterung des Volkes für das neu gewonnene Reich überdeckt nur scheinbar die tiefen inneren Gegensätze im Bündnis Bismarcks mit der liberalen und nationalen Bewegung.

Raum V

Entscheidungsjahre deutscher Geschichte 1871/1918/1933/1945

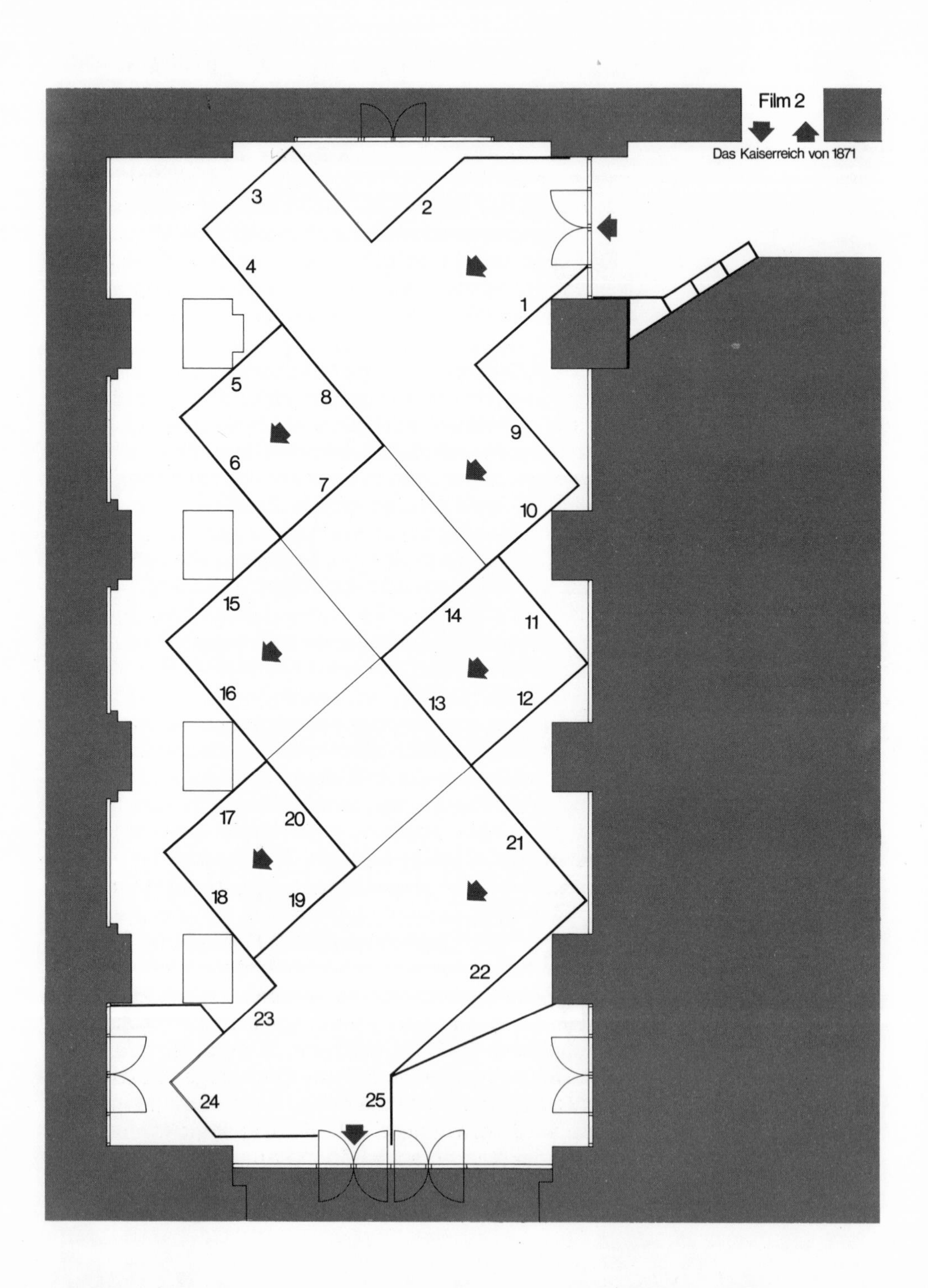
Film 2
Das Kaiserreich von 1871
1
2
3
4
5
6
7
8
9
10
11
12
13
14
15
16
17
18
19
20
21
22
23
24
25

Das Kaiserreich von 1871

Film

Das deutsche Kaiserreich von 1871, gestützt auf ein ungleiches Bündnis zwischen der nationalen und liberalen Bewegung und der konservativen preußischen Staatsführung, entsteht aus vielfältigen Kompromissen und gilt schon der zeitgenössischen Kritik als unvollendet. Zwar wird die nationale Einigung von der großen Mehrheit enthusiastisch begrüßt, und der liberale politische Historiker Heinrich von Sybel schildert die Empfindungen vieler seiner Zeitgenossen, wenn er damals schreibt: »Wodurch hat man die Gnade Gottes verdient, so große und so mächtige Dinge erleben zu dürfen? Und wie wird man nachher leben? Was zwanzig Jahre der Inhalt alles Wünschens und Strebens gewesen, das ist nun in so unendlich herrlicher Weise erfüllt!« Aber gemessen an den großen Zielen der Revolution von 1848/49, die Einheit durch Freiheit zu schaffen und den neuen Staat auf eine neue politische, wirtschaftliche und soziale Grundlage zu stellen, bedeutet die Reichsgründung zugleich eine Niederlage des bürgerlichen Liberalismus. Das Problem der inneren und äußeren Unvollendetheit belastet von vornherein aufs schwerste die weitere Entwicklung des Kaiserreiches.

Linksliberale Kritiker nennen das Kaiserreich einen unvollendeten Verfassungsstaat. Nach den Forderungen der Liberalen sollte es parlamentarisch auf breiter Basis regiert werden. In Wirklichkeit wird es regiert von einem Mann, der einzig vom Vertrauen des Kaisers abhängt. Die überaus komplizierte Reichsverfassung *(s. Verfassungstafel im Anhang)* ist auf die Persönlichkeit Bismarcks zugeschnitten, der in der Schlüsselposition als Reichskanzler und preußischer Ministerpräsident den Regierungs- und Verwaltungsapparat beherrscht: die Reichsbehörden, an deren Spitze weisungsgebundene Staatssekretäre und nicht verantwortliche Minister stehen, den Bundesrat, in dem die preußische Führungsmacht den Ausschlag gibt, das preußische Staatsministerium, in dem Bismarck den Vorsitz führt. Der politische Einfluß des Reichstages beschränkt sich auf das Gebiet der Gesetzgebung. Nicht das parlamentarische Prinzip wird verwirklicht, d. h. die Abhängigkeit der Regierung von einem starken souveränen Parlament, sondern die »Regierung über den Parteien«, für die schon damals das Schlagwort von der »Kanzlerdiktatur« aufkommt. Während 1848

ein nationaldemokratischer Verfassungsstaat nach dem Prinzip der Volkssouveränität erstrebt wurde, ist das Reich von 1871 ein nationalmonarchischer Obrigkeitsstaat.
Unvollendet bleibt das Reich auch im Hinblick auf die gesellschaftspolitischen Forderungen der bürgerlichen Emanzipationsbewegung. Ihr Anspruch, den neuen Staat der neuen industriellen Gesellschaft anzupassen und der Nation als Summe der gesellschaftlichen Kräfte eine Mitwirkung bei der politischen Willensbildung einzuräumen, wird abgewehrt. Das Reich ist nicht auf Veränderung gerichtet, sondern auf die Bewahrung der altpreußischen Gesellschaftsordnung, die durch die Vorherrschaft des Junkertums geprägt ist. Die oppositionellen Parteien werden als Reichsfeinde bekämpft: die linksliberale Fortschrittspartei, die Sozialdemokratie, das katholische Zentrum *(Kat. Abb. 185–188).* Das erste Jahrzehnt des Kaiserreiches ist erfüllt von tiefen gesellschafts- und parteipolitischen Spannungen.
Im Kulturkampf wird die Autonomie des Staates und der Politik gegen die katholisch-konfessionellen Interessen des Zentrums erbittert verteidigt. Wegen seiner Verbindung zum Papsttum gilt das Zentrum als »ultramontan« und internationalistisch. Außerdem befürchtet Bismarck ein Zusammengehen des Katholizismus mit anderen oppositionellen Gruppen im Reich, vor allem mit der katholischen national-polnischen Minderheit in den preußischen Ostprovinzen. Der »innere Präventivkrieg« wird eingeleitet durch die Aufhebung der katholischen Abteilung im preußischen Kultusministerium, durch das Schulaufsichtsgesetz, das die Schulinspektion verstaatlicht, und durch den sogenannten Kanzelparagraphen (§ 130 a des Strafgesetzbuches), der den Geistlichen verbietet, auf der Kanzel staatliche Angelegenheiten »in einer den öffentlichen Frieden gefährdenden Weise« zu behandeln. Die Maigesetze von 1873 und das reichsgesetzliche Verbot des Jesuitenordens unterwerfen Kirche und Klerus der staatlichen Aufsicht *(Kat. Abb.* 189). Gleichzeitig verhärtet die weltanschauliche Auseinandersetzung zwischen Liberalismus und Katholizismus die parteipolitischen Fronten. Die Ausnahme- und Verbotsgesetze des Kulturkampfes zerstören den Glauben, daß die nationale Gemeinschaft zu einem friedlichen Ausgleich der Interessen und gegenseitiger Tolerierung führen werde. Mit der Zustimmung zum Jesuitenverbot verrät die nationalliberale Partei ihre eigenen rechtsstaatlichen Prinzipien.

Stärker noch wird die innere Struktur des Reiches erschüttert durch den Kampf gegen die Sozialdemokratie. Das Sozialistengesetz, das »sozialdemokratische, sozialistische und kommunistische« Vereine, Versammlungen und Druckschriften verbietet und die Ausweisung sozialistischer »Agitatoren« ermöglicht, verhindert die Integration der Arbeiterschaft in den Nationalstaat. Allein wegen ihrer Überzeugung wird eine Partei unter ein Sonderstrafrecht gestellt — eine eklatante Verletzung des liberalen Rechtsdenkens *(Kat. Abb. 191, 193).* Dennoch gewinnt Bismarck die Zustimmung der bürgerlichen Schichten, die seit langem die »rote Anarchie« fürchten. Zwei Attentate auf Kaiser Wilhelm I. im Frühjahr 1878 geben den Anlaß zur Auflösung des Reichstages und zu Neuwahlen, obgleich eine Verbindung der Attentäter zur Sozialdemokratie nicht nachgewiesen werden kann *(Kat. Abb. 190).* Damit schafft sich Bismarck eine gefügige Parlamentsmehrheit — auch die nationalliberale Partei stimmt mit Rücksicht auf die Erregung der Öffentlichkeit und die Revolutionsfurcht ihrer Wähler dem Sozialistengesetz zu. Nur mit Mühe wird allerdings ein Bruch mit dem linken Flügel der Partei vermieden. Zeitgenössische Kritiker vertreten bereits die Ansicht, Bismarck habe das Sozialistengesetz zugleich als Werkzeug gegen die Nationalliberalen benutzt, um die Partei innerlich zu spalten *(Kat. Abb. 192).* Auch in der Folgezeit finden die Liberalen kein Konzept zur Lösung der sozialen Frage. Bismarcks staatliche Sozialpolitik — das positive Gegenstück zum Sozialistengesetz — wird von ihnen abgelehnt *(Kat. Abb. 194).* Der »Staatssozialismus« der Versicherungsgesetzgebung (Kranken-, Invaliden- und Altersversicherung) wird allerdings vom Reichskanzler nicht als Sozialreform im Sinne des Arbeiterschutzes und der Humanisierung der industriellen Arbeitswelt konzipiert, sondern mit dem erklärten Ziel, »in der großen Masse der Besitzlosen die konservative Gesinnung zu erzeugen, welche das Gefühl der Pensionierung mit sich bringt«. »Wer eine Pension hat für sein Alter«, so erläutert Bismarck einmal seine »Zähmungspolitik«, »der ist weit zufriedener und leichter zu behandeln, als wer darauf keine Aussicht hat.« Die Sozialpolitik soll also gerade die Emanzipation der Arbeiterklasse verhindern und durch materielles Entgegenkommen die Arbeiterschaft mit der bestehenden Staats- und Gesellschaftsordnung versöhnen — ein Ziel, das allerdings nur teilweise erreicht wird, obgleich in der wilhelminischen Zeit die Sozialversicherung weiter ausgebaut wird

(Kat. Abb. 195). In der wirtschaftlichen Krisenzeit nach 1873 radikalisiert sich die Arbeiterbewegung. Zugleich entstehen die ersten großen industriellen und agrarischen Interessenverbände: der »Centralverband deutscher Industrieller« und der »Verband der Wirtschafts- und Steuerreformer«. Der Nationalstaat nimmt immer mehr Züge eines Klassenstaats an.
Die außenpolitischen Probleme des neuen Reiches sind nicht weniger prekär. Das Reich ist durchgesetzt worden mit den Mitteln der Diplomatie und des Krieges, unvollendet auch nach außen, weil die Deutschen der Habsburger Monarchie dem neuen Nationalstaat nicht angehören. Die gewaltsam erzwungene Einigung des kleindeutschen Reiches in der Mitte Europas empfinden vor allem die beiden Flügelmächte Frankreich und Rußland als eine latente Bedrohung. Nur durch ein überaus kompliziertes Bündnissystem und durch wiederholte Erklärungen, Deutschland sei »saturiert«, gelingt es Bismarck, das Reich in das überlieferte kontinentaleuropäische Gleichgewichtssystem einzuordnen. Den Höhepunkt des diplomatischen Ringens bildet der Berliner Kongreß von 1878, auf dem Bismarck sich um die Rolle des »ehrlichen Maklers« bemüht, um die Gegensätze in der Balkan- und Orientpolitik zwischen England und Österreich-Ungarn auf der einen und Rußland auf der anderen Seite auszugleichen *(Kat. Abb. 196).* Die Richtlinien dieser Politik hat der Reichskanzler 1877 in dem sogenannten Kissinger Diktat niedergelegt *(Kat. Abb. 197).* Danach soll Deutschland seine »freie Mittlerstellung« ausnutzen, indem es die Gegensätze der imperialistischen Großmächte in der Kolonialpolitik zu steuern sucht und die Spannungen von der Mitte Europas an die Peripherie dirigiert. Bismarck entwirft das Idealbild einer »politischen Gesamtsituation, in welcher alle Mächte außer Frankreich unser bedürfen und von Koalitionen gegen uns durch ihre Beziehungen zueinander nach Möglichkeit abgehalten werden«. Auf diese Weise soll das Reich – in Bismarcks bildkräftiger Sprache – zur »Bleigarnitur am Stehaufmännchen Europa« werden. Die internationalen Krisen der achtziger Jahre beweisen allerdings, daß damit die Gefahr eines Zweifrontenkrieges nicht gebannt ist. Die neuen Bündnisse – der Dreibund zwischen Deutschland, Österreich-Ungarn und Italien *(Kat. Abb. 198)* und der Rückversicherungsvertrag mit Rußland *(Kat. Abb. 199)* – stellen nur vorübergehend das labile Gleichgewicht des europäischen Mächtesystems wieder her, zumal das deutsche Reich mit dem

Übergang zur Kolonialpolitik von dem Grundsatz der territorialen »Saturiertheit« abweicht und in eine Frontstellung zu England gerät.
So bleibt das Reich als »unvollendeter Nationalstaat« von inneren und äußeren Gefahren bedroht. Um all dieser Schwierigkeiten Herr zu werden, wendet Bismarck immer wieder dasselbe Mittel an: die Stabilisierung des konservativen Staates und das Festschreiben des Status quo. Darüber zerbricht schließlich auch die Allianz mit dem nationalen Liberalismus, eine Allianz, die allein durch die außenpolitischen Erfolge Bismarcks 1864 und 1866 zustande kam und an deren Anfang bereits ein innenpolitischer Kompromiß stand: die Beendigung des Verfassungskonfliktes durch die Indemnitätsvorlage, die im Nachhinein Bismarcks reaktionäre, antiparlamentarische Politik sanktionierte. Die innenpolitische Wende von 1878/79 kommt dann einer zweiten konservativen Reichsgründung gleich, die jede Einflußnahme der Liberalen auf die weitere Entwicklung endgültig ausschaltet. Der Umschwung in der Wirtschaftspolitik, der Übergang vom liberalen Freihandel zum Schutzzoll, der die Schwerindustrie und die Großlandwirtschaft begünstigt, führt zur Spaltung der nationalliberalen Partei. Die neuen Schutzzölle und die Erhöhung der indirekten Steuern belasten zugunsten der »produktiven Volksklassen« die wirtschaftlich schwachen Bevölkerungsschichten und geben der Sozialdemokratie politischen Auftrieb. Im Interessenkampf zwischen Landwirtschaft und Industrie einerseits und Arbeiterschaft andererseits werden die liberalen bürgerlichen Kräfte aufgerieben. Gleichzeitig befestigt das wirtschaftliche Zweckbündnis zwischen Industriellen und Großagrariern den Einfluß der alten preußischen Führungsschicht, die den konservativen Kurs der Regierung unterstützt. Die »Junker« haben nach Bismarcks Worten »den Vorzug, eine geduldige und staatlich treue, konservativ erhaltend gesinnte Bevölkerung zu sein«; sie geben »dem Staate die Steuerkraft«, sie sind erprobt als »zuverlässige Quelle, auf welche der Staat zurückgreifen muß« in jeder inneren und äußeren Krisensituation. Mit welchen ideologischen Mitteln der Wirtschaftskampf zur Durchsetzung des Schutzzolls und der gleichzeitige Propagandafeldzug für das Sozialistengesetz geführt werden, zeigen extreme Parolen konservativer Agrarier wie: »Der Rechtsstaat hat sich überlebt. Wir werden zu dem sogenannten Patrimonial- und Patriarchalstaat zurückkehren müssen.«

1878/79 geht die liberale Ära zu Ende: die Beamtenschaft in Regierung und Verwaltung wird weitgehend durch Anhänger des konservativen Kurses ersetzt; die liberalen Minister in Preußen treten zurück. Die Neuorganisation der Reichsbehörden und die Reichsfinanzreform verstärken die Reichsgewalt und damit die Macht des Reichskanzlers. Die Spätbismarckzeit steht im Zeichen der Interesseneinheit von ostelbischer, d. h. von den »Junkern« beherrschter Landwirtschaft, Schwerindustrie und konservativer Staatsführung.
Nach der Entlassung Bismarcks 1890 *(Kat. Abb. 200, 201)* stürzt das Reich in eine Regierungskrise. Der junge Kaiser Wilhelm II. *(Kat. Abb. 202)* will »sein eigener Kanzler« sein. Aber der Versuch, ein »persönliches Regiment« zu errichten, eine Selbstherrschaft, die von den Ministern nur die gehorsame Erfüllung der kaiserlichen Wünsche verlangt, schlägt fehl. Für eine verbindliche Direktive in der Innen- und Außenpolitik fehlen dem Kaiser die Kenntnisse und die Fähigkeit, das komplizierte Nebeneinander der Instanzen – Reichsämter, Bundesrat, preußisches Staatsministerium, Reichstag, preußischer Landtag – zu überblicken oder es gar wie Bismarck gegeneinander auszuspielen. Zwar wird ein »Neuer Kurs« propagiert, das Sozialistengesetz aufgehoben und in den Februarerlassen von 1890 eine umfangreiche Arbeiterschutzgesetzgebung angekündigt. Aber es gelingt nicht, die Arbeiterschaft mit dem »sozialen Kaisertum« zu versöhnen. Die Sozialdemokratie kann ihre Wählerzahl von 763 000 im Jahre 1887 auf 1,4 Millionen im Jahre 1890 steigern *(Kat. Abb. 203)*.
Wilhelm II. nimmt Mitte der neunziger Jahre die Bismarcksche Repressivpolitik gegen die »Umsturzpartei« wieder auf. Die Zuchthausvorlage der Regierung verbietet die Zwangssolidarisierung bei Streiks. In besonders krassen Fällen wird die Zuchthausstrafe angedroht. Der Reichstag lehnt die Vorlage ab. Am Hofe Wilhelms II. werden daraufhin Staatsstreichpläne geschmiedet, das allgemeine, gleiche Wahlrecht durch ein Klassenwahlrecht zu ersetzen, ein Kampfmittel, das schon Bismarck erwogen hat.
Der Übergang zum Imperialismus bildet dann den letzten Versuch, die innenpolitischen Spannungen durch außenpolitische Erfolge zu überdecken. Die Hoffnung der liberalen Imperialisten wie Max Weber und Friedrich Naumann, die von einer dynamischen Außenpolitik zugleich eine dynamischere Entwicklung im Innern erwarten, wird jedoch nicht erfüllt. Die

neue »Weltpolitik« verstärkt eher den Machtanspruch der Konservativen, die mit nationalen Sammlungsparolen, vor allem in den Propagandafeldzügen für eine starke deutsche Flotte, eine breite Anhängerschaft für sich gewinnen können *(Kat. Abb. 204)*. Das Wort Kaiser Wilhelms II., das deutsche Reich sei ein »Weltreich« geworden, wird jubelnd begrüßt. In Wirklichkeit sind die Erfolge gering, und der Preis, der für die Prestigepolitik gezahlt wird, ist die selbstverschuldete Isolierung Deutschlands und der Zusammenschluß der weltpolitischen Konkurrenten England, Frankreich und Rußland. Das Mißlingen der Weltpolitik führt schließlich zu einer blinden Flucht nach vorn: in die Katastrophe des Ersten Weltkrieges *(Kat. Abb. 205–207)*.
Der »Burgfriede« der Parteien – auch die Sozialdemokratie bewilligt die Kriegskredite – und die allgemeine Kriegsbegeisterung im August 1914 sind jedoch nicht von langer Dauer. Der Krieg verschärft die innenpolitischen Gegensätze, die sich nun mit außenpolitischen Zielen – hier Verständigungsfriede, dort Siegfrieden und Annexionen – verquicken. Die Radikalisierung links und rechts zeigt sich 1917 in der Gründung der Deutschen Vaterlandspartei auf der einen und des Spartakusbundes auf der anderen Seite.
Dennoch gibt der politische und militärische Zusammenbruch des deutschen Kaiserreiches die Chance zu einem Neubeginn und zu einer Rückbesinnung auf die liberalen und demokratischen Ideale, die den nationalen Gedanken des frühen 19. Jahrhunderts geprägt haben. Die entscheidenden Wendepunkte der deutschen Geschichte, an denen jeweils von neuem die Auseinandersetzung mit dem Erbe des unvollendeten deutschen Nationalstaats aufgenommen beziehungsweise herausgefordert wird, fallen in die Jahre 1918, 1933 und 1945.

Die Revolution von 1918 (Tafel 1–21)

Eine grundlegende politische und gesellschaftliche Neuordnung Deutschlands ist auch in der Revolution von 1918/19 nicht gelungen. Zwar wird die alte liberale Forderung nach einer Demokratie auf parlamentarischer Basis erfüllt. Vorstellungen von einer tiefgreifenden demokratischen Umgestaltung von Politik, Wirtschaft und Gesellschaft bleiben unerfüllt. Der Historiker Friedrich Meinecke urteilt im Frühjahr 1919: bisher ist »keine völlige Revolution der Staats- und Gesellschaftsordnung bei uns erfolgt«.

Wand 2

Im Herbst 1918 muß die deutsche Reichsführung eingestehen, daß der Krieg, der Deutschland die Vorherrschaft in Europa bringen sollte, verloren ist. Die militärische Lage ist hoffnungslos, das deutsche Volk erschöpft. Um ihre Existenz zu retten und die Verantwortung für den verlorenen Krieg abzuschieben, führt die Monarchie das parlamentarische System ein. Aus den Mehrheitsparteien des Reichstags wird, unter Einschluß der Mehrheitssozialisten (MSPD), eine Regierung gebildet. Wahlrechts- und Verfassungsreformen werden beschlossen. Deutschland ist »auf dem Wege vom Obrigkeitsstaat zum Volksstaat«. Aber die Reformen kommen zu spät. Die parlamentarische Monarchie kann sich nicht halten. Aufstände in der Hochseeflotte greifen auf das Reich über *(Kat. Abb. 208, 209).* In der Revolution bilden sich spontan Arbeiter- und Soldatenräte, die die politische und militärische Gewalt in Deutschland übernehmen *(Kat. Abb. 212).* Die Räte wollen den Krieg beenden und die alten politischen und militärischen Führungsschichten ablösen. Kaiser Wilhelm II. wird zur Abdankung gezwungen *(Kat. Abb. 210).* Am 9. November 1918 ruft der Sozialdemokrat Philipp Scheidemann die »deutsche Republik« aus *(Kat. Abb. 211).*

Die Berliner Arbeiter- und Soldatenräte übertragen einem aus MSPD und unabhängigen Sozialdemokraten (USPD) zusammengesetzten »Rat der Volksbeauftragten« die Regierungsgewalt. Dieses »Mandat der Revolution« nehmen die Sozialdemokraten an, um ihre Stellung als politisch führende Kraft in Deutschland zu festigen.

Unterschiedliche Vorstellungen über Charakter und Verlauf der Revolution führen zu Auseinandersetzungen und schließlich zum Bruch zwischen der MSPD und den radikaleren revolutio-

nären Kräften. Ihre vordringliche Aufgabe sehen die Sozialdemokraten darin, »das Chaos, die völlige Auflösung von Staat und Gesellschaft zu verhindern«. Reformen in Wirtschaft und Gesellschaft sollen erst von einer Nationalversammlung auf der Grundlage einer Verfassung beschlossen werden. Die Krisensituation soll durch diese Reformen nicht noch verschärft werden. Eine Radikalisierung der Revolution nach russischem Vorbild will die MSPD um jeden Preis verhindern. Ihr steht der linke Flügel der SPD gegenüber, der sich im Krieg von der Mehrheit getrennt und eine eigene Fraktion, die Unabhängige Sozialdemokratische Partei, gebildet hatte. Er ist mit dem Ziel in die Regierung eingetreten, »die revolutionären sozialistischen Errungenschaften zu befestigen«. Erst wenn dieses Ziel erreicht sei, könne man an Wahlen zur Nationalversammlung denken. Eine Gruppe in der USPD um Rosa Luxemburg und Karl Liebknecht, der Spartakusbund, geht noch darüber hinaus und verlangt statt der parlamentarischen Demokratie das Rätesystem *(Kat. Abb. 213)*.
Auf dem Reichskongreß der Arbeiter- und Soldatenräte (16. bis 21. 12. 1918) sind die Vertreter der MSPD in der Mehrheit. Der Kongreß beschließt Wahlen zur verfassunggebenden Nationalversammlung. Er entscheidet damit für die parlamentarische Demokratie und gegen das Rätesystem. Gleichzeitig werden jedoch tiefgreifende Reformen gefordert. In der Folgezeit verlieren aber die Arbeiter- und Soldatenräte immer mehr an Einfluß.
Die Revolutionsregierungen versuchen, die Staatsmaschinerie in Gang zu halten. Sie belassen die Zivilverwaltung des gestürzten Kaiserreiches im Amt und arbeiten mit dem alten Militärapparat zusammen. Beide Gruppen übernehmen Aufgaben im neuen Staat. Aber sie empfinden ihm gegenüber keine Loyalität. Die Existenz des Staates sieht die MSPD allein von radikalen revolutionären Gruppen, nicht aber von gegenrevolutionären Kreisen bedroht. Sie hält die politische Kontrolle der konservativen Kräfte durch die Arbeiter- und Soldatenräte für ausreichend. Es gelingt den Regierungen unter Führung der MSPD zwar, einen Bürgerkrieg zu vermeiden, gleichzeitig aber erstarken die obrigkeitsstaatlichen Kräfte in Verwaltung, Justiz, Heer und Industrie, noch ehe die Nationalversammlung eine demokratische Neuordnung vorzunehmen vermag. Die alten gesellschaftlichen, wirtschaftlichen und bürokratischen Strukturen in Deutschland bleiben erhalten. Der

Verwaltungsapparat weiß eine unabhängige Machtposition gegenüber Parlament und Regierung zu behaupten. Auch das neue Heer bleibt mit seinem alten Offizierskorps außerhalb der demokratischen Ordnung.

Wand 3

Das »Steckenbleiben« der Revolution und die restaurative Entwicklung führen im Jahre 1919 in Berlin und im Reich zu radikalrevolutionären Unruhen. Die parlamentarische Demokratie wird abgelehnt, Sozialisierung und Rätesystem gefordert. Diese Unruhen werden von Truppen niedergeschlagen, die zwar gegen die Revolution sind, aber nicht für die Demokratie eintreten. Karl Liebknecht und Rosa Luxemburg, die Führer der Spartakisten, werden von Freikorpssoldaten ermordet.

In der Nationalversammlung ist die MSPD zwar die stärkste Partei, hat aber nicht die absolute Mehrheit. Mit Zentrum und Linksliberalen (DDP) bildet sie eine Regierung der »Weimarer Koalition«. Friedrich Ebert (MSPD) wird zum Reichspräsidenten gewählt *(Kat. Abb. 214).*
Die Verfassung der »Weimarer Republik« knüpft in ihren Grundrechten an die liberale und demokratische Tradition des Jahres 1848 an. Das gesetzgebende Organ ist der Reichstag. An sein Vertrauen sind der Kanzler und jeder einzelne Minister gebunden. Weitgehende Befugnisse erhält der Reichspräsident: vor allem den militärischen Oberbefehl und das Recht auf Reichstagsauflösung. Der Artikel 48 räumt ihm eine Ausnahmegewalt ein, »wenn im Deutschen Reiche die öffentliche Sicherheit und Ordnung erheblich gestört oder gefährdet wird«. Das reine Verhältniswahlrecht fördert die Zersplitterung der Parteien. Zudem wird es unterlassen, die Parteien auf die demokratischen Grundsätze zu verpflichten. Gegenüber den föderalistischen Wünschen setzen sich in der Verfassung die zentralistischen Tendenzen durch, das Verhältnis von Preußen zum Reich bleibt dabei jedoch ein ungelöstes Problem. Die deutsche Einheit in der 1871 gefundenen Form wird auch nach der Niederlage von keiner entscheidenden Gruppe des deutschen Volkes in Frage gestellt.
Die Verfassung der Weimarer Republik weist den Weg zu einer demokratischen Gesellschaftsordnung. Sozialstaatliche Vorstellungen der Sozialdemokratie fließen in sie ein. Aber die Widersprüche zwischen der demokratischen Verfassung und einer sozialen Wirklichkeit, die weit hinter den Zielen der Verfassung zurückbleibt, belasten die junge Republik.

Im Vertrag von Versailles diktieren die Siegermächte Deutschland Gebietsabtretungen und weitgehende Entwaffnung. Wiedergutmachungsforderungen bringen für Deutschland schwere finanzielle Belastungen. Sie werden mit Deutschlands Alleinschuld am Kriege begründet, die von deutscher Seite entschieden bestritten wird. Auch der Versailler Vertrag tastet jedoch Deutschlands Einheit nicht an. Allerdings enthält er den Deutschen in Österreich aus sicherheitspolitischen Gründen mit dem Anschlußverbot das Selbstbestimmungsrecht vor. Der Versailler Vertrag wird in Deutschland einhellig abgelehnt. Ziel der deutschen Außenpolitik – darin sind sich alle politischen Gruppierungen einig – bleibt die Revision des Vertrages und die Wiedergewinnung alter Machtpositionen für das Deutsche Reich.

Wand 4

Trotz dieses gemeinsamen Zieles wird die innenpolitische Atmosphäre immer mehr vergiftet. Die nationalistische Rechte findet sich mit der Niederlage und Revolution nicht ab. Sie verbreitet die »Dolchstoßlegende«: Die Parteien, die für den Verständigungsfrieden eintraten und jetzt gemeinsam in der »Weimarer Koalition« die Regierungsgewalt ausüben, hätten das »im Felde unbesiegte Heer« verraten. Die Sozialdemokraten werden als »Novemberverbrecher« und als »Verzichtpolitiker« attackiert, weil sie den Versailler Vertrag erfüllen wollen. Ein Versuch militanter rechtsradikaler Kräfte, die Regierungsgewalt in die Hand zu bekommen (Kapp-Putsch 1920), scheitert allerdings. Die Gewerkschaften und demokratischen Parteien rufen zum Generalstreik auf. Auch die Beamtenschaft weigert sich, die Anordnungen der Putschisten zu befolgen.

Die Republik bleibt erhalten, doch ihr demokratisches Fundament ist schmal. Großen Teilen der Bevölkerung bleibt die Demokratie fremd. Die Reichswehr ist zwar bereit, revolutionäre Unruhen zu zerschlagen. Gegen rechtsradikale Kräfte schreitet sie aber nicht ein. Von ihren Offizieren wird die Armee als Staat im Staate begriffen (v. Seeckt).

Wand 5

Die Verschuldung durch den Krieg hat der deutschen Mark ihren Wert genommen. Die Reparationsverpflichtungen und eine unsichere Finanzpolitik treiben die inflatorische Entwicklung weiter *(Kat. Abb. 215, 216)*. Die Industrie produziert zu niedrigen Löhnen und steigert den Export. Spekulanten können bei der Hochstimmung an den Börsen riesige Gewinne einstreichen (Hugo Stinnes). Diese Kreise wollen die Inflation nicht beendet sehen, sondern sie weiter nutzen. Als Frankreich, um Reparationsforderungen zu sichern, das Ruhrgebiet besetzt, ruft die deutsche Regierung zum passiven Widerstand auf. Die dadurch entstehenden finanziellen Belastungen führen zum völligen Verfall der Mark. Der bürgerliche Mittelstand verarmt, der Arbeiter wird um seinen Lohn gebracht. Das »proletarisierte Bürgertum« strebt verzweifelt danach, seine alte Stellung wieder einzunehmen. Es schiebt dem »Weimarer System« die Schuld an seinem Unglück zu. Zunehmend wird das deutsche Bürgertum damit zugleich für nationalistische und antidemokratische Parolen anfällig.

Wand 6

Die außenpolitischen Belastungen der Weimarer Republik und die krisenhafte Situation im Innern schaffen die politischen Voraussetzungen für den Aufstieg des Nationalsozialismus. In der »Ära Stresemann« wird zwar mit amerikanischer Kredithilfe ein wirtschaftlicher Aufschwung erreicht. Hand in Hand damit geht eine politische Stabilisierung, die es Stresemann erlaubt, die außenpolitische Stellung der Weimarer Republik auszubauen *(Kat. Abb. 219)*. Aber die Wahl des ehemaligen kaiserlichen Generalfeldmarschalls von Hindenburg zum Reichspräsidenten nach dem Tode Eberts kennzeichnet die Kontinuität der obrigkeitsstaatlichen Kräfte *(Kat. Abb. 217, 218)*. Im Heer, in der Bürokratie, der Justiz und der Universität stehen viele der Republik ablehnend gegenüber. Man sieht in dem ungeliebten Staat nur eine Übergangserscheinung. Der Weimarer Staat ist eine Republik, in der die Republikaner in der Minderheit sind.

Die radikalen Parteien auf der Linken und Rechten, die die parlamentarische Ordnung ablehnen, blockieren zunehmend eine stabile demokratische Mehrheitsbildung. Die bürgerlich-demokratischen Parteien zersplittern sich und verlieren gleichzeitig ständig an Anhängern. Die Krise des Parteienstaats führt auf ihrem Höhepunkt zur Selbstausschaltung des Parlaments. Die Parteien erweisen sich als unfähig, ihre Interessen dem Wohle des Staates unterzuordnen. Seit 1930 stützen sich die Regierungen nur noch auf das Vertrauen des Reichspräsidenten (Präsidialregierung). Sie verfügen nicht mehr über eine parlamentarische Mehrheit.

Wand 6/7

Nach dem gescheiterten Münchener Putsch von 1923 und mit der wirtschaftlichen Stabilisierung kann die nationalsozialistische Gefahr zunächst gebannt werden. Die Weltwirtschaftskrise von 1929 bringt aber dann weite Volkskreise in Not. Die Nationalsozialistische Deutsche Arbeiterpartei (NSDAP) wird zur Massenbewegung, die Arbeitslose, große Teile des Mittelstandes, Handwerker, Angestellte und viele aus der Bahn geworfene Vertreter des Bürgertums anzieht. Der Gegensatz von »national« und »sozialistisch« scheint im Programm der NSDAP überbrückt zu sein. Doch treten die sozialistischen Vorstellungen von Bodenreform und Verstaatlichung von Betrieben immer mehr zurück. Hitler verbündet sich 1931 mit der politischen Rechten, mit Deutschnationalen und »Stahlhelm« zur »Harzburger Front« *(Kat. Abb. 221).* Aus finanziellen Gründen sucht er Verbindung zur Schwerindustrie und Hochfinanz. Über eine Revision der Ergebnisse des Versailler Vertrages gehen die außenpolitischen Ideen Hitlers von Anfang an weit hinaus. Er sieht die Geschichte als einen erbarmungslosen Machtkampf zwischen den Völkern. In diesem Kampf will er für das Deutsche Reich auf Kosten der Sowjetunion Raum im Osten gewinnen. Diese Erwerbungen sollen Deutschland zur Weltmacht machen. »Völkisches« Gedankengut formt Hitler zu seiner zentralen Idee um: Kampf gegen das Judentum, das die Herrschaft der deutschen »Herrenrasse« verhindert.

Die Weltwirtschaftskrise trifft Deutschland besonders schwer. Ausländisches Kapital, das den Aufschwung der deutschen Wirtschaft ermöglicht hat, wird abgezogen. Die Zahl der Arbeitslosen erreicht im Winter 1931 sechs Millionen *(Kat. Abb. 222, 223).* Reichskanzler Brüning *(Kat. Abb. 220)* stützt sich nicht mehr auf die Mehrheit im Parlament, sondern allein auf das Vertrauen des Reichspräsidenten. Er regiert mit einem System von Notverordnungen (nach Artikel 48 der Verfassung). Die Ablehnung einer solchen Verordnung im Reichstag beantwortet er mit dessen Auflösung. Damit ist die parlamentarische Demokratie praktisch aufgehoben, der Übergang zur Diktatur vorbereitet. Das wird deutlich, als die SPD im Jahre 1932 die konservativen Minderheitsregierungen Papen und Schleicher nicht mehr toleriert. Brüning will die katastrophale deutsche Wirtschafts- und Finanzlage nutzen, um bei den ehemaligen Siegermächten eine Revision des Versailler Vertrages zu erreichen. Das Ziel ist die Streichung der Reparationen und die militärische Gleichberechtigung für Deutschland. Er gibt sich der trügerischen Hoffnung hin, nach diesen außenpolitischen Erfolgen den politischen Radikalismus und die wirtschaftliche Krise überwinden zu können.

Wand 7/8

Massenarbeitslosigkeit und die mehr und mehr übersteigerten nationalen Forderungen lassen die NSDAP zur stärksten Partei im Reich werden. Für die restaurativ-reaktionären Kräfte der politischen Rechten, für Teile der Schwerindustrie und Hochfinanz, ist Hitler ein willkommener Bündnispartner *(Kat. Abb. 224)*. Sie ebnen dem Nationalsozialismus den Weg zur Machtergreifung.

Der Weg in den totalitären Staat: 1933 (Tafel 1–12)

Wand 9

Die Mehrheit des konservativen und national eingestellten deutschen Bürgertums stimmt der Machtergreifung Hitlers und dem Ende der parlamentarischen Demokratie zu. Es wendet sich von der Weimarer Republik ab, weil es eine »konservative Erneuerung« des Staates unter starker Führung (Präsident oder Monarch) erhofft. Die Regierung des »nationalen Zusammenschlusses« scheint diese Wünsche verwirklichen zu können. Alle »nationalen Kräfte«, die in der Weimarer Republik immer nur eine »Republik auf Zeit« gesehen hatten, sind nun vereinigt. Zwar hat Hitler die Reichskanzlerschaft übernommen. Aber die Nationalsozialisten sind im Kabinett in der Minderheit. Konservative und bürgerliche Nationalisten glauben, die Nationalsozialisten für ihre Ziele benutzen zu können. Es gelingt Hitler durch Beschwörung preußischer Traditionen (Staatsakt von Potsdam, 21. 3. 1933), das auf Pflichterfüllung und »nationale Ehre« eingeschworene Beamtentum und Heer für sich zu gewinnen *(Kat. Abb. 225)*. Die NSDAP mißbraucht die Unterstützung der Deutschnationalen, die von einer »konservativen Erneuerung« des Staates unter einem Monarchen träumen, um das Deutsche Reich in einen totalitären Staat zu verwandeln. Als das nationalsozialistische Regime in Deutschland gefestigt ist, beginnt der längst geplante Übergang zur kriegerischen Weltmachtpolitik *(Kat. Abb. 235)*.
Den Brand des Reichstages nimmt Hitler zum Anlaß, durch die »Verordnung zum Schutz von Volk und Staat« die Grundrechte aufzuheben. Das Prinzip der Rechtsstaatlichkeit wird aufgegeben, das Instrument für die Herrschaft der Nationalsozialisten geschaffen. Die letzten Wahlen, die man mit Einschränkung noch als freie Wahlen bezeichnen kann (5. 3. 1933), bringen der NSDAP nicht die Mehrheit der Wählerstimmen (43,9%). Die Nationalsozialisten besitzen aber zusammen mit den Deutschnationalen die Mehrheit im Parlament. Mit dem »Ermächtigungsgesetz« befreit sich Hitler von allen Bindungen an die Verfassung und von der parlamentarischen Kontrolle. Nachdem die KPD ausgeschaltet ist, widersetzt sich allein die

SPD im Reichstag dem Gesetz. Zentrum und bürgerliche Parteien stimmen zu. Es folgt das Verbot oder die Selbstauflösung der Parteien. Die NSDAP wird die Staatspartei des Dritten Reiches. Der Reichstag sinkt zum Akklamationsorgan für Hitler herab *(Kat. Abb. 226)*. Die parlamentarische Demokratie ist endgültig zerstört.

Die NSDAP und ihre Organisationen überwachen und bestimmen das gesamte politische, wirtschaftliche und kulturelle Leben im Staat. Die Polizei gerät unter nationalsozialistische Kontrolle. Polizei, SA (Schutzabteilung) und SS (Schutzstaffel) sind die Instrumente, mit denen die Partei das totalitäre System ausbaut und ihre Herrschaft sichert. Erste Konzentrationslager für politische Gefangene entstehen schon im Februar 1933 *(Kat. Abb. 228)*. Als die SA neben der Partei eine umfassende Kontrollbefugnis im Dritten Reich beansprucht, wird sie von Hitler Ende Juni 1934 entmachtet. Die SS wird zur mächtigsten Organisation im Staat *(Kat. Abb. 229)*. Sie fühlt sich als Elite. Im Kriege ist sie das Vollstreckungsorgan bei der Vernichtung der Juden Europas.

In den deutschen Ländern werden Reichsstatthalter eingesetzt und die Länderparlamente beseitigt. Dem Eigenleben der Länder und der Selbstverwaltung der Gemeinden wird ein Ende gesetzt. Die seit Bismarcks Reichsgründung bestehende bundesstaatliche Struktur des Deutschen Reiches wird in eine einheitsstaatliche verwandelt.

Nach dem Tode Hindenburgs vereinigt Hitler die Ämter des Reichspräsidenten und des Reichskanzlers in seiner Hand. Politische Rivalen hat Hitler nicht mehr zu befürchten, seitdem die SA entmachtet ist. Die innerpolitische Machtkonzentration ist abgeschlossen: Adolf Hitler ist Führer der Staatspartei, Chef der Regierung und Staatsoberhaupt. Als »Führer des Deutschen Reiches und Volkes« läßt er Beamte und Soldaten auf seine Person vereidigen. Er bindet damit die zumeist auf ein traditionelles Treueverhältnis eingeschworenen Offiziere und Beamten noch enger an sich.

Mit Hilfe ihrer verschiedenen Gliederungen kontrolliert die NSDAP vollständig das Leben im Staat. Alle politischen, wirtschaftlichen und kulturellen Organisationen werden »gleichgeschaltet«. Es beginnt mit der Zwangsorganisierung der Wirtschaft. Die Gewerkschaften werden zerschlagen. Den Arbeitern wird das im 19. Jahrhundert erkämpfte Recht auf Zusammenschluß zur Durchsetzung ihrer Interessen am Arbeitsplatz genommen. Arbeiter und Unternehmer werden einer staatlichen Einheitsorganisation eingegliedert, der »Deutschen Arbeitsfront«. Staatliche Tarifregelung tritt an die Stelle der freien Sozialpartnerschaft. Die freie Wahl des Arbeitsplatzes wird eingeschränkt. Der Abbau von Arbeitnehmerrechten zeigt, wie weit sich die NSDAP von ihren »sozialistischen« Anfängen entfernt hat. Die Stellung der Unternehmer wird sogar noch gestärkt, weil das Verhältnis Führer – Gefolgschaft auf die Betriebe übertragen wird. Das Prinzip der kapitalistischen Privatwirtschaft wird von der Partei nicht angetastet, die Produktion jedoch weitgehend staatlich gelenkt.

Der Aufschwung der Weltwirtschaft nach 1933 trägt zur Erholung der deutschen Wirtschaft bei. Ein Arbeitsbeschaffungsprogramm der Nationalsozialisten sieht vor allem öffentliche Arbeiten vor. Es belebt die Industrieproduktion nur wenig, holt jedoch den Arbeitslosen bei niedrigen Löhnen von der Straße. Die zunächst getarnte Aufrüstung und der Ausbau der Wehrmacht mit zweijähriger Dienstzeit lassen die Arbeitslosigkeit weiter sinken. Dieser Erfolg trägt dazu bei, daß das nationalsozialistische Regime im deutschen Volk kaum noch auf Ablehnung stößt.

Wand 10

Das Arbeitsbeschaffungsprogramm und die Aufrüstung werden durch Wechsel, Reichsanleihen und schließlich durch die Notenpresse finanziert. Das Reich verschuldet sich in einem bisher nicht gekannten Ausmaß. Durch intensive landwirtschaftliche Nutzung und die Gewinnung von industriellen Rohstoffen soll die Abhängigkeit des Reiches vom Weltmarkt vermindert werden. Die nationalsozialistische Wirtschaftspolitik dient seit 1933 allein Hitlers vor der Öffentlichkeit geheimgehaltenem Plan: dem Eroberungskrieg im Osten, der »für die Zukunft eine endgültige Lösung ... in einer Erweiterung des Lebensraumes bzw. der Rohstoff- und Ernährungsbasis unseres Volkes« bringen soll. Der Wehrmacht und der Wirtschaft stellt Hitler 1936 folgende Aufgabe: »I. die deutsche Armee muß in 4 Jahren einsatzfähig sein; II. die deutsche Wirtschaft muß in 4 Jahren kriegsfähig sein« *(Kat. Abb. 233, 234).*

Im Weltkrieg werden die Konzentrationslager und schließlich das ganze unterworfene Europa zum Rekrutierungsfeld für die deutsche Rüstungsindustrie.

Wand 11/12

Das Ende der Weimarer Republik war durch Krisen und Hoffnungslosigkeit für den einzelnen gekennzeichnet. In vielen Menschen wuchs die Bereitschaft, einem »Führer und Erneuerer« des deutschen Volkes zu folgen. Adolf Hitler erkannte seine

Stunde. Alle Hoffnungen wurden auf den Führer als das »Werkzeug der Vorsehung« gerichtet *(Kat. Abb. 227)*. Dieses Führerprinzip wird Kern der antidemokratischen, autoritären Organisation des nationalsozialistischen Staates. Jede Aufgabe und Funktion wird dem »Volksgenossen« von oben her zugewiesen *(Kat. Abb. 231)*. Der Führer selbst läßt sich von Zeit zu Zeit durch plebiszitäre Abstimmungen in seiner Politik bestätigen. Diese Abstimmungen sind eine durch Partei und Staatsorgane gelenkte Akklamation des Volkes *(Kat. Abb. 232)*. Entscheidungsmöglichkeiten für den »Wähler« gibt es dabei nicht. Wie weit Überzeugung, wie weit Furcht die Stimmabgabe beeinflußt haben, läßt sich nur schwer entscheiden. Immerhin ist es Hitler zwölf Jahre lang gelungen, die Mehrheit des deutschen Volkes für seine Ziele einzuspannen.
Der Nationalsozialismus will die Gegensätze von »national« und »sozialistisch« in der »Volksgemeinschaft« aufheben. In Wirklichkeit löst er sich vom deutschen Nationalgedanken und proklamiert eine Rassenideologie. Beispielhaft zeigt sich in der Organisierung der Jugend das Prinzip der personellen und ideologischen Erfassung des ganzen Volkes. Alle bisherigen Jugendverbände werden aufgelöst und durch den Staatsverband der »Hitlerjugend« (HJ) ersetzt. Er ist ein Instrument der nationalsozialistischen Erziehung und vormilitärischen Ausbildung *(Kat. Abb. 230)*.
Der Antisemitismus, dessen geistige Wegbereiter schon im 19. Jahrhundert zu finden sind, ist bereits in der Weimarer Republik weit verbreitet. Für Hitler ist die Rassenideologie die zentrale Idee seiner Weltanschauung. Der NSDAP gelingt es, das Gefühl des Ausgeliefertseins an anonyme gesellschaftliche Kräfte — von den Massen in der Existenzunsicherheit der Weltwirtschaftskrise erfahren — in Aggression gegen die »Weltverschwörung der Juden und Bolschewisten« umzusetzen. Seit der nationalsozialistischen Machtübernahme werden Hitlers Ideen konsequent gegenüber den »Volksfeinden« verwirklicht. Es beginnt mit Gewalttaten gegen jüdische Bürger und ihr Eigentum. Schrittweise wird den deutschen Juden jede Lebensmöglichkeit genommen. Die Ausrottung der »jüdisch-bolschewistischen Führungsschicht« und der Juden in Osteuropa wird schließlich, wie die Gewinnung von »Lebensraum« für die »germanische Herrenrasse«, erklärtes Ziel des Krieges *(Kat. Abb. 236)*. In den eroberten Ländern werden in den Konzentrationslagern die Juden Europas vernichtet.

Neben vielen Tausenden, die in der Emigration den einzigen Ausweg sehen, dem Terrorregime, das sie persönlich bedroht, zu entfliehen, entziehen sich jedoch auch im Innern manche der völligen Gleichschaltung und organisieren sich in geheimen Gruppen. Die deutsche Widerstandsbewegung gegen den Nationalsozialismus ist so alt wie das Dritte Reich. In den ersten Jahren des Regimes sind es vor allem sozialdemokratische und kommunistische Zellen sowie Männer der Kirche, die sich gegen das totalitäre System und gegen die erkennbaren Kriegsabsichten Hitlers auflehnen. Schon in der Zeit der außenpolitischen Erfolge und vor Kriegsausbruch beginnt sich dann auch in bürgerlich-konservativen Kreisen, bei einzelnen Männern und Gruppen im Staatsapparat und im Offizierskorps der Widerstand zu regen. Sie gewinnen die Überzeugung, daß ein Handeln gegen Hitlers verbrecherische Politik keinen Verrat an Deutschland darstelle. Während des Krieges suchen diese Kreise Verbindung mit Kräften der Arbeiterbewegung. Hitler und die NSDAP sollen durch einen Staatsstreich beseitigt werden, auch wenn die deutsche Niederlage dadurch nicht abgewendet werden kann. Ziel des Umsturzversuches vom 20. Juli 1944 ist die Beendigung des Krieges. Er soll die weitere Zerstörung Deutschlands verhindern *(Kat. Abb. 238–241).* Der Welt soll deutlich werden, daß das deutsche Volk nicht völlig mit den Verbrechen des Nationalsozialismus zu identifizieren ist.

Zerstörung und Neubeginn: 1945 (Tafel 1–11)

Wand 17

Das nationalsozialistische Regime hat das deutsche Volk in einen verbrecherischen Weltkrieg gezogen, der für Deutschland mit der totalen Niederlage und der Zerstörung des 1871 gegründeten Nationalstaates endet. Im April 1945 erreichen russische Truppen von Osten, amerikanische Truppen vom Westen her die Elbe. Hitler entzieht sich durch Selbstmord der Verantwortung. Die deutsche Wehrmacht hat bedingungslos kapituliert (7./9. Mai 1945) *(Kat. Abb. 242).* Frankreich, Großbritannien, die UdSSR und die Vereinigten Staaten übernehmen die oberste Regierungsgewalt in Deutschland. Ein gemeinsamer Kontrollrat faßt Beschlüsse »über die wichtigsten Fragen, die das ganze Gebiet Deutschlands interessieren«. Deutschland und Berlin werden in 4 Besatzungszonen aufgeteilt. In diesen Zonen bestimmt die jeweilige Besatzungsmacht die weitere Entwicklung. Die Alliierten hatten sich mit dem Ziel zusammengefunden, Deutschland niederzuwerfen und die Führungsspitze des nationalsozialistischen Regimes zur Rechenschaft zu ziehen. Die Nachkriegsordnung auf deutschem Boden soll einen militärischen Wiederaufstieg des Reiches unmöglich machen. Auf der Potsdamer Konferenz im Juli und August 1945 versuchen die Vereinigten Staaten, die Sowjetunion und Großbritannien, die Grundlinien einer gemeinsamen Politik für die Nachkriegszeit festzulegen *(Kat. Abb. 244).* Deutschland ist das Kernproblem. Das politische Leben in Deutschland soll auf demokratischer Grundlage neu gestaltet werden. Zentrale Verwaltungsstellen sind geplant. An eine deutsche Zentralregierung ist zunächst nicht gedacht. Die Einrichtung der Zentralstellen scheitert vor allem am französischen Einspruch.

Während der Besatzungszeit soll Deutschland als Wirtschaftseinheit betrachtet werden. Das Schwergewicht der deutschen Wirtschaft soll auf der Landwirtschaft und der Verbrauchsgüterindustrie liegen. Die deutschen Gebiete östlich der Oder und Neiße werden – vorbehaltlich einer endgültigen Regelung auf einer Friedenskonferenz – polnischer beziehungsweise russischer Verwaltung unterstellt. Deutschland verliert ein Viertel seines Territoriums. Elfeinhalb Millionen Menschen kommen als Flüchtlinge und Vertriebene aus den deutschen Ostgebieten und aus Osteuropa in die Besatzungszonen *(Kat. Abb. 243).*

Wand 18/19

Die Frage der Reparationen bildet einen Hauptgrund für die Trennung der sowjetischen von den westlichen Besatzungszonen.

Die alliierte Reparationspolitik verfolgt drei Ziele: Die gesamte deutsche Rüstungsindustrie soll abgebaut werden. Deutschland hat die Kriegsschäden zu ersetzen. Der Abtransport von Fabrikanlagen (Demontagen) soll das deutsche Wirtschaftspotential schwächen *(Kat. Abb. 245)*. – Die UdSSR soll die Reparationen aus ihrer Zone, die drei übrigen Alliierten sollen sie aus den westlichen Besatzungszonen entnehmen. Die Sowjetunion erhält darüber hinaus ein Viertel der westlichen Demontagen. Damit ist das Prinzip der deutschen Wirtschaftseinheit verlassen. Deutschland ist in zwei »Reparationszonen« aufgeteilt. Die Ansichten über die wirtschaftliche Zukunft Deutschlands erweisen sich als unvereinbar: Die Sowjetunion entnimmt Reparationen der laufenden Produktion ihrer Zone. Dagegen erheben Großbritannien und die Vereinigten Staaten Einspruch. Sie wollen den deutschen Export dazu benutzen, um die für ihre Besatzungszonen notwendigen Lebensmittellieferungen zu decken. Die britische und die amerikanische Zone schließen sich am 1. Januar 1947 wirtschaftlich in der Bi-zone zusammen. Der amerikanische Marshall-Plan, ursprünglich für ganz Europa bestimmt, bringt nach sowjetischem Veto nur den westlichen Besatzungszonen Wirtschaftshilfe *(Kat. Abb. 246)*. Die Spaltung Deutschlands zeichnet sich ab.

In Potsdam waren sich die Siegermächte darüber einig, daß politisches Leben in Deutschland auf demokratischer Grundlage entstehen solle. Die Vorstellungen von Demokratie erweisen sich jedoch als in Ost und West völlig verschieden. In der Entwicklung der Besatzungszonen spiegeln sich die divergierenden politischen Auffassungen der Besatzungsmächte. Unterschiedliche Gesellschaftssysteme werden verwirklicht. Die Westmächte wünschen ein föderalistisches System mit konkurrierenden Parteien und freien Wahlen. Die Demokratie soll »von unten nach oben« aufgebaut werden und mit der Selbstverwaltung der Gemeinden beginnen. Länder sind in den westlichen Besatzungszonen die zentralen Verwaltungseinheiten. Die Sowjetunion hingegen erstrebt eine starke Zentralverwaltung und einen kommunistisch geführten Parteienblock. Schon sehr früh werden in der sowjetischen Zone zentrale Verwaltungsstellen gebildet. Die Sozialdemokraten vereinen sich hier unter Druck mit den Kommunisten zur Sozialistischen Einheitspartei (SED).

Das deutsche Wirtschaftsleben wird neu organisiert. Die Westzonen schließen sich zu einer Wirtschaftseinheit auf der Grundlage des Privateigentums und des freien Wettbewerbs zusammen. In der britischen Besatzungszone werden zwar erste Schritte zu einer Sozialisierung unternommen, wie sie von der SPD und den Gewerkschaften gefordert wird. Die Amerikaner bestimmen dann jedoch die weitere Wirtschaftspolitik in den westlichen Besatzungszonen. Sie lehnen eine Sozialisierung ab. In der sowjetischen Besatzungszone wird der Großgrundbesitz aufgeteilt *(Kat. Abb. 247)*. Private Betriebe werden in »volkseigene Betriebe« umgewandelt.

Wand 22

Die unterschiedlichen Wirtschaftssysteme von Ost und West bestimmen im geteilten Deutschland die Entwicklung. Mit den Währungsreformen – erst im Westen, dann im Osten – ist die wirtschaftliche Spaltung vollzogen. Deutschland wird zum Hauptschauplatz des »kalten Krieges« zwischen den früheren Alliierten. Die Berliner Blockade und mit ihr der Versuch, West-Berlin in die sowjetische Besatzungszone einzubeziehen, scheitert an der Hilfe der Westmächte. Die Forderung nach Einheit jedoch ist nicht mehr realisierbar. Die Zonen gehören verschiedenen Machtblöcken an.

Was wirtschaftlich, gesellschaftlich und machtpolitisch bereits vollzogen ist, wird in den Verfassungen bestätigt. Es entstehen zwei Staaten in Deutschland, denen die Besatzungsmächte mit gewissen Einschränkungen die oberste Regierungsgewalt übertragen: Am 23. Mai 1949 die Bundesrepublik Deutschland (Bundespräsident Theodor Heuß, FDP, Bundeskanzler Konrad Adenauer, CDU) *(Kat. Abb. 249)*, am 7. Oktober die Deutsche Demokratische Republik (Präsident Wilhelm Pieck, SED, Ministerpräsident Otto Grotewohl, SED) *(Kat. Abb. 248)*. Die Verfassungen beider Staaten betonen ihren provisorischen Charakter.

In einem Teil Deutschlands entsteht ein Staat, der an die liberal-demokratischen Traditionen des Jahres 1848 anknüpft und sich an die westliche Staatengemeinschaft anschließt. Er versucht, die seit der Gründung des Deutschen Reiches bestehenden gesellschaftlichen Spannungen abzubauen. Der Staat im anderen Teil Deutschlands führt in enger Anlehnung an die UdSSR die Umgestaltung der Gesellschaft im sozialistischen Sinne fort. – Das seit der Gründung des Deutschen Reiches gewachsene Bewußtsein von der Einheit der Nation bleibt jedoch auch über die Zerstörung des deutschen Nationalstaates und die Teilung hinaus im deutschen Volk lebendig.

Entwicklung, Wandlung und Zerstörung des deutschen Nationalstaates 1871–1945

von Andreas Hillgruber

Bismarcks überlegene Politik unter Ausnutzung der aus der Niederlage Rußlands im Krimkrieg 1853–56 hervorgegangenen, durch die Fortdauer starker Spannungen zwischen dem Zarenreich, England und Frankreich gekennzeichneten günstigen Mächtekonstellation in Mitteleuropa, die Siege des preußisch-deutschen Heeres über Frankreich (1870/71) und die Einigung des Norddeutschen Bundes mit den Regierungen der süddeutschen Staaten (November 1870) hatten im Zusammenwirken mit der deutschen Nationalbewegung, jedoch unter Absage an ihre demokratischen und großdeutschen Traditionen von 1848 das kleindeutsche Reich als »Nationalstaat« und neue Großmacht in Zentraleuropa geschaffen. Die Problematik dieser einer »Revolution von oben« gleichkommenden Lösung der deutschen Frage trat zunächst hinter der Befriedigung und den Erwartungen zurück, die vor allem das nationalliberale Bürgertum mit der als Erfüllung jahrzehntelanger Hoffnungen gefeierten Reichsgründung verband. Allerdings ließen das Abseitsstehen und die Ablehnung des neuen Reiches durch beträchtliche, in ihrer Bedeutung schnell wachsende Teile der Gesellschaft und ihre politischen Repräsentanten seine soziale Basis in langfristiger Perspektive als unzureichend erscheinen, wenn es nicht gelang, sie mit den Entscheidungen von 1866 und 1871 auszusöhnen und allmählich in den neuen Nationalstaat zu integrieren. Die Voraussetzungen hierfür waren teils günstig, teils enthielten sie kaum überwindbare Hemmnisse. Das Zusammenwachsen der verschiedenen Territorien, die Lockerung der Bindungen an die Einzeldynastien und das Zurücktreten partikularistischer Bestrebungen wurden durch den beschleunigten Wandel einer bislang vorwiegend agrarisch zu einer industriell bestimmten Gesellschaft und die damit verbundene verstärkte Mobilität der Bevölkerung wesentlich gefördert. Dieser Dynamik wirkte jedoch das Festhalten an der gegen die Zeittendenz über die Krisen der Revolution von 1848 und des Verfassungskonflikts von 1862 hinweg bewahrten und durch die siegreichen Kriege verfestigten älteren Sozialordnung in Preußen entgegen, die im Selbstverständnis seiner Führungs-

schicht gerade die Überlegenheit gegenüber den Nachbarmächten ausmachte und trotz einzelner Zugeständnisse an die nationalliberale Bewegung auch für das neue Reich bestimmend werden sollte.
Die Sonderform des preußisch-deutschen Konstitutionalismus, bei der das Parlament (Reichstag und preußisches Abgeordnetenhaus) auf die Gesetzgebung beschränkt blieb und die monarchischen Prärogativen, vor allem im militärischen Bereich, und die allein von der Krone abhängige Stellung des Regierungschefs (Reichskanzlers bzw. preußischen Ministerpräsidenten) das eigentlich Charakteristische waren, spiegelte den einseitigen Kompromiß der Verfassungslösung und den Bruch mit der nationaldemokratischen Zielsetzung von 1848. Die auf Bewahrung des 1871 erreichten gesellschaftlichen und verfassungsmäßigen Status quo abgestellte, von der Furcht vor sozialer Revolution – »cauchemar des révolutions« (Th. Schieder) – motivierte Politik Bismarcks erschwerte und verzögerte das Hineinwachsen der an den alten nationaldemokratischen Zielsetzungen festhaltenden politischen Kräfte ebenso, wie sie den Graben zwischen dem nunmehr das deutsche Nationalbewußtsein für sich allein beanspruchenden Bürgertum und dem den »Klassenstaat« ablehnenden, auf einen künftigen »Volksstaat« hin orientierten Proletariat vertiefte.
Hatte der – ein Zugeständnis an die deutsche Nationalbewegung – aus freien, geheimen, gleichen und direkten Wahlen hervorgegangene Reichstag zunächst mit den Nationalliberalen und der freikonservativen »Reichspartei« eine das neue Reich bejahende Mehrheit und paßten sich die meisten der anfangs abseits stehenden preußischen Konservativen seit 1876 als »Deutschkonservative« an die Realität an, während die großdeutsch gestimmten »Demokraten« in Süddeutschland ihren Rückhalt bei den Wählern einbüßten, so daß sich die Front der »Reichsfreunde« erheblich verbreiterte, so riß Bismarck während des »Kulturkampfes« zu der Partei des politischen Katholizismus, dem Zentrum, eine Kluft auf, die erst während der achtziger Jahre allmählich überbrückt werden konnte. In dieser Zeit verstärkte sich jedoch erneut der prinzipielle Gegensatz zu den an den Zielen der Deutschen Fortschrittspartei festhaltenden »Linksliberalen«.
Die Auseinandersetzung mit diesen »Reichsfeinden« wurde an nachhaltiger Wirkung noch bei weitem übertroffen durch die Bekämpfung der sich seit der Reichsgründung bald zu einer Massen-

organisation entwickelnden sozialdemokratischen Arbeiterbewegung. Sie erreichte mit der Verabschiedung des »Gesetzes gegen die gemeingefährlichen Bestrebungen der Sozialdemokratie« (Sozialistengesetz) durch die konservative und nationalliberale Mehrheit des Reichstages 1878 ihren ersten Höhepunkt. Daß dieses Ausnahmegesetz immer wieder – bis 1890 – verlängert wurde, ließ den Bruch zwischen dem »nationalen« Bürgertum und dem Proletariat unüberwindlich erscheinen, dessen Repräsentanten in einer internationalen »Klassen«-Solidarität über die nationalstaatlichen Grenzen hinweg zu stehen meinten.
Der in der Zeit der »Großen Depression«, der langfristigen Wirtschaftswachstumskrise von 1873 bis 1895, zustande kommende Interessenausgleich zwischen Schwerindustrie und Großagrariern zementierte den sozialen Gegensatz zwischen der staatstragenden »feudal«-großbürgerlichen Oberschicht und den in Lohnarbeit stehenden Massen. Die Betonung des »Nationalen« erhielt in der späten Bismarck-Zeit somit einen gegen die Sozialisten gerichteten gesellschaftspolitischen Akzent, der bis weit in das 20. Jahrhundert nachwirkte. Die faktisch zusammenwachsende kleindeutsche Staatsnation blieb infolge der Fortdauer und Verhärtung einer immer mehr überlebten Gesellschaftsordnung in sich zerrissen. Der Versuch Bismarcks, durch eine Sozialpolitik des Staates (Sozialversicherungsgesetze) die Arbeiterschaft zu gewinnen und von ihren sozialistischen Repräsentanten zu trennen, mußte unter den gegebenen Bedingungen politisch scheitern, auch wenn diese Gesetzgebung – langfristig gesehen – den Integrationsprozeß förderte, zumal sie in der Wilhelminischen Ära fortgesetzt wurde.
Eine weitere schwerwiegende Belastung des neuen Nationalstaates stellte die Tatsache dar, daß das Reich einerseits große Teile der Deutschen, die bis 1866 mit den jetzigen »Reichsdeutschen« im Deutschen Bund zusammen gewesen waren, nicht mit umfaßte (vor allem die Deutschen in der Habsburger Monarchie), andererseits das Reichsgebiet mit den Dänen in Nordschleswig, den Polen in der Provinz Posen und den Elsässern und Lothringern Bevölkerungsteile einschloß, die sich zu anderen Nationen gehörend betrachteten. Beides führte zu problematischen Konsequenzen, da Bismarcks Haltung innen- wie außenpolitisch an dem 1871 erreichten Status quo orientiert blieb. In seiner Sicht mußte ein Weiterschreiten auf dem von den Nationalliberalen gewünschten Wege zu einer Parlamen-

tarisierung des Reiches – von allem anderen abgesehen – angesichts des noch ungefestigten kleindeutschen Nationalbewußtseins den im Zentrum, bei den süddeutschen Demokraten sowie in der Sozialdemokratie lebendigen großdeutschen Bestrebungen in Anknüpfung an die Ziele von 1848 erneuten Auftrieb geben und dies wiederum internationale Verwicklungen, vor allem Spannungen mit Österreich–Ungarn, heraufbeschwören, während ein enges Zusammengehen der beiden Kaiserreiche in Mitteleuropa sowohl unter dem Gesichtswinkel des »cauchemar des coalitions« als auch des »cauchemar des révolutions« geradezu einen Angelpunkt der Gesamtpolitik des Reichskanzlers nach 1871 bildete. Ein – von Bismarck strikt abgelehnter – Übergang zu nationaldemokratischen Prinzipien in der deutschen Politik hätte zudem das Problem Elsaß-Lothringen neu aufgeworfen und vor allem die polnische Frage mit allen darin enthaltenen Implikationen für das Verhältnis zu Rußland in die internationale Diskussion gebracht. Mit der Entscheidung, an der konstitutionellen Sonderform Preußen–Deutschlands unbedingt festzuhalten, verloren die fortwirkenden großdeutschen Tendenzen an politischer Relevanz, erhielt andererseits jedoch der sich in den siebziger Jahren immer stärker herausbildende kleindeutsche Nationalismus der »reichsfreundlichen« Parteien (Deutschkonservative, Nationalliberale) die Möglichkeit, sich im Kampf um Sprache, Schule und Boden mit den Polen in der Provinz Posen zu radikalisieren und das Verhältnis zur dänischen Minderheit sowie zu den Elsässern und Lothringern noch mehr zu belasten, als es durch ihre erzwungene Einbeziehung in das Deutsche Reihe ohnehin schon der Fall war.
Das nationale Moment, das in der Reichsgründungsphase die Dynamik der Politik Bismarcks mitbestimmt hatte, war – insgesamt gesehen – nach 1871 eindeutig seinem Ziel untergeordnet, das neue Reich in den Kreis der europäischen Mächte einzufügen und ihm einen führenden Platz unter den sozialkonservativ orientierten Monarchien des Kontinents zu geben. Das ausgeprägte, zum Teil bereits übersteigerte Nationalbewußtsein der sozialen Führungsschicht stellte in Bismarcks Sicht ein wichtiges Element für die Einschätzung des »Gewichts« des Reiches bei Freund und Feind in der »großen Politik« dar, durfte aber das an der Staatsräson orientierte nüchterne Machtkalkül in den Beziehungen zu den Großmachtnachbarn nicht beeinträchtigen. Damit aber war die Gefahr einer fortschreiten-

den Reduzierung der Nationalidee auf den Machtgedanken gegeben, der später seinerseits in den Dienst weitgespannter Ideologien gestellt werden konnte.
Der Schwierigkeit der Umstellung von der Förderung der nationalen Bewegung zur Bewahrung des 1871 erreichten »unvollendeten« Nationalstaates auf deutscher Seite entsprach bei den Nachbarn des neuen Reiches eine Unsicherheit in der Beurteilung der weiteren Ziele Bismarcks. Der grundlegende Wandel in der europäischen Mächtekonstellation innerhalb weniger Jahre lag offen zutage. Zum ersten Mal seit dem Mittelalter war mit der Zusammenfassung des größten Teiles Deutschlands unter der Führung Preußens, der bis dahin weitaus schwächsten europäischen Großmacht, nach den duellartigen Kriegen gegen Österreich und Frankreich, jeweils unter Rückendeckung Preußens durch Rußland und bei Abseitsstehen Englands, mit anderen Worten: ohne eine Intervention der beiden Flügelmächte, in der Mitte Europas ein politisches Gravitationszentrum entstanden. Obwohl das Deutsche Reich allenfalls eine »halbhegemoniale« Stellung (L. Dehio) einnahm, war es von Anfang an mit der Kernproblematik des neuzeitlichen Mächtesystems belastet, in die Spannung zwischen Hegemonie und Gleichgewicht hineingestellt. Die deutsche Frage, seit jeher ein europäisches Problem, wurde jetzt in anderer Weise, im Sinne einer Einbeziehung des neuen Reiches in die Mächtebalance, zu einem Schlüsselproblem für das Gefüge Europas, das – anders als in der Zeit zwischen 1815 und 1853 – nicht mehr auf der von den Großmächten insgesamt als verbindlich betrachteten Ordnung des Wiener Kongresses beruhte, in die der Deutsche Bund völkerrechtlich eingefügt gewesen war.
Die Reichsgründung schien in den Augen der Nachbarn eher einen völligen Umsturz der europäischen Mächteverhältnisse voranzukündigen, als daß sie bereits den Abschluß der dynamischen Entwicklung anzeigte, die von Preußen ihren Ausgang genommen hatte. Am schärfsten umriß der Führer der britischen Konservativen Disraeli in einer Unterhausrede am 9. Februar 1871 die Situation, die er als »die deutsche Revolution«, als »ein größeres Ereignis als die Französische Revolution des vorigen Jahrhunderts« bezeichnete. Das europäische Gleichgewicht sei zerstört, und England werde die Auswirkungen dieser grundlegenden Veränderung des Kräfteverhältnisses auf dem Kontinent am meisten spüren. Die damit zum ersten Mal ausgesprochene Befürchtung, daß das Deutsche Reich zu groß und

zu stark für das übrige Europa sei, begleitete seine wechselvolle Geschichte bis zu seinem Untergang. Dabei entwickelte sich die außerordentliche Machtzusammenballung in Mitteleuropa erst im Prozeß der voranschreitenden industriellen Revolution und der in diesem Ausmaß nicht vorhergesehenen Bevölkerungsvermehrung, so daß erst während des langen wirtschaftlichen Aufschwungs nach 1895 zutage trat, welch gewaltiges ökonomisches und militärisches Potential durch die Gründung des Deutschen Reiches in der Mitte des Kontinents zusammengefaßt worden war. Die schon bald nach 1871 einsetzende Konzentration des Interesses der Großmächte auf Zentraleuropa wurde möglich, nachdem sich der Gegensatz zwischen den beiden Flügelmächten England und Rußland – die wichtigste Voraussetzung im internationalen Bereich für Bismarcks Erfolg in der Reichsgründung – vorübergehend dadurch verringerte, daß die für das Zarenreich diffamierenden, Rußland als Seemacht im Schwarzen Meer ausschaltenden Klauseln des Pariser Friedens von 1856 zugleich mit einer dem Interesse Rußlands an der Öffnung der türkischen Meerengen entgegenkommenden Lösung auf der Londoner Pontus-Konferenz im März 1871 beseitigt wurden. Erschien den Nachbarstaaten das neue Reich nach den preußischen Siegen über zwei europäische Großmächte zunächst vor allem wegen der überhöhten Stärke und Schlagkraft seiner Armee als potentielle Bedrohung, so betrachtete Bismarck die Sicherung der 1871 errungenen labilen Position auf dem Kontinent wegen der in den inneren Auseinandersetzungen zum Ausdruck kommenden Instabilität des Reiches mit um so größerer Sorge, als er die »Fronten« der innenpolitischen Gegner (Zentrum, Sozialisten, Linksliberale) über die Reichsgrenzen hinausreichend, in Verbindung mit anderen Mächten stehend vermutete. Eine aus der Sicht des Deutschen Reiches mit der geographischen und strategischen Mittellage und der unterstellten permanenten Zweifrontenkriegssituation (zwischen Frankreich und Rußland) zureichend begründete übermäßige Stärke seiner Militärmacht mußte aus der Sicht dieser Nachbarn einschließlich Englands zu der Befürchtung führen, daß im Falle eines deutschen Sieges die volle Hegemonie Deutschlands auf dem Kontinent unabwendbar war und die Inselmacht sich mit einer erneuerten Napoleonischen Bedrohung konfrontiert sah, deren Konsequenzen unvergleichbar ernster waren als die der Jahre 1798 bis 1815.

Andererseits ließ sich die Aufgabe, vom Deutschen Reich die bedrohlichen Folgen seiner Gründung im internationalen Bereich abzuwenden, seine labile Stellung im Mächtesystem ausbalancieren und zugleich die veraltete soziale Ordnung zu bewahren, im Grunde nur nach drei außenpolitischen Leitlinien erfüllen, wobei jeder Weg kurzfristig oder in weiterer Perspektive Risiken enthielt. Diese drei Möglichkeiten blieben, weil die Grundbedingungen konstant waren, in zeitbedingten Modifikationen die einzigen, die in den verschiedenen Epochen der deutschen Großmacht von ihrer politischen Führung zur Sicherung, zum Ausbau und – wie man meinte – zur dauerhaften Fundierung der ungefestigten Position des Reiches in Europa erwogen, angestrebt oder zu realisieren versucht wurden. Die in der Führungsschicht verbreitete Neigung zum Prestigedenken lief dabei leicht Gefahr, in Krisensituationen einer an friderizianische Traditionen angelehnten Maxime »Sieg oder Untergang«, »Alles oder Nichts« zu verfallen.
Einmal konnten im Stile der sogenannten Konvenienz, die als Regulativ des Gleichgewichts zwischen den europäischen Großmächten seit dem 18. Jahrhundert wirksam war, auf Kosten der Klein- und Mittelstaaten Einflußsphären oder Interessenräume mit anderen Großmächten abgesteckt werden, um Kollisionen mit ihnen zu vermeiden. Das Risiko bei dieser vor allem gegenüber Rußland naheliegenden Lösung bestand darin, daß dann Pufferzonen zwischen den Großmachtnachbarn wegfielen und das Reich in seiner Mittellage noch leichter als bisher in zunehmende Abhängigkeit von diesem so nach Nordwesten oder Südwesten vordringenden östlichen Nachbarn geriet, den Rang als vollwertige, nach allen Seiten »frei« handelnde Großmacht, dessen Bewahrung gerade dem Selbstverständnis seiner sozialen und politischen Führung zufolge das Ziel der deutschen Gesamtpolitik sein mußte, wieder verlor und in die Sekundanten-Rolle Preußens gegenüber Rußland in der Zeit vor dem Krimkrieg zurückfiel. Zweitens konnte sich das Reich, wie es Moltke, das traditionelle eng militärisch verstandene Präventivkriegdenken umformend, forderte, durch überfallartige Schläge gegen einzelne potentielle Gegner an der jeweils für die eigene Position gefährdetsten Stelle die Bestätigung der eigenen Handlungsfreiheit und der relativen Überlegenheit geben – unter dem leitenden Gesichtspunkt, das Heranwachsen einer starken Gegenkoalition zu verhindern, allerdings mit dem Risiko, gerade durch ein solches Handeln die befürchtete Koali-

tion erst zustande zu bringen und die mit den Mitteln der Landmacht unerreichbare Seemacht England zu ihrem Exponenten zu machen. Schließlich bestand als drittes die Möglichkeit, in einem als Folge der Annexion Elsaß-Lothringens hinsichtlich der Variationsbreite allerdings bereits beträchtlich eingeschränkten diplomatisch-politischen Spiel die Interessen der übrigen Großmächte gegeneinander zu lenken und die Spannungen insgesamt von der Mitte an die Peripherie Europas zu dirigieren, später dann auch die sich aus dem imperialistischen Ausgreifen der Großmächte ergebenden Gegensätze zwischen ihnen in Afrika und Asien auszunutzen. Die Problematik einer solchen Lösung lag – vom leitenden Gesichtspunkt der Wahrung der 1871 errungenen Gleichrangigkeit als Großmacht her gesehen – nicht zuletzt darin, daß bei einer dieser Leitlinie gemäßen eigenen Zurückhaltung auf dem Felde kolonialer Erwerbungen das schnellere Wachstum der anderen zu Imperien aufsteigenden Großmächte und ein relatives Absinken der eigenen Position im Kreise der Groß- und Weltmächte eingeschlossen war. Im ganzen bot diese dritte Lösung dennoch die größte Chance, daß das Reich im Laufe der Zeit zu einem für seine Nachbarn einschätzbaren Faktor im europäischen Mächtesystem wurde. Eine Entscheidung hierfür setzte aber bei der politischen Führung des Reiches in der Epoche des Imperialismus ein hohes Maß an Selbstbeschränkung voraus.

Eine erste Klärung der Stellung des neuen Reiches in Europa brachte bereits die sogenannte »Krieg-in-Sicht«-Krise 1875. Die parallellaufende politische Intervention Englands und Rußlands in Berlin gegen einen scheinbar bevorstehenden deutschen Angriff auf Frankreich bedeutete in ihren Konsequenzen eine nachträgliche machtpolitische Garantie des seit 1871 bestehenden Status quo in Zentraleuropa durch die Flügelmächte. Die Intervention machte klar, daß die Flügelmächte zwar die Veränderungen zwischen 1866 und 1871 akzeptiert hatten, somit keine akute Gefahr für das Reich bestand, eine erneute Verschiebung des bestehenden Kräfteverhältnisses in Mitteleuropa zu deutschen Gunsten jedoch – wie es im Falle einer Kompensationslösung mit einer Nachbargroßmacht oder eines Präventivkrieges zu erwarten war – ohne großen Krieg nicht mehr möglich war. Dieser aber mußte nach menschlicher Voraussicht »finis Germaniae« bedeuten, da England mit auf die Gegenseite treten würde, um die deutsche Hegemonie auf dem Kontinent zu verhindern.

Bismarck konzentrierte sich seit der »Krieg-in-Sicht«-Krise, die die existenzgefährdende Fragwürdigkeit der zweiten und die unübersteigbaren Schwierigkeiten der ersten Lösung offenbart hatte, auf die dritte Möglichkeit. Die auf eine begrenzte deutsche Führungsrolle im Rahmen des europäischen Gleichgewichts gerichtete Zielsetzung umschrieb er in der klassischen Formulierung des Kissinger Diktats vom 15. Juni 1877 in der Wendung, ihm schwebe eine politische Gesamtsituation in Europa vor, »in welcher alle Mächte außer Frankreich unser bedürfen und von Koalitionen gegen uns durch ihre Beziehungen zueinander nach Möglichkeit abgehalten werden«. Zusammen mit Österreich-Ungarn besaß dabei das Deutsche Reich eine außerordentlich starke Stellung. Auf dem Berliner Kongreß 1878 bemühte sich Bismarck als »ehrlicher Makler« um eine Lösung der Balkan- und Orientkrise, aus der ein Krieg zwischen Rußland, Österreich-Ungarn und England hervorzugehen drohte.
Indessen: Nur wenige Jahre später, nach einer Kette von diplomatisch-politischen Erfolgen, die Bismarcks führende Stellung im Kreise der europäischen Staatsmänner weitgehend Anerkennung finden ließ, zeigte es sich, daß die »Idealkonstellation« gemäß dem Kissinger Diktat nicht zu realisieren war. Die schwere internationale Krise der Jahre 1885–87, die vom Konflikt zwischen Rußland und Österreich-Ungarn um Bulgarien ihren Ausgang nahm und zusammen mit der »Revanche«-Agitation des französischen Kriegsministers Boulanger erneut die Zweifrontenkriegsproblematik aktualisierte, ließ die Anfang der achtziger Jahre vorübergehend als relativ gesichert angesehene »halbhegemoniale« Stellung des Reiches in Europa wieder als in hohem Maße gefährdet erscheinen. Bismarcks Reaktion bestand in dem raschen Abbruch der in jener ruhigen Phase der europäischen Politik tastend eingeleiteten, das Reich zögernd und unter Vorbehalt zur Ablenkung von der sozialen und politischen Problematik im Innern erstmals in die »Weltpolitik« hinausführenden kolonialen Aktivitäten (1884/85) in der damit verbundenen und dafür kennzeichnenden Frontstellung gegen England, wenn sich auch der von Bismarck nun gewünschte volle Rückzug des Reiches aus Afrika und die erneute Beschränkung auf Europa nicht mehr ganz verwirklichen ließen. Seine Bemühungen, durch Kombinationen sowohl mit England als auch mit Rußland (letzteres über den geheimen Rückversicherungsvertrag 1887) zur Wahrung des schwer erschütterten labilen Gleichgewichts der Kräfte in Südosteuropa als Teil der

allgemeinen »Balance of Power« beizutragen, stellten Not- und Aushilfsmaßnahmen dar. Als Dauerlösung, die jedoch in letzter Konsequenz einen Verzicht des Reiches auf volle machtpolitische Souveränität als führende Großmacht im Zentrum des Kontinents mit bündnispolitischer Handlungsfreiheit nach allen Seiten einschloß, blieb nur die enge Anlehnung an die eine oder andere der Flügelmächte übrig, wobei die Frage offenblieb, ob eine solche »Option« von der davon ausgeschlossenen Flügelmacht hingenommen wurde.
Zu einer Zuspitzung der internationalen Lage, die u. U. ein Ausweichen auf diese letzte Position erforderlich gemacht hätte, um dem Reich einen in Bismarcks Sicht existenzgefährdenden Zweifrontenkrieg zu ersparen, ist es in der noch verbleibenden Zeit seiner Kanzlerschaft nicht mehr gekommen. So hielt er bis zuletzt an der Leitlinie des Zusammengehens mit Österreich-Ungarn wie mit Rußland unter Pflege eines guten Verhältnisses zu England fest und blieb bestrebt, den dünnen »Faden« nach Petersburg mit einer Erneuerung des Rückversicherungsvertrages auch dann noch fortzuführen, als mit dem Ausgang der Reichstagswahlen vom 20. Februar 1890, die den »reichsfreundlichen« »Kartell«-Parteien (Konservative und Nationalliberale) eine schwere Niederlage, der Sozialdemokratie hingegen einen sprunghaften Zuwachs brachten, der Rückhalt im Innern verlorenging und eine Umorientierung der deutschen Gesamtpolitik in der Sicht Kaiser Wilhelms II. unumgänglich wurde.
Innenpolitisch begann die Wilhelminische Ära mit dem Versuch einer Versöhnung mit der von der Sozialdemokratie repräsentierten Arbeiterschaft. Das Sozialistengesetz wurde aufgehoben, die Sozialpolitik verstärkt fortgesetzt. Jedoch, da ein nach der zwölfjährigen Verfolgung gar nicht zu erwartender schneller Erfolg ausblieb, folgte ein bis zur Jahrhundertwende fortdauerndes Schwanken zwischen einer Wiederaufnahme der Repressionspolitik (»Umsturzvorlage«, »Zuchthausvorlage«, Erneuerung des Bündnisses von Schwerindustrie und Großagrariern in einer »Sammlungsbewegung« aller bürgerlichen Kräfte mit Frontstellung gegen die Sozialdemokratie) und Fortführung des 1890 eingeleiteten gemäßigten Kurses, bis im Zuge der imperialistischen Wendung nach außen die Kampfposition gegen die Sozialdemokratie im großen und ganzen allmählich abgebaut wurde. Seitdem verstärkte sich das faktisch schon längst begonnene Hineinwachsen der sozialdemokratischen

Arbeiterschaft in die Gesellschaft des kaiserlichen Deutschland über die Tätigkeit ihrer Repräsentanten in den Gewerkschaften, ihre Mitarbeit im kommunalen Bereich, in den Landtagen und – von Fall zu Fall – auch durch Zustimmung zu Gesetzesvorlagen im Reichstag, obwohl das Verfassungsproblem ungelöst und die auch von den Linksliberalen vorgetragene Forderung nach Reform des preußischen (Dreiklassen-)Wahlrechts und einer Parlamentarisierung der Reichsleitung unerfüllt blieb.
Die Auseinandersetzung zwischen den Reformisten, den Revisionisten und der SPD-Parteiführung, in der orthodoxe Marxisten noch die offizielle Linie vertraten, spiegelte nur unvollkommen das Ausmaß, bis zu dem die SPD in den Jahren vor 1914 bereits ungeachtet ihrer Bekundungen zur internationalen Solidarität der Arbeiterklasse zu einer nationalen Reformpartei geworden war. Seit sie auf Grund der Reichstagswahlen von 1912 die stärkste Fraktion im Reichstag stellte, fand sie auch in der taktierenden »Politik der Diagonale« der Reichsleitung unter Reichskanzler v. Bethmann Hollweg stärkere Berücksichtigung. Trotz dieser im Vergleich zur Bismarck-Zeit wesentlichen Veränderung – nicht zuletzt eine Folge des Übergangs Deutschlands in die Phase der Hochindustrialisierung in der Zeit des lang anhaltenden Konjunkturaufschwungs seit 1895 – kam es nicht zu der von den liberalen Imperialisten gewünschten Verbindung von »Demokratie und Kaisertum« (Friedrich Naumann), in der die geeinte Nation ihren Anspruch auf Weltgeltung umso nachdrücklicher hätte vertreten können.
Unter außenpolitischem Aspekt bedeutete der Sturz Bismarcks zunächst die Überlassung des Feldes an jene Gruppe von Beamten des Auswärtigen Amtes (um den Vortragenden Rat von Holstein) und Diplomaten, die bereits seit 1887 eine von Bismarcks Konzeption der unbedingten Wahrung des Friedens abweichende Leitlinie für die deutsche Außenpolitik entwickelt und sie im Zusammenspiel mit dem Generalstab sowie gestützt auf eine breite Stimmung gegen das zaristische Rußland in der Öffentlichkeit gegen Bismarck durchzusetzen versucht hatte. Ihre Zielsetzung ging davon aus, die volle machtpolitische Souveränität in der »halbhegemonialen« Stellung des Reiches in Europa unter allen Umständen zu halten und diese Position nach Möglichkeit weiter auszubauen. Sie setzte – langfristig – die Unausweichlichkeit eines Krieges zwischen den »Mittelmächten« und ihren kontinentalen Hauptgegnern Rußland und Frankreich voraus, wobei dieser Gegensatz in der Publizistik zu

einem Kampf zwischen »Germanentum« gegen »Slawentum« und »Romanen« ins »Völkische« ideologisch übersteigert wurde. Sie suchte – anders als Bismarck in seiner nicht für den Bündnisfall gedachten, dafür auch ungeeigneten komplizierten Vertragspolitik – für den Kriegsfall den »Dreibund« (mit Österreich-Ungarn und Italien) durch eine Abschirmung über ein festes Bündnis mit England so stark zu machen, daß die militärische Entscheidung zu eigenen Gunsten ein Höchstmaß an Wahrscheinlichkeit erhielt. Aus den Spannungen, die sich zwischen England und Frankreich infolge ihres imperialistischen Ausgreifens vor allem in Afrika, zwischen England und Rußland in dem weiten Bereich zwischen den türkischen Meerengen, dem Vorfeld Indiens und Ostasien entwickelten, sowie aus dem Übergang der Vereinigten Staaten aus der Isolation zu einer imperialistischen Machtpolitik, die sich zumindest indirekt auch gegen die englischen Positionen auf dem amerikanischen Doppelkontinent und im Pazifik richtete und die englische Alleinherrschaft zur See in Frage stellte, wurde von den Vertretern des »Neuen Kurses« in gewaltiger Selbstüberschätzung der »weltpolitischen« Position Deutschlands der Schluß gezogen, daß es im Interesse Englands liege, das ja von Rußland und Amerika in seinen Lebensinteressen bedroht sei, das angestrebte Bündnis mit Deutschland und dem »Dreibund« abzuschließen. Dabei wurde das Problem nicht konsequent durchdacht, ob ein Triumph des als Wirtschaftsmacht in vollem Aufstieg begriffenen Reiches über seine kontinentalen Gegner im Kriegsfall nicht eine in englischer Sicht weitaus gefährlichere Perspektive darstellte als die Spannungen zu den anderen Mächten und die gewiß beträchtlichen Gegensätze zu Rußland. Die Abhängigkeit der Handlungsfreiheit Englands in Übersee von der Aufrechterhaltung des Gleichgewichts auf dem europäischen Kontinent, folglich der Vorrang der europäischen Problematik vor den noch so wichtigen imperialistischen Zielen in Übersee, wurde nicht richtig erfaßt. Diese Fehleinschätzung, die auf bestimmten sozialdarwinistischen »Axiomen« beruhte, hielt sich in der deutschen Außenpolitik bis zu Hitler. Die allgemeine imperialistische Bewegung nach Übersee mit ihrer Überbewertung der »Weltpolitik« hat sicher erheblich zu dieser »Kontinuität des Irrtums« (Fritz Fischer) beigetragen.

Da für England selbst in der recht schwierigen Situation von 1898 (Konflikt mit Rußland in China, heraufziehender Burenkrieg) keine Veranlassung bestand, das Bündnis mit Deutsch-

land nach dessen Bedingungen abzuschließen – was in deutscher Sicht volle »Gleichberechtigung« als »Weltmacht« bedeutete, stellte in englischer eine Unterordnung unter den kontinentalen Partner dar – und sich in Europa einseitig zugunsten des »Dreibundes« gegen Frankreich und Rußland festzulegen, blieb das England-Problem für die Verfechter des »Neuen Kurses« ungelöst.
Demgegenüber suchte die Konzeption des Admirals von Tirpitz, die seit 1897 von Wilhelm II. und dem Staatssekretär des Auswärtigen, seit 1900 Reichskanzler von Bülow der Grundlinie des »Neuen Kurses« gleichsam übergestülpt wurde, dieses Kernproblem der deutschen Außenpolitik auf einer neuen, mit der Bismarck-Tradition völlig brechenden Basis zu bewältigen: mit einem militärtechnischen Ansatz und in offensiv-»weltpolitischer« Stoßrichtung. Mit diesem Programm wurde aus der Fragwürdigkeit, ja – auf die Dauer gesehen – Unmöglichkeit, auf der »halbhegemonialen« Stufe einer Kontinentalmacht stehenzubleiben, die Konsequenz gezogen, den Durchbruch zur Seemacht und zur »Weltstellung« zu vollziehen und auf diese Weise indirekt, auch ohne Waffengang gegen die Kontinentalnachbarn die volle Hegemonie in Europa zu erreichen. Die geplante deutsche Großflotte sollte nach einer auf Grund des Bauprogramms errechneten Zeitspanne im Kriegsfall einen Sieg Deutschlands über die britische Seemacht ermöglichen, wenn England weiterhin nicht unter den deutschen, die Gleichrangigkeit demonstrierenden Bedingungen zum Bündnisabschluß bereit war. Dieser Konzeption zufolge galt es, durch eine zunächst im wesentlichen fiktive »weltpolitische« Aktivität die Zeit zu überbrücken, bis der Flottenbau vollendet war und sich im beabsichtigten Sinne politisch auswirkte. Die öffentlichen Bekundungen des Kaisers, Tirpitz' und Bülows um die Jahrhundertwende nahmen mit der propagierten Formel einer deutschen »Weltpolitik« bereits die Situation vorweg, die mit Hilfe des – wie man meinte – absolut sicheren militärtechnischen Voranschreitens im Flottenbau in wenigen Jahren geschaffen werden sollte.
Jedoch ein militärtechnischer Gegenzug Englands, sein Übergang zum »Dreadnought«-Schlachtschiff-Typ 1906, ließ die Tirpitzsche Planung und die darauf gründende »weltpolitisch«-offensive Konzeption bereits in sich zusammenfallen, ehe die Voraussetzungen für eine darauf beruhende aktive Politik gewonnen waren. Wenn jetzt auch die Reichsleitung, konsequent

unter dem Reichskanzler von Bethmann Hollweg (seit 1909), auf die kontinentale Grundlinie von 1890 zurückzuschwenken suchte, so war dies doch nur mit Einschränkungen möglich; denn innerhalb der deutschen Führung suchte Tirpitz unter Rückendeckung durch den Kaiser, obwohl nun nicht mehr wie bisher bestimmender Faktor, sein Flottenprogramm auf die neue Lage umzustellen und sich einer – angesichts der Rückkehr zur alten Linie sinnvollen – Beschränkung entgegenzustemmen mit dem Ergebnis, daß die neue (= alte) Linie nur sehr unvollkommen verfolgt werden konnte und in England ein widersprüchlicher Eindruck von der deutschen Außenpolitik vorherrschte. Fast noch wichtiger war, daß sich die in den vorausgehenden Jahren geweckten hochgespannten Erwartungen aus einer deutschen »Weltpolitik« in der Öffentlichkeit aus innen- wie außenpolitischen Gründen gar nicht mehr reduzieren ließen. Die Eigengesetzlichkeit, die sich von hier aus in der ganzen Breite der öffentlichen Meinung entwickelte, ließ den Abstand zur Realität, der auch schon in der kontinental orientierten Konzeption der Reichsleitung bestand, ungewöhnliche Ausmaße annehmen. Liberale Imperialisten einerseits, militaristisch-chauvinistische Kräfte (vor allem einflußreiche Agitationsgruppen wie der Alldeutsche Verband und der Flottenverein) andererseits suchten mit Vehemenz, wenn auch mit vielfach unterschiedlicher Zielsetzung die Reichsleitung zu einer machtvolleren Vertretung der deutschen Ansprüche und zu einem Auftrumpfen in der internationalen Politik zu bestimmen, obwohl diese bereits in den schnell aufeinander folgenden Krisen (1. Marokko-Krise 1905/06, Bosnien-Krise 1908/09, 2. Marokko-Krise 1911, 1. und 2. Balkankrieg 1912/13) »eine Politik äußersten Risikos, und zwar eines sich mit jeder Wiederholung steigernden Risikos« (Bethmann Hollweg) verfolgte. Das 1912/13 in einer Riesenauflage verbreitete Buch des Militärschriftstellers von Bernhardi »Deutschland und der nächste Krieg« stellte dabei die Prognose »Weltmacht oder Niedergang«.

Tatsächlich hatten sich die Machtverhältnisse in Europa, besonders wenn man die Wirtschaftspotenz des Reiches und die Herausbildung wirtschaftlicher Einflußsphären mit berücksichtigt, seit der Jahrhundertwende erheblich zugunsten Deutschlands verschoben, wenn diese Ausweitung der deutschen Machtstellung auch im Weltmaßstab nicht mit der Expansion der Imperien Englands und Rußlands Schritt hielt. Jedenfalls

war Bismarcks »ultima ratio«, um einen Zweifrontenkrieg zu verhindern, die »russische Neutralität im letzten Augenblick zu erkaufen, indem er Österreich fallenließ und den Russen damit den Orient überlieferte« (so in rückschauender Betrachtung gegenüber einem Vertrauten 1895) – von dem ohnehin anderen Ansatz der Grundlinie des »Neuen Kurses« abgesehen – jetzt allein schon deshalb nicht mehr realisierbar, weil die deutsche Wirtschaftsexpansion seit der Jahrhundertwende in besonders starkem Maße in den Orient hinein tendiert hatte und die somit bereits erheblich in ihrem Einflußbereich nach Südosten erweiterte deutsche Bastion »Mitteleuropa« nicht mehr kampflos aufgegeben werden konnte, zumal hier die Nahtstelle zwischen Hegemoniemöglichkeiten und »Weltpolitik« lag. Trotz aller Rivalität mit Österreich-Ungarn auf dem Balkan war die Doppelmonarchie als »Brücke« zu dem entfernten deutschen Einflußgebiet in der Türkei zu einem »Pfeiler« der deutschen Mitteleuropa-Stellung geworden, der auf keinen Fall einstürzen durfte.
Verglichen mit der seit der Bosnien-Krise (1908/09), als das Zarenreich sich unter ultimativem deutschen Druck mit der Annexion Bosniens und der Herzegowina durch Österreich-Ungarn und damit einer Machtverschiebung zugunsten der »Mittelmächte« hatte abfinden müssen, an Stärke fortwährend zunehmenden Konfrontation mit der wichtigsten kontinentalen Gegenmacht, Rußland, flachte sich die Spannung zu England trotz des Scheiterns der einem deutsch-britischen Ausgleich dienenden Mission des britischen Kriegsministers Haldane 1912 in den letzten Jahren vor 1914 ab, zumal das Projekt eines in sich geschlossenen deutschen »Mittelafrika«, als Vision bereits seit den Anfängen der deutschen Kolonialpolitik in den achtziger Jahren lebendig, ein Nebenziel blieb. Obwohl es während der Balkan-Kriege (1912/13) zu einer Kooperation der deutschen und der britischen Diplomatie zur Verhinderung eines allgemeinen Krieges gekommen war, wiederholte sich diese in der Juli-Krise 1914 nicht. Die Reichsleitung unter Bethmann Hollweg glaubte sich, auf Grund ihrer Informationen über geheime englisch-russische Verhandlungen über den bevorstehenden Abschluß einer Marinekonvention am weiteren Erfolg ihrer Bemühungen um England zweifelnd, nunmehr in der Zwangslage, mit Hilfe eines regionalen Krieges Österreich-Ungarns gegen Serbien eine Rückverschiebung des seit der Bosnien-Krise immer mehr zugunsten Rußlands veränderten

Kräfteverhältnisses auf dem Balkan erreichen und dabei das Risiko eines großen Krieges eingehen zu müssen. Auf dem Höhepunkt der Krise erwies sich der angesichts der wirtschaftsimperialistischen Grundtendenz des Zeitalters schon antiquierte kontinentale Präventivkriegsgedanke des Generalstabes als maßgebend für die Entscheidung der Reichsleitung. Sie griff in einer völlig veränderten Weltlage auf diese von Bismarck 1875 und 1887 verworfene existenzgefährdende Möglichkeit zur vermeintlichen besseren Sicherung der — wie die Reichsleitung die Situation Mitte 1914 beurteilte — schwer bedrohten deutschen Großmachtstellung in Europa zurück.
Der Weltkrieg 1914—18 bildete eine tiefe Zäsur in der Geschichte des deutschen Nationalstaates. Im Moment des Aufbruchs in den Krieg im August 1914 schien die Nation endlich ihre Einheit gefunden zu haben. Der »Burgfrieden« der Parteien war Ausdruck der Vorstellung, in einem gerechten Verteidigungskrieg zusammenstehen zu müssen. Doch die durch dilatorisches Taktieren Bethmann Hollwegs um einige Monate verzögerte öffentliche Diskussion über die Kriegsziele und die der SPD für die Zeit nach Kriegsende versprochene innenpolitische »Neuorientierung« verdeckte die Gegensätze bald nur noch notdürftig. 1917 endete der »Burgfrieden« in einer bis zum Untergang der Weimarer Republik nicht mehr überwundenen erneuten Polarisierung der politischen Kräfte. Sie ließ die sozialen Spannungen wieder schroff hervortreten, die bei Kriegsbeginn vorübergehend überspielt worden waren. Unzulängliche und verspätete Zugeständnisse der Reichsleitung (wie die »Osterbotschaft« des Kaisers im April 1917 mit dem Zugeständnis geheimer und direkter, aber nicht gleicher Wahlen in Preußen nach dem Kriege) verfehlten die beabsichtigte Wirkung. Die in einer Schlüsselposition befindliche SPD, die als einzige Partei am Konzept des reinen Verteidigungskrieges festgehalten, die Reichsleitung jedoch trotz ausweichender Erklärungen Bethmann Hollwegs in dieser Frage weithin unterstützt hatte, geriet in ein wachsendes Dilemma, als die seit März 1916 von der SPD-Fraktion bereits getrennte »Sozialdemokratische Arbeitsgemeinschaft«, die die Kriegskredite ablehnte und sich in grundsätzlicher Opposition zum bestehenden System betrachtete, Mitte April 1917 in Gotha die »Unabhängige Sozialdemokratische Partei« (USPD) gründete. Die nunmehr vollendete Spaltung der deutschen Arbeiterbewegung war keine Schlußfolgerung aus den Richtungskämpfen zwischen

orthodoxen Marxisten und Revisionisten in der Vorkriegszeit, sondern allein eine Konsequenz aus der unterschiedlichen Haltung beider Führungsgruppen zum Kriege. Der USPD schloß sich formal auch die im Januar 1916 gegründete »Gruppe Internationale« um Karl Liebknecht und Rosa Luxemburg an (»Spartakusbund«), die – im Gegensatz zur USPD – den Krieg mit allen, auch mit gewaltsamen Mitteln beenden und in eine sozialistische Revolution überleiten wollte, allerdings infolge Verhaftung ihrer Führer und Unterdrückung ihrer Publizistik durch die Zensur kaum Einfluß erlangte.
Bedeutsamer noch als diese Aufspaltung der Arbeiterbewegung war im Juli 1917 das Zusammenrücken der drei Mittelparteien SPD, Linksliberale und Zentrum (unter der Führung des Abgeordneten Erzberger), die zusammen im Reichstag die Mehrheit besaßen. Sie fanden sich in dem bis zum Kriegsende fortbestehenden Arbeitskreis des »Interfraktionellen Ausschusses«, der die inneren Reformen, vor allem die Parlamentarisierung, vorantreiben wollte. Die drei Mehrheitsfraktionen nannten in ihrer »Friedensresolution« (abgegeben am 19. Juli 1917) als Ziel einen »Frieden der Verständigung und Versöhnung«, mit dem »erzwungene Gebietserwerbungen und politische, wirtschaftliche und finanzielle Vergewaltigungen unvereinbar« seien. Gewann auf diese Weise der Reichstag eine erheblich stärkere Bedeutung im Vergleich zur Vorkriegszeit, so hielt sich diese Veränderung vorerst noch in Grenzen, da das seit der Berufung der die »Sieges«-Erwartungen verkörpernden »Ost-Generale«, des Generalfeldmarschalls von Hindenburg und des Generals Ludendorff, an die Spitze der Obersten Heeresleitung (August 1916) bestehende Übergewicht der militärischen Führung in der deutschen Gesamtpolitik durch den Sturz Bethmann Hollwegs (13. Juli 1917) noch vergrößert worden war. Die innenpolitischen Gegner des von den Mittelparteien angestrebten Verständigungsfriedens (Konservative, Alldeutscher Verband, chauvinistische Agitationsverbände) formierten sich zudem im September 1917 in der »Deutschen Vaterlandspartei«, einem Sammelbecken all der Kräfte, die einen »Verzichtfrieden« oder (nach dem führenden SPD-Abgeordneten so genannten) »Scheidemann«-Frieden ablehnten und sich zum »Siegfrieden« und den Expansionszielen der Obersten Heeresleitung bekannten. Die Führer dieser sich als Kriegszielbewegung verstehenden Vereinigung waren der (inzwischen als Staatssekretär der Marine entlassene) Groß-

admiral von Tirpitz und der ostpreußische Generallandschaftsdirektor Kapp. Die »Vaterlandspartei« wollte nicht einfach eine neue Rechtspartei neben den schon bestehenden sein, sondern wies mit ihrem ebenso antikonstitutionellen wie antidemokratischen Affekt, mit ihrer völkisch-ideologischen Programmatik und in ihrer demagogischen, den Mittelstand politisch mobilisierenden Breitenwirkung bereits über die Wilhelminische Ära hinaus. Sie konnte bis Juli 1918 $1^1/_4$ Millionen Mitglieder gewinnen und überflügelte die bis dahin mitgliederstärkste Partei, die SPD.
Für die außenpolitischen Leitlinien des Reiches wurde wesentlich, in welchem Ausmaß sich durch den Krieg ein tiefgreifender Wandel in den Großmachtvorstellungen in der deutschen Führung vollzog. Während Bethmann Hollweg und später auch noch der Staatssekretär des Auswärtigen von Kühlmann trotz aller Ausweitung des Blickfeldes in traditioneller Weise an die Sicherung, nach Möglichkeit auf dem Wege über ein von einer deutschen Hegemonialmacht geführtes »Mitteleuropa« an eine Verbesserung der – wie sie es sahen – 1914 durch das schneller wachsende Potential der kontinentalen Gegengruppe Rußland und Frankreich bedrohten deutsch-österreich-ungarischen Großmachtstellung im Sinne voller außenpolitischer Handlungsfreiheit und Wahrung der relativen militärischen Überlegenheit im Rahmen des europäischen Mächtesystems dachten, erstrebten die von der 3. Obersten Heeresleitung und der »Vaterlandspartei« repräsentierten Kräfte der nun zum Zuge gelangenden militaristisch-chauvinistischen Vorkriegsopposition von »rechts« etwas anderes: eine möglichst direkte Herrschaft über ein abgeschlossenes, in kontinentaler Größenordnung verstanden: weites Territorium, da ein von potentiellen Gegnern umschlossenes, in seinen grenznahen Industrierevieren leicht verwundbares Reich militärstrategisch auch ohne neuen Krieg in indirekter Weise auf Dauer niedergehalten werden konnte. Ziel dieses Krieges sollte daher die Erkämpfung eines »wehrwirtschaftlich« möglichst autarken und gegenüber den See- und Weltmächten blockadefesten und verteidigungsfähigen »Großraums« im Blick auf den erwarteten nächsten Krieg gegen England oder Amerika sein. Nicht mehr nur – wie im »September-Programm« der Reichsleitung von 1914 – sollte Frankreich geschwächt und in ein deutsch geführtes Wirtschaftssystem »Mitteleuropa« eingefügt werden, sondern jetzt sollte vor allem der wirtschaftlich wichtigste Teil

Rußlands den notwendigen festen Rückhalt des Reiches für die kommende Auseinandersetzung mit den See- und Weltmächten bieten. Eine solche Zielsetzung, die die deutsche Nation zum Instrument eines geostrategisch und »wehrwirtschaftlich« motivierten imperialistischen Programms machte, das eine direkte oder indirekte Unterwerfung anderer europäischer Nationen einschloß, während sich der »klassische« Imperialismus auf die Herrschaft über Kolonialvölker beschränkt hatte, stellte einen entschiedenen Bruch in der außenpolitischen Tradition des Reiches, auch mit der Grundlinie des »Neuen Kurses« der Wilhelminischen Ära, dar. In dem Konflikt zwischen Ludendorff und dem Nachfolger des Staatssekretärs des Auswärtigen von Kühlmann, von Hintze, im Sommer 1918, ging es nicht mehr um das »Ob«, sondern nur noch um das »Wie« einer »großräumigen« Ost-Lösung (mit oder gegen die Herrschaft der Bolschewiki in dem durch den Frieden von Brest-Litowsk vom 3. März 1918 auf das Territorium vor Peter dem Großen beschränkten »Rest-Rußland«). Ihr gegenüber sank die traditionelle »kleine« Ostlösung, eine dem wechselnden Kräfteverhältnis entsprechende Verschiebung der Grenze zwischen Rußland und Preußen—Deutschland, gleichsam auf dem »Rücken« Polens, wie sie in den Plänen zur Schaffung eines von Polen und Juden entvölkerten »Grenzstreifens« in den Anfangsjahren des Krieges noch einmal eine Rolle gespielt hatte, fast zur Bedeutungslosigkeit herab. In diesen Rahmen fügte sich der bereits in einer von Bethmann Hollweg verbotenen Kriegszieldenkschrift des Alldeutschen Verbandes 1914 propagierte Gedanke einer »völkischen Flurbereinigung« ein, der eine Zusammenfassung des weitverstreuten Deutschtums in Rußland (aber auch von Deutschen aus Übersee) in den an das Reich anzugliedernden bisherigen westlichen Randgebieten Rußlands vorsah. Darin spielte u. a. die Absicht, die Krim zu einer deutschen Siedlungskolonie und Sewastopol zu einem deutschen Kriegshafen im Schwarzen Meer zu machen, eine besondere Rolle.

Auf die bis in den August 1918 hinein gesteigerten, weit überspannten Erwartungen folgte mit der Erklärung Ludendorffs vom 28. September 1918, daß der Krieg verloren sei, eine abrupte Wendung. Nun forderte der Exponent eines deutschen »Siegfriedens« die unverzügliche Anbahnung eines Waffenstillstandes zur Verhinderung einer militärischen Katastrophe und — zur Verbesserung der Friedenschancen auf der Basis von

Wilsons »Vierzehn Punkten« und des Selbstbestimmungsrechts der Völker – eine Parlamentarisierung der Reichsleitung, der er sich bisher strikt widersetzt hatte. Ohne die von den Mehrheitsparteien (SPD, Linksliberale, Zentrum) im »Interfraktionellen Ausschuß« seit Mitte 1917 getroffenen Vorbereitungen hierfür hätte sich trotz des Drängens Ludendorffs auf schnellstes Handeln die Bildung der Regierung des Prinzen Max von Baden wohl kaum so rasch vollzogen. Tatsächlich stellte diese letzte kaiserliche Regierung ein Kabinett der Mittelparteien dar, die jetzt im Augenblick des verlorenen Krieges die Verantwortung für die Zukunft Deutschlands ohne Zögern übernahmen.
Dem Übergang der Regierung auf die Mittelparteien entsprach im sozialen Bereich die bereits in den Kriegsjahren vorbereitete, nunmehr am 15. November 1918 formell abgeschlossene Gründung einer »Zentralen Arbeitsgemeinschaft« zwischen Arbeitgebern und Gewerkschaften, die als Sozialpartner anerkannt worden waren. Beides zeigte, in welchem Ausmaß die faktische Integration der Arbeiterschaft und ihrer Repräsentanten in die Gesellschaft schon vollzogen war, so daß – anders als in Rußland – die Voraussetzungen für das Gelingen einer sozialen Revolution fehlten. Daher setzte sich trotz aller politischen Erschütterungen infolge der Überanstrengung durch die lange Kriegsdauer und trotz des Willens radikaler Gruppen nach tiefgreifenden Veränderungen des Gesellschaftsgefüges in den Wochen des Umbruchs im November/Dezember 1918 die Kontinuität in den sozialen Verhältnissen weitgehend durch. Die von Scheidemann am 9. November 1918 ausgerufene »Deutsche Republik« hatte, sofern es zu einem korrekten Plebiszit kam, von Anfang an die weitaus größeren Chancen als die von Karl Liebknecht am gleichen Tage proklamierte »Freie sozialistische Republik«. Dies bestätigte sich in den Wahlen zur Nationalversammlung am 19. Januar 1919, die den drei Mittelparteien (SPD, Zentrum und Deutsche Demokraten) die Zweidrittelmehrheit gaben. Damit war der Weg zur parlamentarischen Demokratie unter Aufnahme von Zielvorstellungen aus der Revolution von 1848, aber zugleich auch in Anknüpfung an das in der Oktoberverfassung 1918 zuletzt noch zur parlamentarischen Monarchie umgestaltete Kaiserreich frei. Das Fazit lautete: Während die sozialen Grundlagen in Deutschland im wesentlichen unverändert blieben, hatte sich die politische Führung von »rechts« auf die Parteien verlagert, die von Bismarck noch als »Reichsfeinde« bekämpft worden waren. Der nationale Gedanke – dies

zeigte sich jetzt – war trotz aller Kritik an der Verfassung und der sozialen Ordnung des Reiches inzwischen so sehr Allgemeingut aller Schichten geworden, daß die Einheit von Nation und Staat außerhalb der Diskussion blieb.
Die Hypothek der unzureichenden Umgestaltung der sozialen Verhältnisse, die sich in den folgenden Jahren in der Herausbildung einer Massenpartei »links« von der SPD, der aus dem »Spartakusbund« hervorgegangenen, Ende Dezember 1918 gegründeten »Kommunistischen Partei Deutschlands« (KPD), niederschlug, die in den Jahren der Inflation schnell anwuchs und die meisten Wähler der 1922 aufgelösten USPD an sich zog, verband sich mit weiteren schweren Vorbelastungen für die »Weimarer Republik«. Was sich im Kriege, vor allem in der Zeit des Übergewichts der Obersten Heeresleitung und der Propaganda der »Vaterlandspartei«, unter dem Eindruck der zweifellos von niemandem erwarteten gewaltigen Kraftentfaltung der deutschen Nation (»gegen eine Welt von Feinden«) an Siegesillusionen gestaut hatte, konnte im Herbst 1918 nicht plötzlich zerstört werden. In den verbreiteten Vorstellungen vom »Dolchstoß« gegen das siegreiche Heer, von der Rolle der »Novemberverbrecher«, vom Versagen und vom »Verrat« der Linksparteien (die auch auf die SPD und den Reichspräsidenten Ebert übertragen wurden) lebten die Frontstellung zwischen »national« und »sozialistisch« aus der Bismarck-Zeit und den Friedensjahren der Wilhelminischen Zeit sowie der Gegensatz zwischen den Verfechtern des »Siegfriedens« und den Anhängern des »Verständigungsfriedens« aus dem letzten Kriegsjahr fort und vergifteten die politische Atmosphäre. Der schon in der Wilhelminischen Ära weithin anzutreffenden Fehleinschätzung der eigenen Stärke im Vergleich zu der der anderen Mächte, die im Kriege durch den jahrelangen erfolgreichen Kampf des deutschen Heeres gegen eine Übermacht eine scheinbare Bestätigung erfahren hatte, und der Verbreitung der die Niederlage umdeutenden Klischees standen die Regierungen der Republik hilflos gegenüber.
Der Versailler Vertrag (28. Juni 1919) hatte zwar die im Weltkrieg gewonnenen Ansätze zu einer deutschen »Weltmacht«-Ausgangsstellung zerstört und territoriale Verluste in Ost und West gebracht, aber trotz aller finanziellen Belastungen und Einschränkungen der Militärmacht die Einheit des Reiches unangetastet gelassen. Entscheidend war, daß die 1866–1871 errungene »halbhegemoniale« Stellung des Reiches auf dem

Kontinent wohl zunächst verloren, jedoch potentiell die Chance zu ihrer Wiedergewinnung erhalten geblieben war. Der Friedensvertrag, der wegen seiner Härte auf die fast einhellige Ablehnung durch alle Parteien in Deutschland stieß, übte gerade deshalb eine integrierende Funktion in der generell revisionistischen Zielsetzung aller politischen Kräfte aus (zur Wiedergewinnung der Reichsgrenzen von 1914, aber auch – insbesondere bei den z. T. noch von großdeutsch-demokratischen Traditionen geleiteten, nunmehr die Republik tragenden Mittelparteien – zur Schaffung eines Deutsch-Österreich und die deutsch-böhmischen Gebiete einschließenden »Großdeutschland«), so daß die sonst wohl nach den vorausgegangen heftigen Auseinandersetzungen über die Kriegsziele zu erwartende Auffächerung in ihren außenpolitischen Programmen nicht eintrat und ihr Streit um Vertragsunterzeichnung und Vertragserfüllung im großen ohne Einfluß auf ihre außenpolitischen Zielvorstellungen blieb. Die von der ganzen Breite der öffentlichen Meinung vertretene Forderung nach allgemeiner Revision des Versailler Vertrages stellte dabei nur den weiteren Rahmen für die zwei in der politischen Praxis wichtigsten Forderungen dar: Beseitigung der Reparationen und Aufhebung der Rüstungsbeschränkungen, Forderungen, deren Erfüllung früher oder später dem Deutschen Reich das verlorene machtpolitische Gewicht in Europa zurückgeben mußten, da das deutsche Potential wohl Einbußen, aber keine Aufteilung unter die Siegermächte erfahren hatte. Hinzu kam, daß die Chancen für eine beweglich geführte deutsche Außenpolitik zwar nicht für den Moment, wohl aber langfristig gesehen im Vergleich zur Situation vor 1914 nicht schlechter, sondern weitaus besser waren; denn das Deutsche Reich war nun nicht mehr wie früher von den mehr oder weniger eng miteinander verbundenen Mächten der Dreiergruppe Rußland–Frankreich–England fest umklammert, deren Spannungen untereinander sich nur in unzureichendem Maße hatten nutzen lassen. Vielmehr konnte die deutsche Seite jetzt bei allen außenpolitischen Erwägungen und Entscheidungen von dem tiefgreifenden prinzipiellen Gegensatz zwischen der britischen und der sowjetrussischen Europapolitik ausgehen und dabei auch das Faktum mit einbeziehen, daß die von den Westmächten geförderten neuen mittleren und kleineren Staaten Ostmitteleuropas (von Finnland über die Baltischen Staaten und Polen bis Rumänien) nicht in erster Linie auf eine antideutsche, sondern als »Cordon sa-

nitaire« weit mehr auf eine antisowjetische Linie festgelegt waren und im Falle eines deutschen Wiedererstarkens eher nach Berlin als nach Moskau hin tendieren würden, so sehr sie in der Zeit der deutschen Schwäche auch Rückhalt bei den Westmächten suchen mochten. Überhaupt stellten der Zusammenbruch des Zarenreiches, die Zurückdrängung Rußlands nach Osten und seine lang anhaltende Schwäche sowie die sozialrevolutionäre Zielsetzung des neuen Sowjetstaates wichtige Voraussetzungen für die Chance des Deutschen Reiches zu einem Wiederaufstieg dar. Mit der Unterzeichnung des Rapallo-Vertrages 1922, der die Wiederaufnahme der diplomatischen Beziehungen und die Frage der Vorkriegsschulden und der Reparationen in einer für Deutschland und Sowjetrußland gleich günstigen Weise regelte, und mit der bereits vorher angebahnten Zusammenarbeit zwischen Reichswehr und Roter Armee wurden erste Konsequenzen aus dieser Situation gezogen. Für den »Weg ins Freie« – »Freiheit« in der nachwirkenden Tradition der konstitutionellen Monarchie vornehmlich nach wie vor von den Rechtsparteien bis weit in die Mittelgruppe des Parteienfeldes hinein als Handlungsfreiheit der großen Mächte verstanden – gab es somit beträchtliche Möglichkeiten. Sie traten allerdings erst voll zutage, als während der Ruhrbesetzung 1923 auch ein Bruch zwischen der britischen und der französischen Deutschlandpolitik offenbar wurde und sich nach dem Abschluß des Rapallo-Vertrages mit Sowjetrußland nun auch im Westen ein konkreter Ansatzpunkt für eine aktive deutsche Außenpolitik fand.
Mit Stresemann (in der Krise des Jahres 1923 für hundert Tage Reichskanzler, danach sechs Jahre lang Reichsaußenminister) wurde jetzt der Exponent einer wirtschaftlich akzentuierten deutschen Großmachtpolitik bestimmend. Er fand nach Abbruch des als nationale Demonstration eindrucksvollen, jedoch in der politischen Praxis als »Bumerang« wirkenden »Ruhrkampfes« über eine vorläufige Lösung des Reparationsproblems und eine Wiederankurbelung der deutschen Wirtschaft (unter Anlehnung an die Wirtschaftsmacht USA) den Absprung in die »große Politik«. Mit dem Abschluß des Locarno-Vertrages mit den Westmächten (1925) sowie des Berliner Vertrages mit der Sowjetunion (April 1926) und dem Eintritt Deutschlands in den Völkerbund (September 1926) gelang es, wichtige Voraussetzungen für die Wiedererlangung einer deutschen Großmachtstellung in Mitteleuropa im Rahmen des veränderten

europäischen Mächtesystems zu erlangen. Seine »Verständigungspolitik« stellte im ganzen – vergleichbar mit der Doppelgesichtigkeit der Weimarer Republik als parlamentarische Demokratie mit wichtigen Relikten aus der Zeit der konstitutionellen Monarchie – eine Verknüpfung von traditionellen Geheimverhandlungen unter Ausnutzung der Gegensätze zwischen den anderen Mächten, einem öffentlichen Agieren auf der neuen Bühne des Völkerbundes (zur Vertretung der deutschen Interessen nach außen, aber auch im Blick auf die Auseinandersetzung mit seinen Kritikern von »rechts« in Deutschland) und einem Ausspielen wirtschaftspolitischer Möglichkeiten mit dem von der Reichswehrführung (von Seeckt) geforderten Bemühen um eine Stärkung des deutschen militärischen Potentials dar. Während es Stresemann vor allem darauf ankam, die diplomatisch-politische Bewegungsfreiheit schrittweise zu erweitern, boten in der Sicht der Reichswehrführung die sich anbahnenden Abrüstungsverhandlungen die Chance, über die Stufe der militärischen Gleichberechtigung die Rüstungsfreiheit zurückzugewinnen.
Die Deutschland besonders hart treffende Weltwirtschaftskrise seit dem Herbst 1929 verschärfte erneut die sozialen und politischen Spannungen in der Republik, die auch in der Stabilisierungsphase 1924–1929 angedauert hatten, ins Extrem. Diese innenpolitisch äußerst belastend wirkende Krise schien jedoch unter außenpolitischen Gesichtspunkten günstige Voraussetzungen für eine Lösung aus den »Fesseln von Versailles« zu bieten. Die vom »Primat der Außenpolitik« bestimmte Gesamtpolitik des Reichskanzlers Brüning erstrebte vordringlich das Ende der Reparationen und die militärische Gleichberechtigung Deutschlands und nahm dabei eine Zuspitzung der Krisensituation im Innern bewußt in Kauf in der Erwartung, nach dem außenpolitischen Erfolg auch das Problem der Massenarbeitslosigkeit und des politischen Radikalismus lösen zu können. Diese der preußisch-deutschen Tradition folgende Festlegung der Prioritäten bot damit ungewollt der extremistischen »Rechtsopposition«, die in der »Nationalsozialistischen Deutschen Arbeiter-Partei« Hitlers ihr Sammelbecken gefunden hatte, die Chance, zu einer Massenbewegung zu werden und auf dem Höhepunkt der Krise zu einer Verbindung mit den gesellschaftlichen Führungsgruppen zu gelangen, die bei dem Anwachsen der KPD und nach dem Rückschlag der NSDAP in den Novemberwahlen 1932 eine soziale Revolution

befürchteten. Der schließliche Triumph der Hitler-Partei in der »Machtergreifung« des 30. Januar 1933 schien in illusionärer, aber auf Grund der vorangehenden Jahrzehnte erklärbarer Betrachtungsweise weiter Teile des deutschen Bürgertums die seit dem Kaiserreich bestehende Zerrissenheit der deutschen Nation zu beenden und eine Überwindung der Gegensätze von »national« und »sozialistisch« in einer »Volksgemeinschaft« anzukündigen. Der Triumph des Nationalsozialismus bedeutete in Wahrheit jedoch die vollständige Pervertierung des deutschen Nationalgedankens und seine Instrumentalisierung zugunsten einer von der historisch gewachsenen Nation völlig gelösten biologistischen Ideologie. Die Zerstörung der deutschen Nation und ihres Staates war darin im Falle eines dauerhaften, absoluten Sieges des Nationalsozialismus eingeschlossen. Allerdings meinten die am Ziel eines kleindeutschen Reiches (in den Grenzen von 1914) festhaltenden Revisionisten konservativer Prägung, die Anhänger der großdeutschen Idee, die Vertreter des Konzepts eines deutsch geführten »Mitteleuropa« ebenso wie die Verfechter einer deutschen Kulturmission im Osten ihre Zielvorstellungen in den vieldeutigen Bekundungen der nationalsozialistischen Führung lange Zeit gewahrt zu sehen, bis bei ihren besten Repräsentanten spät, zu spät die Erkenntnis durchdrang, daß sie selbst in der nationalsozialistischen »Weltkriegsstrategie« und der damit verbundenen rassenideologischen Revolutionierung Europas nur von Hitler einkalkulierte, später auszuwechselnde Posten bildeten. Wie weitgespannt und umstürzend dessen Zielsetzung war, ging zum größten Teil aus seinem Buch »Mein Kampf« hervor, auch wenn insbesondere in außenpolitischer Hinsicht das im »Dritten Reich« unveröffentlicht gebliebene »Zweite Buch« erst die ganze Reichweite enthüllte. Das Entscheidende und trotz aller »völkischen« Ideologien im Alldeutschen Verband, in der »Vaterlandspartei« und in den übrigen extremen Gruppen aus der frühen Weimarer Republik Singuläre war die totale Überlagerung und Durchdringung ursprünglich primitiv-machiavellistischer Vorstellungen durch die radikalste Ausprägung von universalem rassenideologischen Antisemitismus. Diese Umformung hatte sich bei Hitler mit der Übernahme der »Theorie« von der jüdischen Weltverschwörung aus den »Protokollen der Weisen von Zion« vollzogen, die 1919/20 von »weiß«-russischen Emigranten in den »völkischen« Zirkeln Deutschlands verbreitet wurden. Auch die in manchen Aspekten an extreme Kriegsziele des Weltkrieges 1914/18 anknüpfenden außenpolitischen Ambitionen waren dem zentralen Ziel untergeordnet, den jüdischen »Todfeind« der »arischen« Rasse zu vernichten. Indem Bolschewismus mit vollendeter Herrschaft des jüdischen »Todfeindes« gleichgesetzt wurde, während in den Demokratien des Westens wie in der Weimarer Republik dieser Ideologie zufolge die Juden zwar bereits eine wesentliche, aber noch nicht die beherrschende Stellung einnahmen, ergab sich als erste Etappe nach der »Machtergreifung« die Zielsetzung, in Deutschland die parlamentarische Demokratie zu beseitigen und Juden, Bolschewisten und Marxisten aus der Nation auszustoßen. Nach Beseitigung des »Krebsschadens der Demokratie« im Innern sollte das nationalsozialistische Reich, einem »Stufenplan« folgend, der eine Konsequenz aus der gescheiterten divergierenden Außenpolitik der Wilhelminischen Ära darstellte, unter Ausnutzung der revisionistischen, der großdeutschen und der »Mitteleuropa«-Parolen die deutsche Position in Zentraleuropa konsolidieren und erweitern und sodann in zwei großen Etappen als »Germanisches Reich deutscher Nation« zur »Weltmachtstellung« geführt werden: zunächst sollte ein ganz Europa beherrschendes Kontinentalimperium mit einem festen strategischen und »wehrwirtschaftlichen« Rückhalt im weiten »Ostraum« geschaffen und danach durch die Gewinnung eines kolonialen Ergänzungsraumes in Mittelafrika und durch den Bau einer starken Flotte mit Stützpunkten im Atlantik dieses Reich zu einer der vier nach dem angestrebten Ausfall Frankreichs und Rußlands verbleibenden »Weltmächte« geführt werden: neben dem britischen Empire, neben dem Großraum Japans in Ostasien und – von Hitlers Sicht aus entscheidend – neben den USA. Für die folgende Generation erwartete er einen Entscheidungskampf zwischen den beiden bedeutendsten »Weltmächten«, der »Weltmacht« Deutschland und der »Weltmacht« Amerika, um die Weltvormachtstellung. Das Kernstück dieses »Programms«, die Eroberung des europäischen Rußland, stellte zugleich aber auch die Einleitung des »Endkampfes« gegen den jüdischen »Todfeind« dar, der dort seine »Zentrale« besaß. Die Eroberung des neuen »Lebensraums« im Osten war mit der Ausrottung der Juden im bolschewistischen Rußland unlösbar verknüpft – zwei Seiten des einen Ziels.

Die Zustimmung eines sehr großen Teils des deutschen Bürgertums zur »Machtergreifung« Hitlers am 30. Januar 1933 ermög-

lichte innerhalb weniger Monate eine grundlegende Umgestaltung im Innern und eine Festigung der nationalsozialistischen Herrschaft. Unter scheinbarem Rückgriff auf preußische Tradition (»Tag von Potsdam« am 21. März 1933) beseitigte die Regierung Hitler unter Ausnutzung des Reichstagsbrandes mit der »Verordnung zum Schutz von Volk und Staat« (28. Februar 1933) die wichtigsten Grundrechte der Weimarer Reichsverfassung und damit die Basis des Rechtsstaates, schaltete durch das »Ermächtigungsgesetz« (24. März 1933) den Reichstag aus und schuf mit dem Verbot von KPD und SPD und der erzwungenen Auflösung aller übrigen Parteien und der Gewerkschaften die Grundlage für die Errichtung eines totalitären Einparteistaates, der das Meinungsmonopol für sich beanspruchte und mit seiner Ideologie alle Lebensbereiche zu durchdringen suchte. Das innenpolitische »Endziel«, die »rassische« Aufwertung des »arischen« Kerns des Volkes durch die physische Ausrottung aller »Minderwertigen« (Juden, Zigeuner, Geisteskranke) und die Absage an alle religiösen und kulturellen Traditionen der deutschen und europäischen Geschichte (sofern sie nicht der Ideologie entsprechend umgedeutet werden konnten) blieb lange Zeit, bis in den Krieg hinein, in seiner letzten Konsequenz verschleiert.
Terror und Verfolgung der tatsächlichen oder vermeintlichen Gegner (Aufbau eines Netzes von Konzentrationslagern), die etappenweise Verschärfung der antisemitischen Maßnahmen durch die verschiedenen Unterorganisationen der Partei, zunächst vor allem durch die SA, nach der Ermordung ihrer Führung (um den Stabschef Röhm) in der Aktion des 30. Juni 1934 durch die den alten Polizeiapparat usurpierende SS, und eine systematische Beeinflussung der von anderen Informationsmöglichkeiten isolierten Massen schufen jene für das Regime kennzeichnende Atmosphäre des Wechsels zwischen Zustimmung und Angst. Mit der Beseitigung der millionenfachen Arbeitslosigkeit, vor allem auf dem Wege über eine zunächst getarnte Aufrüstung, gelang es, einen erheblichen Teil der Arbeiterschaft für das »Dritte Reich« zu gewinnen und somit die soziale Basis der nationalsozialistischen Herrschaft zu verbreitern. Auch die anfangs noch eigenständigen Faktoren wie das Heer, die Staatsbürokratie und die Wirtschaftsorganisationen wurden der Kontrolle unterworfen, wenn sie auch nicht absolut »gleichgeschaltet« werden konnten. Das Nebeneinander der Bereiche von fortdauernder »Normalität« und Rechtlosig-

keit (»Dual State«, E. Fraenkel) war charakteristisch. Die anfängliche Parallelität der Zielsetzung der Überwindung der Massenarbeitslosigkeit, der »Wehrhaftmachung« und der Aufnahme einer aktiven Außenpolitik mit den alten Führungsgruppen erleichterte der nationalsozialistischen Führung die Verwirklichung ihres »Programms«. Mit der Übernahme der Funktion des Staatsoberhauptes nach dem Tode des Reichspräsidenten von Hindenburg (2. August 1934) und des »Obersten Befehlshabers der Wehrmacht« gewann Hitler eine diktatorische Stellung, die er in der Krise um die Jahreswende 1937/38 gegen die wegen des forcierten Expansionsstrebens nunmehr opponierenden Teile der alten Führungskräfte weiter ausbaute. Zu dieser Zeit war die deutsche Wirtschaft über den »Vierjahresplan« von 1936 bereits auf den kommenden Krieg »ausgerichtet«.

Mit einer Taktik »grandioser Selbstverharmlosung« (H.-A. Jacobsen) hatte das nationalsozialistische Deutschland die anfängliche Phase seiner Schwäche durchschreiten und unter Akklamation durch einen immer größeren Teil der Nation außenpolitische Erfolge erzielen können: die Absage an Abrüstungskonferenz und Völkerbund (Oktober 1933), das deutsch-polnische Nichtangriffsabkommen (Januar 1934), die Erklärung der »Wehrhoheit« (März 1935), das deutsch-britische Flottenabkommen (Juni 1935) und der Einmarsch deutscher Truppen in die entmilitarisierte Zone des Rheinlandes (unter Verletzung nicht nur des Versailler Vertrages, sondern auch des Locarno-Pakts) im März 1936 galten als solche spektakulären Erfolge. Das Eingreifen in den Spanischen Bürgerkrieg (seit Juli 1936), die Bildung der »Achse Berlin–Rom« (Oktober 1936), vor allem aber der »Anschluß« Österreichs (März 1938) und die Gewinnung der sudetendeutschen Gebiete der Tschechoslowakei aufgrund des Münchner Abkommens (29. September 1938) ließen Hitlers Reich bereits als wichtigen, in Mitteleuropa ausschlaggebenden Faktor in der europäischen und Weltpolitik erscheinen. Vordergründig betrachtet wurde der durch die Revisionsparolen gegen den Versailler Vertrag und großdeutsche Zielsetzungen gesteckte Rahmen erst mit der Besetzung Böhmens und Mährens und der Errichtung des »Protektorats« (März 1939) durchbrochen, als diese Verletzung des bisher propagandistisch immer vertretenen Selbstbestimmungsrechts der Völker die nur noch dürftig unter »Mitteleuropa«-Aspirationen verdeckte imperialistische Expansionspolitik offenbarte.

Tatsächlich waren aber auch die vorausgehenden Erfolge nur Schritte auf dem im großen festliegenden Wege zur Realisierung des »Programms«.
Die nach der jahrelangen Propagandakampagne gegen den »jüdischen Bolschewismus« und den Sowjetstaat überraschende Wende des Abschlusses eines deutsch-sowjetischen Nichtangriffspakts am 23. August 1939 (dessen geheimes Zusatzprotokoll die Aufteilung Ostmitteleuropas von Finnland über die Baltischen Staaten und Polen bis Rumänien vorsah) schien in zeitgenössischer Betrachtung anfangs ein großzügiger Schritt im Sinne einer erweiterten »Mitteleuropa«-Lösung und diente doch in Hitlers Perspektive nur der Abschirmung der als lokalisierter Feldzug geplanten Eroberung Polens im Sinne einer weiteren Etappe zur Gewinnung neuen deutschen »Lebensraumes«, zugleich – wie die Zusammenfassung der polnischen Juden in Groß-Ghettos und die Ausrottung der polnischen Führungsschicht in den folgenden Monaten zeigten – als Vorstufe und Exerzierfeld für die Verwirklichung der rassenideologischen Zielsetzung im dahinterliegenden »Ostraum«, den noch der »jüdische Bolschewismus« beherrschte. Daß der sich scheinbar an einer revisionistischen Forderung (nach Rückkehr der »Freien Stadt« Danzig und nach Einräumung einer exterritorialen Eisenbahn- und Autobahnverbindung zwischen Ostpreußen und dem übrigen Reichsgebiet) entzündende deutsch-polnische Konflikt (Beginn des deutschen Angriffs auf Polen am 1. September 1939) England und Frankreich zur Kriegserklärung veranlaßte (3. September), um den Zusammenbruch des europäischen Gleichgewichts unter einer deutschen Hegemonialmacht zu verhindern, hatte innenpolitisch allerdings für Hitler die günstige Auswirkung, daß der neue Krieg als »Großdeutscher Befreiungskrieg«, als Fortsetzung des Weltkrieges 1914/18 gegen die alten Feinde unter günstigeren Bedingungen, deklariert werden konnte, so daß das im Wesenskern völlig andere an seinem Kriege vorerst zumindest halb verdeckt blieb. Erst im Übergang zum Ostkrieg 1941 trat der Charakter des Hitler-Krieges voll zutage.
Von Anfang an ging es bei der Planung zum Angriff auf die Sowjetunion nicht in erster Linie um Konsequenzen aus der schwierigen Situation, die sich nach der Niederwerfung Frankreichs durch die deutsche Wehrmacht aus der Weigerung Englands unter der Führung Churchills und aus dem wachsenden Engagement der Vereinigten Staaten unter Führung Roosevelts

zu Englands Gunsten für die allein auf militärische Gewalt gestützte deutsche Stellung auf dem Kontinent ergab. Vielmehr entsprach der vom ersten Tage an (22. Juni 1941) unter Außerkraftsetzung grundlegender kriegsrechtlicher Prinzipien geführte Vernichtungskrieg auf dem Boden der Sowjetunion Hitlers ursprünglicher, niemals aufgegebener rassenideologischer Zielsetzung. Es ging um die Ausrottung der »jüdisch-bolschewistischen« Führungsschicht einschließlich ihrer angeblichen biologischen Wurzel, der Millionen Juden in Ostmitteleuropa. Damit verbunden war das Ziel einer Gewinnung von Kolonialraum für deutsche Siedler in den vermeintlich besten Teilen Rußlands sowie solchen Gebieten, die Hitler aus politisch-strategischen Gründen dafür als notwendig erachtete. Die Unterwerfung der dezimierten slawischen »Untermenschen« unter die nationalsozialistische Herrschaft sollte in vier »Reichskommissariaten«: Ostland, Ukraine, Moskowien und Kaukasien erfolgen. Die »Herren« – bisher die »jüdischen Bolschewisten«, jetzt die Nationalsozialisten – lösten sich gleichsam nur ab. Schließlich sollte die Eroberung des vermeintlich ein unerschöpfliches Reservoir an Rohstoffen und Lebensmitteln enthaltenden »Ostraums« die Bildung eines autarken, blockadefesten »Großraums« Kontinentaleuropa vollenden, mit dem die Voraussetzung dafür geschaffen würde, daß sich das »Germanische Reich deutscher Nation« im Krieg gegen die angelsächsischen Mächte behauptete und in Zukunft jedem nur denkbaren Weltkrieg gewachsen war.
Während die drei Millionen Soldaten des deutschen Ostheeres die Grenzen zur Sowjetunion überschritten, um die Rote Armee militärisch auszuschalten, folgten ihnen Einsatzgruppen der Sicherheitspolizei und des SD, deren Vernichtungsaktion hinter der Front bereits in den ersten Monaten des Ostfeldzuges über 1 Million Juden zum Opfer fielen. Ein »Führererlaß« über die Ausübung der Kriegsgerichtsbarkeit im Gebiet »Barbarossa« (13. Mai 1941) und »Richtlinien« des Oberkommandos der Wehrmacht »für die Behandlung politischer Kommissare« (sogenannter »Kommissarbefehl« vom 6. Juni 1941) verknüpften SS-Aktion und Kriegführung zum Ganzen eines rassenideologischen Ausrottungskrieges, dem »ungeheuerlichsten Eroberungs-, Versklavungs- und Vernichtungskrieg« der Neuzeit (E. Nolte). Die zunächst auf das Territorium der Sowjetunion beschränkte »Endlösung« im Sinne von systematischer physischer Ausrottung aller Juden wurde Ende Juli 1941 auf den

ganzen deutsch-beherrschten europäischen Raum ausgedehnt. Die damit eingeleitete zweite west- und mitteleuropäische Phase der »Endlösung«, in deren Verlauf – wie es im »Wannsee-Protokoll« vom 20. Januar 1942 (Aufzeichnung über die Besprechung des Chefs des Reichssicherheitshauptamtes, Heydrich, mit den Vertretern der obersten Reichsbehörden) hieß – Europa »von Westen nach Osten systematisch von Juden gesäubert« werden sollte, wurde in den Jahren von 1942–1944 in den Vernichtungslagern in Polen, deren größtes Auschwitz-Birkenau, zum Symbol für die Ausrottung der europäischen Juden geworden ist, fast zu Ende geführt.
Wie sehr diese Zielsetzung im Zentrum des nationalsozialistischen »Programms« stand, zeigte sich daran, daß die Vernichtungsaktion ihren Höhepunkt erst erreichte, als Hitler bereits die Erkenntnis gewonnen hatte, daß sein militärisch-politisches Vabanque-Spiel verloren war (Winter 1941/42) und er sich in hoffnungsloser Isolierung gegen die drei stärksten Mächte, England, Sowjetunion und Vereinigte Staaten, befand, denen er am 11. Dezember 1941 den Krieg erklärt hatte.
Angesichts der Alternative Hitlers »Weltmacht oder Untergang« sowie der Forderung der Alliierten nach »bedingungsloser Kapitulation« (Januar 1943) war frühzeitig zu erkennen, daß die Katastrophe des als »Weltmacht« neuer Qualität intendierten »Germanischen Reiches deutscher Nation« zugleich auch das Ende des 1866/71 gegründeten Deutschen Reiches bedeuten würde. Der Wille der angelsächsischen Mächte, eine nochmalige Wiederholung der von Deutschland ausgehenden Bedrohung für den Frieden Europas und der Welt zu verhindern und den Kampf gegen das nationalsozialistische und »militaristische« Reich konsequent nicht nur bis zu seiner militärischen, sondern auch seiner staatlich-politischen Kapitulation fortzuführen, und die Entschlossenheit der Sowjetunion unter Führung Stalins, eine Wiederkehr der katastrophalen Situation des 22. Juni 1941 durch einen Vorstoß der Roten Armee bis ins Zentrum Europas für immer auszuschließen, bestimmten den Ausgang des Krieges. Anders als 1918, als Rußland, durch Niederlage und Revolution geschwächt, außerhalb des Kreises der für die Nachkriegsordnung in Europa bestimmenden Mächte geblieben war, hatte der Verlauf der Schlußphase des Krieges die vollständige Ausschaltung eines eigenständigen mitteleuropäischen Faktors und ein Zusammentreffen der Flügelmächte im Zentrum des Kontinents zur Folge.

Diese Entwicklung konnte die deutsche Widerstandsbewegung gegen Hitler nicht verhindern, die sich – nach der frühzeitigen Zerschlagung der kommunistischen und sozialistischen Widerstandszellen in den ersten Jahren des »Dritten Reiches« – seit 1938 vor allem aus bürgerlich-konservativen Kräften im Staatsapparat, in der Diplomatie und aus dem Offizierkorps gebildet, im Laufe des Krieges aber eine Ausweitung erfahren hatte, so daß zuletzt Repräsentanten aus allen Schichten und politischen Gruppen darin vertreten waren. Wenige Tage, bevor die Widerstandsbewegung am 20. Juli 1944 – nicht mehr, um politisch noch etwas zu retten, sondern um der Ehre der deutschen Nation willen, in deren Namen Hitler ein millionenfaches Verbrechen befohlen hatte – mit dem Attentat des Obersten im Generalstab Stauffenberg auf Hitler »vor der Welt und vor der Geschichte den entscheidenden Wurf« (H. von Tresckow) wagte, begab sich einer ihrer führenden Vertreter, Ulrich von Hassell, der Schwiegersohn des Großadmirals von Tirpitz, der in den ersten Jahren des »Dritten Reiches« als Botschafter in Rom selbst voller Illusionen über den Wiederaufstieg Deutschlands unter Hitler und den Nationalsozialismus gewesen war, zu einem letzten Besuch an den Alterssitz Bismarcks, Friedrichsruh. Seine Erschütterung über die Zerstörung des von Bismarck geschaffenen deutschen Nationalstaates und der deutschen Großmachtstellung, in deren Tradition er stand, faßte er in Worte, die den Weg von Bismarck zu Hitler aus der Sicht und den Erfahrungen derer zu umreißen suchten, die den Aufstieg, die Hybris und den Untergang des Reiches in führender Stellung erlebt und mitverantwortet hatten: »Kaum zu ertragen, ich war dauernd nahe an Tränen beim Gedanken an das zerstörte Werk. Deutschland, in Europas Mitte gelegen, ist das Herz Europas. Europa kann nicht ›leben‹ ohne ein gesundes, kräftiges Herz. Ich habe mich in den letzten Jahren viel mit Bismarck beschäftigt, und er wächst als Außenpolitiker dauernd bei mir.... Er hat es verstanden, in einziger Weise in der Welt Vertrauen zu erwecken, genau umgekehrt wie heute. In Wahrheit waren die höchste Diplomatie und das Maßhalten seine große Gabe.«
Die bedingungslose Kapitulation der deutschen Wehrmacht (7.–9. Mai 1945), die Verhaftung der letzten Reichsregierung Dönitz (23. Mai 1945) und die Übernahme der obersten Regierungsgewalt in Deutschland durch die Regierungen der vier Hauptsiegermächte (Großbritannien, USA, Sowjetunion, Frank-

reich) in der Berliner Erklärung vom 5. Juni 1945 besiegelten das Ende einer souveränen deutschen Macht. Die Vertreibung der Deutschen aus den Reichsgebieten jenseits der Oder und Neiße, aus der wiederhergestellten Tschechoslowakei und Ungarn aber war die härteste Konsequenz aus Hitlers nunmehr auf Deutschland zurückschlagendem rassenideologischen Krieg im Osten und der totalen Niederlage, die doch zugleich auch eine Befreiung der Deutschen von der Gewaltherrschaft des Nationalsozialismus darstellte, der ihren Nationalstaat zerstört, die Nation in den Dienst verbrecherischer Ziele gestellt hatte und, um seinen Untergang hinauszuzögern, vollständig zu opfern entschlossen gewesen war. Verblieben waren seit 1945 nach dem Scheitern aller Hoffnungen, doch noch eine deutsche Mittlerrolle zwischen Ost und West in veränderter Form weiterführen zu können, zwei Möglichkeiten: so, wie es die Mehrheit des deutschen Volkes anstrebte, unter Rückbesinnung auf die nationaldemokratischen Traditionen von 1848, im Bemühen um Ausgleich der seit der Bismarck-Zeit bestehenden gesellschaftlichen Spannungen einen auf liberal-demokratischen Prinzipien gegründeten Rechtsstaat in enger Verbindung mit einer gleichen Prinzipien verpflichteten Staatengemeinschaft zu schaffen oder ein die sozial-revolutionären Ansätze in der deutschen Geschichte aufgreifendes und umformendes sozialistisch-kommunistisch strukturiertes Deutschland eng an die Sowjetunion anzulehnen. Unter den Bedingungen der weltpolitischen Konstellation, die keine Verschiebung der sich in der Mitte Europas berührenden Einflußsphären der Hauptsiegermächte zuließ, konnte jedes dieser von der seit 1871 gewachsenen, über 1945 hinweg lebendig gebliebenen Einheit der Nation ausgehenden und darauf bezogenen Ziele nur in einem Teil Deutschlands verwirklicht werden.

Bildteil

1 Festtafel für den Kaiser und die Kurfürsten im Römer in Frankfurt am Main, 1758

2 Sitzung des Reichstages zu Regensburg, 1675

Des

Teutschen Reichs-ARCHIVS

PARTIS GENERALIS

CONTINUATIO,

Welche,

Mit solchem General-Theile, in sich begreifft

ein vollkommenes

CORPUS JURIS PUBLICI

des Heiligen Römischen Reichs Teutscher Nation,

worinn zu finden,

I. Desselben Grund-Gesetze, von Zeit der Güldenen Bull

Käysers Caroli IV. de Anno 1356. als dem ältesten Reichs-Fundamental-Gesetze, und hernach von Käyser zu Käyser, biß auff ietzt höchstlöblich regierende Röm. Käyserl. Majestät, CAROLUM VI. nemlich: nurermeldte Güldene Bull, der Religion-und Profan-Friede, Käyser-und Königl. Wahl-Capitulationes, Reichs-und Deputations-Abschiede, ingleichen Oßnabrück-und Münster-auch Nimweg-und Ryßwickische Friedens-Schlüße, dann

II. Dessen Ordnungen, als: die Käyserl. Reichs-Hof-Raths-Cammer-Peinliche Halß-Gerichts-Executions-Müntz-und-Policey-

Ordnungen, und andere mehr,

Wie auch

III. Die Reichs-Matricul, und dergl. allgemeine Verfassungen,

Nebst denen

Wichtigsten, auff dem Anno 1663. sich angefangenen, und biß dato noch währenden Regenspurgischen Reichs-Tage, in Staats-Kriegs-Justiz-Müntz-Post-Commercien-und andern, des Policey-Wesens halber, ergangenen Sachen, und was deswegen vor Käyserl. Edicta und Mandata ins Reich ausgefertiget worden,

samt einem aus den Legibus Fundamentalibus gezogenen

EXAMINE JURIS PUBLICI GERMANICI NOVISSIMI,

so wohl einer

Zuverläßigen Nachricht von der Wahl eines Römischen Käysers, und dem ietzigen Reichs-Tage zu Regenspurg, als denen beyden höchsten Reichs-Gerichten, nemlich: dem Käyserl. Reichs-Hof-Rath, und Käyserl. und des Heil. Reichs Cammer-Gericht zu Wetzlar, worinn nicht allein von deren Gleichförmigkeit, sondern auch ihrem Unterscheid gehandelt wird, desgleichen von den, bey gedachter Käyser-Wahl und Crönung, auch Reichs-und Deputations-Tägen, Introductionen ins Chur-und Fürstl. Collegium, dann Reichs-Lehens-Empfängnissen und Achts-Erklärungen üblichen Ceremonien,

Aus den berühmtesten Scribenten, raren Manuscriptis, und durch kostbare Correspondenz zusammen getragen, alles in eine richtige Ordnung gebracht, mit dienlichen Summarien und Anmerckungen, auch einem Elencho und vollständigen Register versehen, und zu des gemeinen Wesens Besten ans Licht gegeben

von

Johann Christian Lünig.

Leipzig,

bey Friedrich Lanckischens Erben, 1713.

3 Titelblatt des »Reichsarchivs«

4 Reichskammergericht in Wetzlar

5 Posthausschild der Kaiserlichen Reichspost, Mitte des 18. Jahrhunderts

6 Johann Jacob Moser (1701–1785)

7 Samuel von Pufendorf (1632–1694)

8 Johann Stephan Pütter (1725–1807)

9 Friedrich Karl von Moser (1723–1798)

10 Gutsherrliches Züchtigungsrecht Ende des 18. Jahrhunderts

11 Spießrutenlaufen in der Armee Friedrichs des Großen, Kupferstich von Daniel Chodowiecki

Wir
der Königl. Preuß. Haupt und Residenzstadt Berlin bescheinigen hiemit daß
gegenwärtiger Geselle Nahmens von
gebürtig, Jahr alt, von Statur auch Haaren, bey uns allhier Jahr Wochen in
Arbeit gestanden, und sich solche Zeit über treu, fleißig, friedsam und ehrlich, wie einem jeglichen Gesellen gebühret verhalten hat,
welches wir nach Vorschrift des von Sr. Königl. Majestät Unserm Allergnädigsten Herrn unterm 6.t August 1732 publicirten Reichspatents nicht nur hiermit attestiren, sondern auch unsere sämmtliche Genossene
dienstlich ersuchen wollen diesen Gesellen nach Gebrauch, überall
Zu wahrer Urkund wir diese Kundschaft
mit unserm gewöhnlichen Siegel bekräftigt. Gegeben in der Königl. Residenz-Stadt Berlin, den
Anno 1807

12 Arbeitsbescheinigung für einen Handwerksgesellen, Berlin 1807

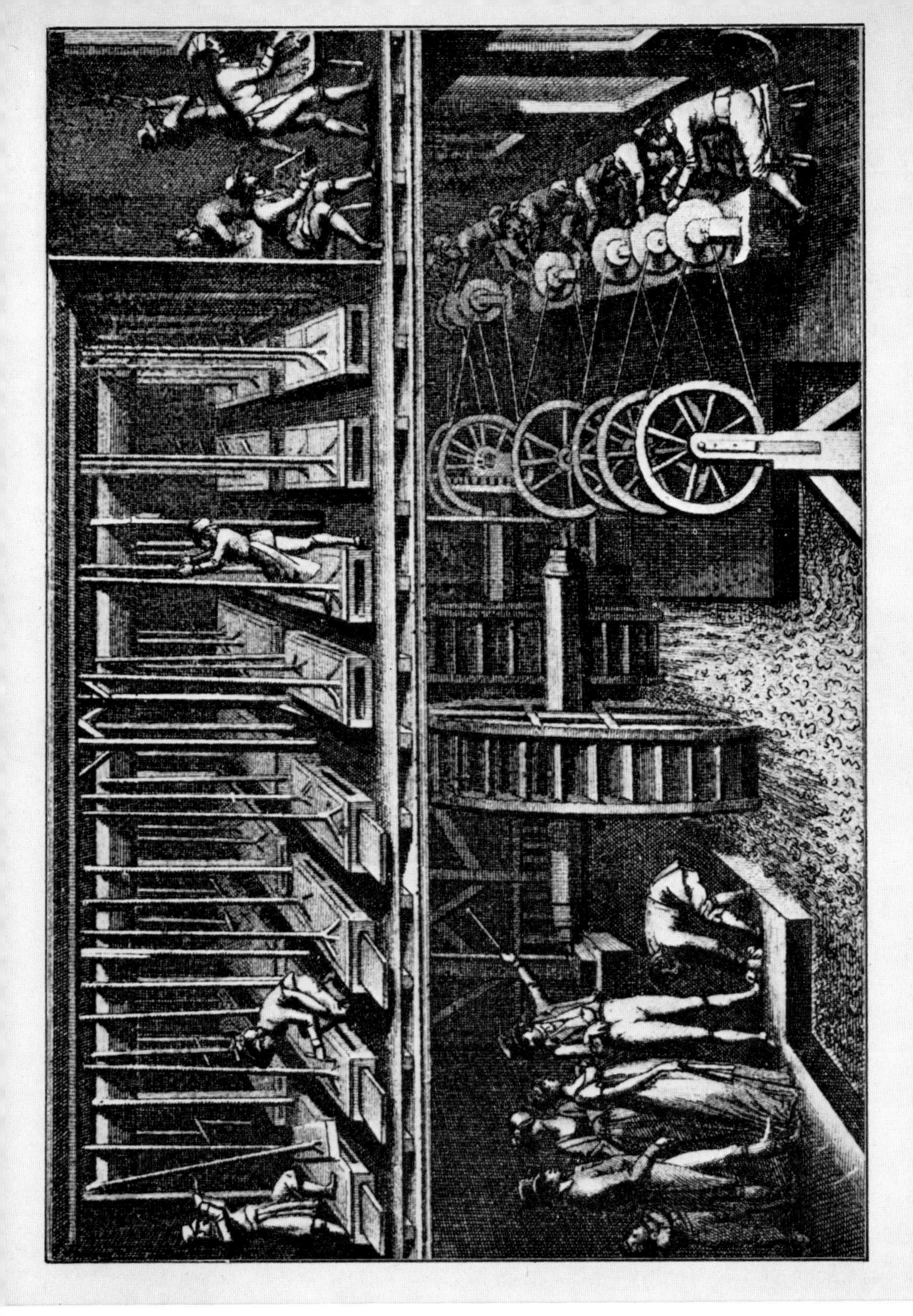

13 Manufaktur um 1790: Nadelfertigung

14 Sturm auf die Bastille am 14. Juli 1789

Die Franzosen in Nürnberg als Mitarbeiter an der deutschen Freyheit, 1796.

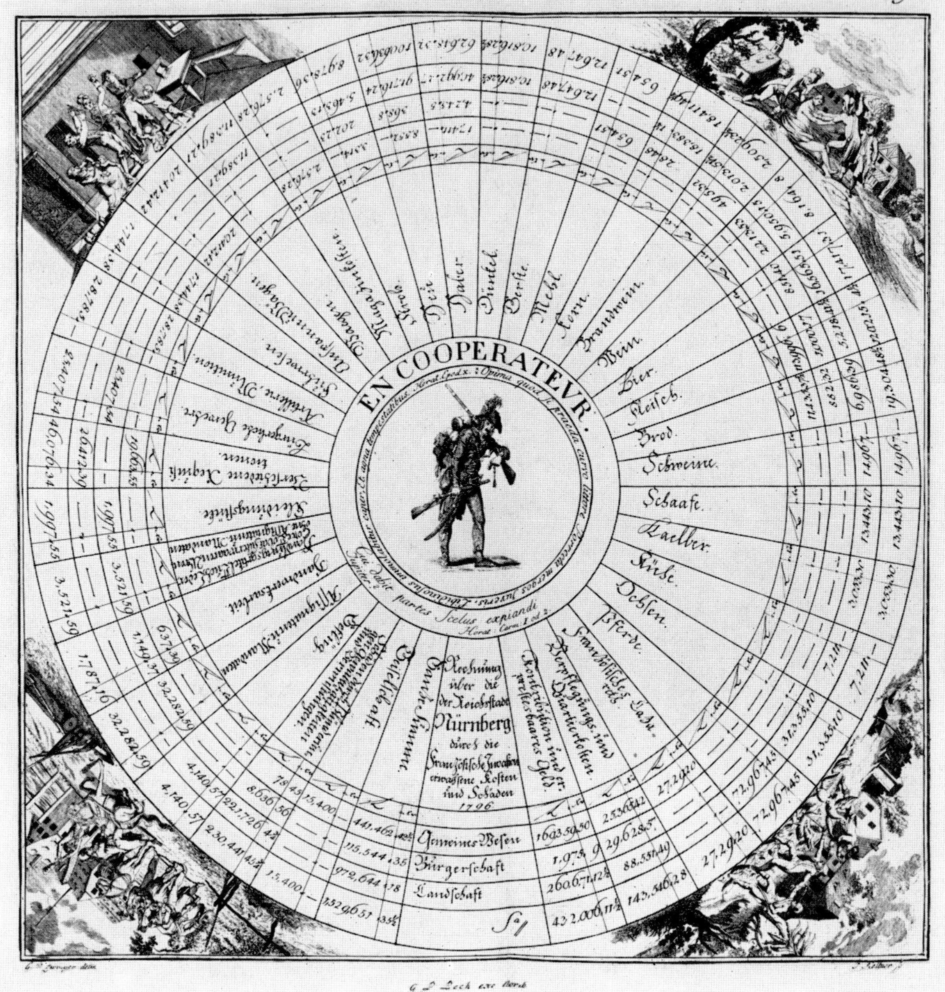

15 Die Lasten der französischen Besatzung, Nürnberg 1796

16 Die Rheinbundfürsten huldigen Napoleon

Nassau im Juny 1807.

Ueber die zweckmäßige Bildung der obersten und der Provinzial-, Finanz- und Polizeybehörden in der preußischen Monarchie.

Der vorstehende Aufsatz v. 26 Apr. 1806 beweist die Nothwendigkeit der Aufhebung des Cabinets und der Bildung eines Staatsraths oder einer unmittelbaren, neben dem König [illegible] und mit unmittelbarer Verantwortlichkeit versehenen obersten Behörde, die der Vereinigungspunkt der [illegible] Staatsverwaltung ist.

Hat man die Bildung eines solchen Staatsraths beschlossen, so entsteht die Frage, ob die einzelnen Departements und Ministerien in ihrer bisherigen Verfassung beibehalten werden können, oder ob [illegible] und damit eine Veränderung und Umformung vorzunehmen.

F und um dieses zu beurtheilen, muß man den Vertheilungsgrund der Geschäfte unter die verschiedenen Staatsbehörden, ihre innere Einrichtung, und ihr Verhältnis gegen die Provinzialbehörden untersuchen und prüfen.

Den Vertheilungsgrund der Geschäfte unter die Ministerialbehörden hat man theils Sachen, theils Bezirke oder Provinzen angenommen. [illegible] die erstere Vertheilungsart ist bey dem [illegible] der auswärtigen Departements, des Justiz-Departements, des Geistlichen und Schul

17/18 Die »Nassauische Denkschrift« des Freiherrn vom Stein, Juni 1807.
Erste Seite in der Handschrift Steins

Königsberg, den 12. Mai 1809.
(Universität zu Berlin.)

An des Königs Majestät.

14. Mai, 1809.

Humboldt

19/20 Wilhelm von Humboldts Antrag auf Errichtung der Universität Berlin, 12. Mai 1809.
Erste Seite in der Handschrift Humboldts

Schlesische privilegirte Zeitung.

No. 34. Sonnabends den 20. März 1813.

Se. Majestät der König haben mit Sr. Majestät dem Kaiser aller Reußen ein Off= und Defensiv=Bündniß abgeschlossen.

An Mein Volk.

So wenig für Mein treues Volk als für Deutsche, bedarf es einer Rechenschaft, über die Ursachen des Kriegs welcher jetzt beginnt. Klar liegen sie dem unverblendeten Europa vor Augen.

Wir erlagen unter der Uebermacht Frankreichs. Der Frieden, der die Hälfte Meiner Unterthanen Mir entriß, gab uns seine Segnungen nicht; denn er schlug uns tiefere Wunden, als selbst der Krieg. Das Mark des Landes ward ausgesogen, die Hauptfestungen blieben vom Feinde besetzt, der Ackerbau ward gelähmt so wie der sonst so hoch gebrachte Kunstfleiß unserer Städte. Die Freiheit des Handels ward gehemmt, und dadurch die Quelle des Erwerbs und des Wohlstands verstopft. Das Land ward ein Raub der Verarmung.

Durch die strengste Erfüllung eingegangener Verbindlichkeiten hoffte Ich Meinem Volke Erleichterung zu bereiten und den französischen Kaiser endlich zu überzeugen, daß es sein eigener Vortheil sey, Preußen seine Unabhängigkeit zu lassen. Aber Meine reinsten Absichten wurden durch Uebermuth und Treulosigkeit vereitelt, und nur zu deutlich sahen wir, daß des Kaisers Verträge mehr noch wie seine Kriege uns langsam verderben mußten. Jetzt ist der Augenblick gekommen, wo alle Täuschung über unsern Zustand aufhört.

Brandenburger, Preußen, Schlesier, Pommern, Litthauer! Ihr wißt was Ihr seit fast sieben Jahren erduldet habt, Ihr wißt was euer trauriges Loos ist, wenn wir den beginnenden Kampf nicht ehrenvoll enden. Erinnert Euch an die Vorzeit, an den großen Kurfürsten, den großen Friedrich. Bleibt eingedenk der Güter die unter

21 Aufruf Friedrich Wilhelms III. *»An mein Volk«*, 20. März 1813

22 Studentisches Freikorps während der Freiheitskriege

23 Sitzung der Bevollmächtigten auf dem Wiener Kongreß, Stich von Godefroy

24 Karikatur auf die territoriale Neuordnung durch den Wiener Kongreß

Darstellung
der Abstimmungen über die 20 Artikel wie sie theils in dem gestrigen Protocoll theils in den heutigen Erklärungen liegen

Stimmen gegen die gesammten Verhältnisse des Bundes

Baiern

da Würtemberg und Baden nicht abgestimmt haben

gegen einzelnen Artikel

Hessen Darmstadt
1) gegen die im 14ten Artikel berührte [illegible] Curialstimmen
2) begehrt es daß die gesetzlichen Vorzüge der großherzoglichen [illegible] und vermittelten Besitzungen seines Gebiets [illegible] und [illegible] erlangten Gerechtsamen als Bedingung seines Beitritts [illegible] den Schutz des [illegible] gelegt werde

Luxemburg hat blos gewünscht daß art 16 statt Constitution ein anderes Wort gewählt werde

Die großherzoglich und herzog. Sächsischen Häuser haben gewünscht daß ohne deren ihren Beitritt zu [illegible] der Zusatz art 19 lit c ratione der Rechte der [illegible] [illegible], welchem Vorschlag Nassau u. Mecklenburg beigetreten sind.
Anhalt hat [illegible] seinen Beitritt [illegible] erklärt

wegen Mangel an Instruction nicht beigetreten

Baden

~~Sachsen [illegible]~~ [illegible] erklärt.
[illegible] wegen art 7. 16. u. eventuelle 19 rel. jur. privat [illegible] daß ein [illegible] Beitritt [illegible] [illegible] [illegible]

allen 20 Artikeln beigetreten

1) Oesterreich
2 Preussen
3 Holstein
4 Hannover
5 Luxemburg
6–10 die großherzoglich und herzoglich Sächsischen Häuser.
11 Kurhessen [illegible]
12 Braunschweig [illegible]
13 Nassau mit Luxemburg
14 Mecklenburg Schwerin u.
15 Strelitz
16–18 Anhalt.
19 Holstein Oldenburg
20 Bremen
21 Hamburg
22 Reuß
23 Lichtenstein
24–25 die 2 Schwarzburgischen Häuser
26–27 die 2 hohen Hohenzollerischen Häuser
28 Lippe
29 Schaumburg
30 Waldeck
31 Lübeck
32 Frankfurt

Bemerkungen

(zu 3 Holstein:) [illegible] Vorbehalt des Beitritts aller

(zu 4 Hannover:) Hannover hat jedoch vorbehalten daß wenn der Beitritt der übrigen noch nicht [illegible] der [illegible] nicht erfolge [illegible] über die Modificationen der Bundesact in Frankfurt [illegible] [illegible] erfordern dürfte [illegible]

(zu 5 Luxemburg:) hat heute erklärt daß er [illegible] falls selbst [illegible] den bairischen Modificationen beitrete.

(zu 13 Nassau:) unter Vorbehalt daß der Bund allgemein werde

(zu 14–15 Mecklenburg:) Mecklenburg hat zwar wegen Aufhebung des art. 13 die landständischen Verfassungen betreffend dringende Vorstellung übergeben, welche von Churhessen und Sachsen Weimar unterstützt worden, aber keiner hat dies zur Bedingung des Beitritts gemacht.

(zu 19 Holstein Oldenburg:) blos unter dem Vorbehalt der künftigen Berücksichtigung seiner Anträge, die [illegible] den Rang zu betreffen [illegible]

25 Abstimmungsergebnis im Deutschen Ausschuß des Wiener Kongresses über die 20 Punkte zur Bundesverfassung

26 Sitzung des Deutschen Bundestages in Frankfurt am Main, 1817

27 *»Deutschlands Wiederherstellung oder Die lange ersehnte Rückkehr des hessischen Churfürsten«*

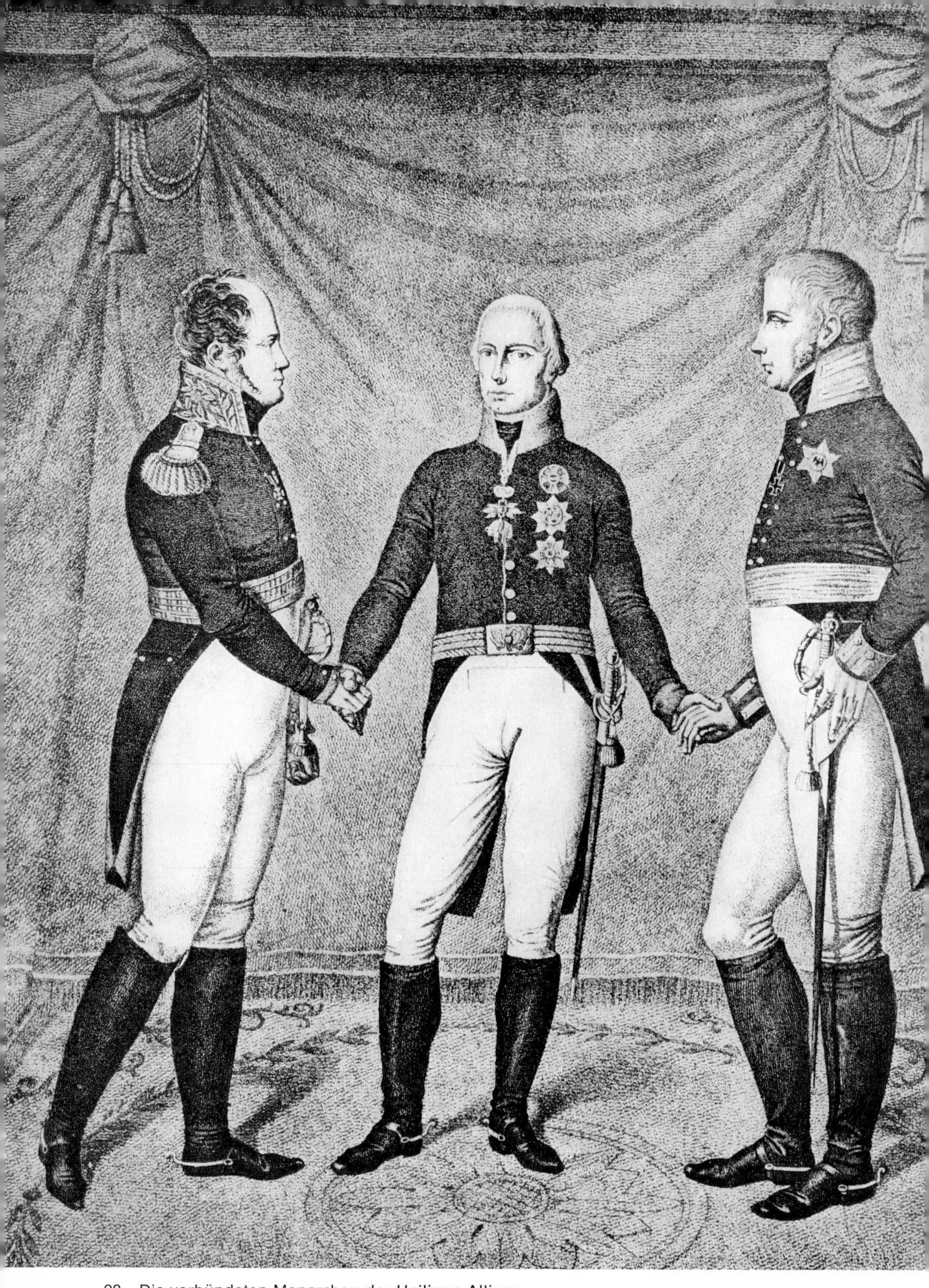

28 Die verbündeten Monarchen der Heiligen Allianz

29 Der Stuttgarter Landtag 1833

30 Friedrich Wilhelm IV.: *»Zwischen mir und mein Volk soll sich kein Blatt Papier drängen«*

31 Die Ermordung Kotzebues am 23. März 1819

32 *»Die zahme Presse«*, Karikatur auf die Pressezensur

33 *»Der Denkerclub«,* Karikatur auf die Unterdrückung der Meinungsfreiheit

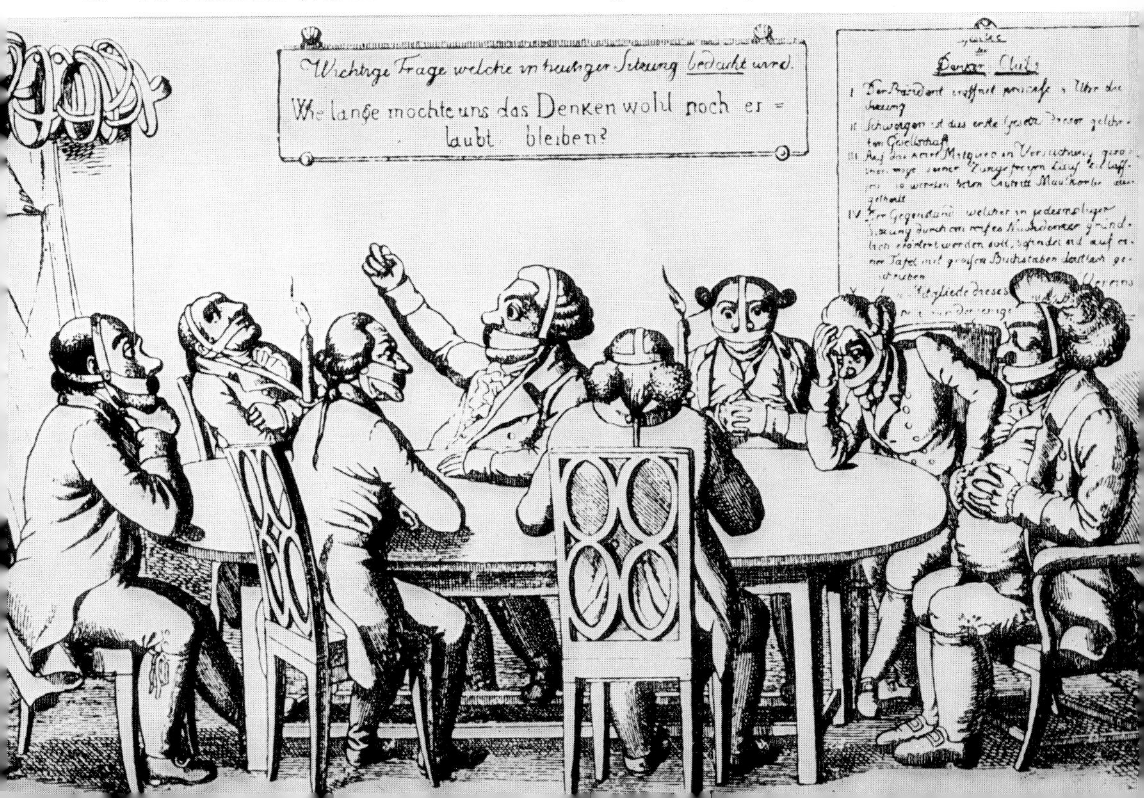

No. 12. **Fürstlich Reuss-Plauisches** 1832.

Amts- und Verordnungs-Blatt.

Greiz, Freitags den 23. März 1832.

Publicandum.

Nachdeme die hohe Bundesversammlung in ihrer Sitzung vom 2ten März dieses Jahres nachstehenden Beschluß gefasset hat:

»Die Bundesversammlung hat sich aus den von der Bundestags-Commission in Preßangelegenheiten erstatteten Vorträgen und vorgelegten Artikeln der in Rheinbaiern erscheinenden Zeitblätter: die »Deutsche Tribüne« und der »Westbote«, so wie auch der in Hanau erscheinenden »Neuen Zeitschwingen«, überzeugt, daß diese Zeitblätter die Würde und Sicherheit des Bundes und einzelner Bundesstaaten verletzen, den Frieden und die Ruhe Deutschlands gefährden, die Bande des Vertrauens und der Anhänglichkeit zwischen Regenten und Volk aufzulösen sich bestreben, die Autorität der Regierungen zu vernichten trachten, die Unverletzlichkeit der Fürsten angreifen, Personen und Eigenthum durch Aufforderung zur Gewalt bedrohen, zum Aufruhr anreizen, eine politische Umgestaltung Deutschlands und Anarchie herbeizuführen und staatsgefährliche Vereine zu bilden und zu verbreiten suchen, — sie hat daher, auf den Grund des provisorischen Preßgesetzes vom 20. September 1819, § 1, 6 und 7, welches, nach den einstimmig und wiederholt gefaßten Beschlüssen aller Bundesglieder, so lange in Kraft besteht, bis der Deutsche Bund sich über neue gesetzliche Maßregeln vereinigt haben wird, so wie in pflichtmäßiger Fürsorge für die Erhaltung des Friedens und der Ruhe im Bunde, im Namen und aus Autorität desselben, beschlossen:

1) Die in Rheinbaiern erscheinenden Zeitblätter: die »Deutsche Tribüne« und der »Westbote«, dann das zu Hanau erscheinende Zeitblatt: die »Neuen Zeitschwingen«, so wie diejenigen Zeitungen, die etwa an die Stelle der drei genannten — unter was immer für einem Titel — treten sollten, werden hierdurch unterdrückt und in allen Deutschen Bundesstaaten verboten.

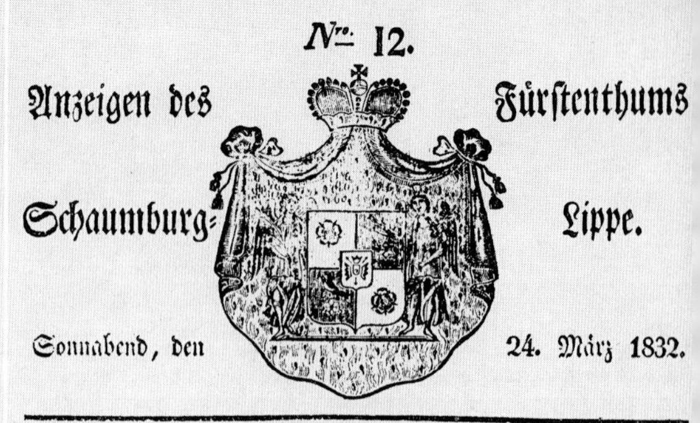

№ 12.

Anzeigen des Fürstenthums Schaumburg-Lippe.

Sonnabend, den 24. März 1832.

Höhere Bekanntmachung.

Die hohe deutsche Bundes-Versammlung hat in ihrer neunten dießjährigen Sitzung am 2. d. M. nachstehenden Beschluß gefaßt:

Die Bundesversammlung hat sich aus den von der Bundestags-Commission in Preßangelenheiten erstatteten Vorträgen und vorgelegten Artikeln der in Rheinbayern erscheinenden Zeitblätter: die „Deutsche Tribüne" und der „Westbote", so wie auch der in Hanau erscheinenden „Neuen Zeitschwingen", überzeugt, daß diese Zeitblätter die Würde und Sicherheit des Bundes und einzelner Bundes-Staaten verletzen, den Frieden und die Ruhe Deutschlands gefährden, die Bande des Vertrauens und der Anhänglichkeit zwischen Regenten und Volk aufzulösen sich bestreben, die Autorität der Regierungen zu vernichten trachten, die Unverletzlichkeit der Fürsten angreifen, Personen und Eigenthum durch Aufforderung zur Gewalt bedrohen, zum Aufruhr anreitzen, eine politische Umgestaltung Deutschlands und Anarchie herbeyzuführen und staatsgefährliche Vereine zu bilden und zu verbreiten suchen, — sie hat daher, auf den Grund des provisorischen Preßgesetzes vom 20. September 1819, §. 1, 6 und 7, welches, nach den einstimmig und wiederholt gefaßten Beschlüssen aller Bundesglieder, so lange in Kraft besteht, bis der deutsche Bund sich über neue gesetzliche Maßregeln vereinigt haben wird, so wie in pflichtmäßiger Fürsorge für die Erhaltung des Friedens und der Ruhe im Bunde, im Namen und aus Autorität desselben, beschlossen:

1., Die in Rheinbayern erscheinenden Zeitblätter: die „Deutsche Tri-

Verordnungs-Sammlung.

№ 6.

Braunschweig, den 23. März 1832.

(6.) Verordnung, das Verbot der in Rheinbaiern erscheinenden Zeitblätter: die »deutsche Tribüne« und der »Westbote«, auch des zu Hanau erscheinenden Zeitblattes: die »Neuen Zeitschwingen« betreffend. D. D. Braunschweig, den 16. März 1832.

Von Gottes Gnaden, Wir Wilhelm, Herzog zu Braunschweig und Lüneburg ꝛc.

fügen hiemit zu wissen:

Demnach von der deutschen Bundesversammlung in der 9ten diesjährigen Sitzung unterm 2ten d. Mts. folgender Beschluß gefasst worden:

„Die Bundesversammlung hat sich aus den von „der Bundestags-Commission in Pressangelegenheiten „erstatteten Vorträgen und vorgelegten Artikeln der in „Rheinbaiern erscheinenden Zeitblätter: die „deutsche „Tribüne" und der „Westbote", so wie auch „der in Hanau erscheinenden „Neuen Zeitschwingen", überzeugt,' daß diese Zeitblätter die Würde

Kanzelei-Patent,

wodurch

ein fernerer, den Mißbrauch der Presse betreffender Beschluß der Deutschen Bundesversammlung zur öffentlichen Kunde gebracht wird,

für das Herzogthum Holstein.

In der neunten Sitzung der Deutschen Bundesversammlung vom 2ten März d. J. ist hinsichtlich des Mißbrauchs der Presse folgender fernere Beschluß gefaßt:

Die Bundesversammlung hat sich aus den von der Bundestags-Commission in Preßangelegenheiten erstatteten Vorträgen und vorgelegten Artikeln der in Rheinbayern erscheinenden Zeitblätter: die "Deutsche Tribüne," und der "Westbote," so wie auch der in Hanau erscheinenden "Neuen Zeitschwingen," überzeugt, daß diese Zeitblätter die Würde und Sicherheit des Bundes und einzelner Bundesstaaten verletzen, den Frieden und die Ruhe Deutschlands gefährden, die Bande des Vertrauens und der Anhänglichkeit zwischen Regenten und Volk aufzulösen sich be-

35 Zug der Studenten zur Wartburg, 1817

36 Bücherverbrennung beim Wartburgfest

Revers
welcher von den Studirenden vor der Immatriculation zu unterschreiben ist.

Nachdem die nachstehenden Auszüge aus den Gesetzen, nämlich:

1) Aus dem Bundestags-Beschlusse vom 20. September 1819 über die in Ansehung der Universitäten zu ergreifenden Maassregeln.

§. 3. „Die seit langer Zeit bestehenden Gesetze gegen geheime oder nicht „autorisirte Verbindungen auf den Universitäten, sollen in ihrer ganzen Kraft und „Strenge aufrecht erhalten, und insbesondere auf den seit einigen Jahren gestifteten, „unter dem Namen der allgemeinen Burschenschaft bekannten Verein und um so be„stimmter ausgedehnt werden, als diesem Verein die schlechterdings unzulässige Vor„aussetzung einer fortdauernden Gemeinschaft und Correspondenz zwischen den ver„schiedenen Universitäten zum Grunde liegt. Den Regierungs-Bevollmächtigten soll in „Ansehung dieses Punktes eine vorzügliche Wachsamkeit zur Pflicht gemacht werden."

„Die Regierungen vereinigen sich darüber, dass Individuen, die nach Bekannt„machung des gegenwärtigen Beschlusses erweislich in geheimen oder nicht „autorisirten Verbindungen geblieben, oder in solche getreten sind, bei kei„nem öffentlichen Amte zugelassen werden sollen."

§. 4. „Kein Studirender, der durch einen von dem Regierungs-Bevollmäch„tigten bestätigten oder auf dessen Antrag erfolgten Beschluss eines akademischen „Senats von einer Universität verwiesen worden ist, oder der, um einem solchen „Beschlusse zu entgehen, sich von der Universität entfernt hat, soll auf einer an„dern Universität zugelassen, auch überhaupt kein Studirender ohne ein befriedigen„des Zeugniss seines Wohlverhaltens auf der von ihm verlassenen Universität von „irgend einer andern Universität angenommen werden."

2) Aus dem Bundestags-Beschlusse vom 14. November 1834, in Betreff der deutschen Universitäten.

Art. 6. „Vereinigungen der Studirenden zu wissenschaftlichen oder geselligen „Zwecken können mit Erlaubniss der Regierung, unter den von letzterer festzusetzen„den Bedingungen, stattfinden. Alle andern Verbindungen der Studirenden, sowohl „unter sich, als mit sonstigen geheimen Gesellschaften, sind als verboten zu betrachten."

Art. 7. „Die Theilnahme an verbotenen Verbindungen soll, unbeschadet „der in einzelnen Staaten bestehenden strengeren Bestimmungen, nach „folgenden Abstufungen bestraft werden:

1. „Die Stifter einer verbotenen Verbindung und alle diejenigen, welche Andere zum „Beitritte verleitet oder zu verleiten gesucht haben, sollen niemals mit blosser „Carcerstrafe, sondern jedenfalls mit dem *Consilio abeundi*, oder, nach Befinden, „mit der Relegation, die den Umständen nach zu schärfen ist, belegt werden."
2. „Die übrigen Mitglieder solcher Verbindungen sollen mit strenger Carcerstrafe, „bei wiederholter oder fortgesetzter Theilnahme aber, wenn schon eine Strafe „wegen verbotener Verbindungen vorangegangen ist, oder andere Verschärfungs„gründe vorliegen, mit der Unterschrift des *Consilii abeundi* oder dem *Consilo* „*abeundi* selbst, oder, bei besonders erschwerenden Umständen, mit der Rele„gation, die dem Befinden nach zu schärfen ist, belegt werden."
3. „Insofern aber eine Verbindung mit Studirenden anderer Universitäten, zur Be„förderung verbotener Verbindungen, Briefe wechselt, oder durch Deputirte „communicirt, so sollen alle diejenigen Mitglieder, welche an dieser Correspon„denz einen thätigen Antheil genommen haben, mit der Relegation bestraft werden."
4. „Auch diejenigen, welche, ohne Mitglieder der Gesellschaft zu sein, dennoch „für die Verbindung thätig gewesen sind, sollen, nach Befinden der Umstände, „nach obigen Straf-Abstufungen bestraft werden."
5. „Wer wegen verbotener Verbindungen bestraft wird, verliert nach Umständen zu„gleich die akademischen Beneficien, die ihm aus öffentlichen Fonds-Kassen, oder „von Städten, Stiftern, aus Kirchenregistern u. s. w., verliehen sein möchten, „oder deren Genuss aus irgend einem andern Grunde an die Zustimmung der „Staats-Behörden gebunden ist. Desgleichen verliert er die seither etwa genos„sene Befreiung bei Bezahlung der Honorarien für Vorlesungen."

37 Maßnahmen gegen politische Verbindungen an den Universitäten

Ueber

ein sächsisches Eisenbahn-System

als Grundlage

eines allgemeinen

deutschen Eisenbahn-Systems

und insbesondere

über die Anlegung einer Eisenbahn

von

Leipzig nach Dresden.

Von

Fr. List,

Consul der Vereinigten Staaten für das Großherzogthum Baden.

Leipzig,

A. G. Liebeskind.

1833.

38/39 Friedrich List, der Vorkämpfer der deutschen Wirtschaftseinheit

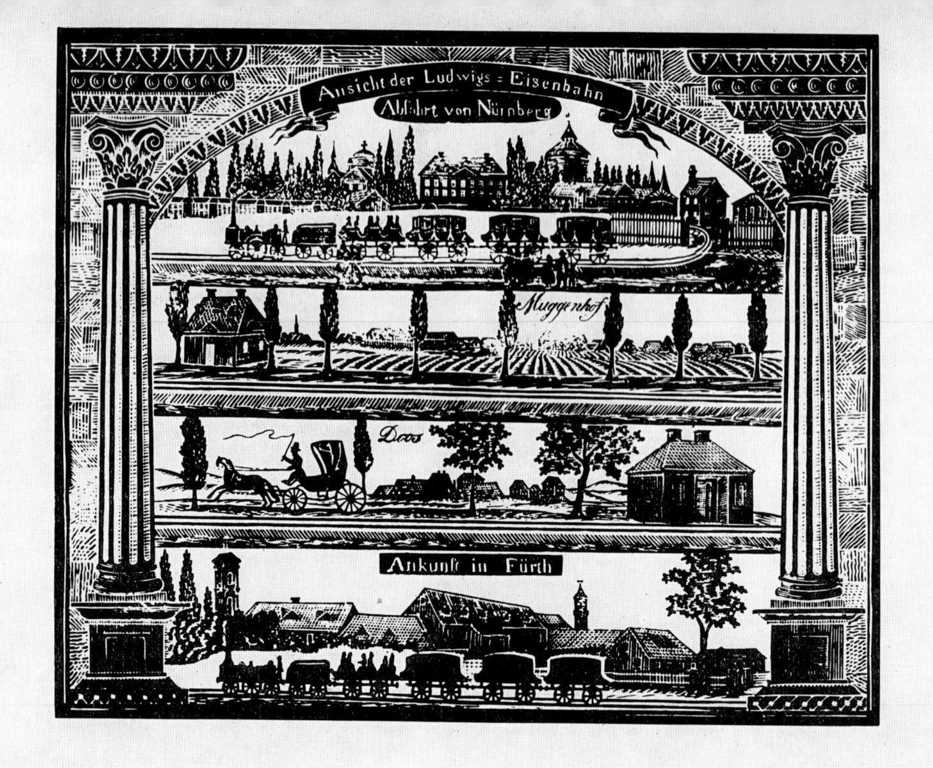

40 Die erste deutsche Eisenbahn, volkstümlicher Holzschnitt 1835

41 Erschließung moderner Verkehrswege

42 Das erste deutsche Dampfschiff

43 Maschinensaal einer Baumwollspinnerei um 1830

44 Eisengewinnung um 1830 im Puddelverfahren

45/46 Selbstdarstellung des frühindustriellen Unternehmers, Gemälde von Louis Krevel

47 Seifensiederwerkstatt

48 Frauenarbeit in einer Tabakfabrik um 1840

49 Kinderarbeit im Vormärz

50 Weberelend, Holzschnitt von Kubitz aus den 40er Jahren

51 Darstellung aus den Münchener »Fliegenden Blättern«

Das Elend in Schlesien.

Hunger und Verzweiflung.

Offizielle Abhülfe.

Erklärung

der

Menschen- und Bürgerrechte.

Art. 1. Der Zweck der Gesellschaft ist das Glück aller ihrer Glieder.

Art. 2. Um dieses Glück zu sichern, muß die Gesellschaft einem Jeden verbürgen:

Sicherheit der Person;

Die Mittel sich auf eine leichte Weise ein Auskommen zu verschaffen, welches ihm nicht nur die Bedürfnisse des Lebens, sondern auch eine des Menschen würdige Stellung in der Gesellschaft sichert;

Entwicklung seiner Anlagen;

Freiheit;

Widerstand gegen Unterdrückung.

Art. 3. Da alle Bürger, wie groß immer die Verschiedenheit ihrer Kräfte sein mag, ein gleiches Recht auf diese Zusicherung haben, so ist Gleichheit das Grundgesetz der Gesellschaft.

Art. 4. Die Sicherheit entspringt aus der Mitwirkung Aller zum Schutze der Person und der Rechte jedes Einzelnen und zur sichern Bestrafung dessen, der sie beeinträchtigt.

Art. 5. Das Gesetz schützt die öffentliche und persönliche Freiheit gegen die Unterdrückung derer, welche regieren. Es hält das Volk für gut, die Beamten für zugänglich dem Irrthum und der Verführung.

Art. 6. Niemand kann verfolgt, verhaftet, festgehalten oder angeklagt werden, als kraft eines vorherbestehenden Gesetzes und der hierin vorgeschriebenen Formen; jeder Befehl, jede Strenge, welche das Gesetz nicht erlaubt, kann mit Gewalt zurück gewiesen werden; die, welche dazu ermächtigen oder sie ausführen, sind schuldig und müssen somit bestraft werden.

Art. 7. Das Leben des Menschen ist heilig.

Art. 8. Die Strafen können keinen andern Zweck haben, als Verhütung der Verbrechen und die Besserung der Schuldigen; ihre Strenge darf nie die dringendste Nothwendigkeit überschreiten.

Art. 9. Niemand kann angeklagt oder verurtheilt werden, als auf Erklärung eines Geschwornengerichts.

Art. 10. Alle beweglichen und unbeweglichen Güter, seien sie im Gebiete des Staates belegen, oder von Mitgliedern desselben auswärts besessen, gehören der Gesellschaft an, welche allein durch Gesetze die Grenzen bestimmen kann, über die der Besitz des Einzelnen nicht hinausgehen darf.

Art. 11. Eigenthum ist das Recht, welches jeder Bürger auf den Genuß desjenigen Gütertheiles hat, der ihm vom Gesetze zugesichert ist.

52 Erklärung der Menschen- und Bürgerrechte des »Bundes der Geächteten«, 1834

53 *»Der Sieg des Bürgerthums oder der Kampf der neuen mit der alten Zeit«*, Allegorie

Ideen
über
Landstände.

Von

Karl von Rotteck,

Großherzogl. Bad. Hofrath und Professor der Rechte, der K. Bair. Academie in München korrespondirendem Mitglied.

Karlsruhe,
in der C. F. Müllerschen Hofbuchdruckerey
1819.

54 Karl von Rotteck, Theoretiker des Frühliberalismus

55 Robert von Mohl

56 Karl-Theodor Welcker

57 Johann August von Itzstein

58 Arnold Ruge

Maximilian Joseph

von GOTTES Gnaden

König von Baiern

x. x.

Von den hohen Regenten-Pflichten durchdrungen und geleitet — haben Wir Unsere bisherige Regierung mit solchen Einrichtungen bezeichnet, welche Unser fortgesetztes Bestreben, das Gesammt-Wohl Unserer Unterthanen zu befördern, beurkunden. — Zur festeren Begründung derselben haben Wir schon im Jahre 1808 — Unserem Reiche eine seinen damaligen äußern und innern Verhältnissen angemessenen Verfassung, in welcher Wir schon die Einführung einer ständischen Versammlung, als eines wesentlichen Bestandtheiles, aufgenommen haben. — Kaum hatten die großen seit jener Zeit eingetretenen Welt-Begebenheiten

59 Präambel der Bayerischen Verfassung von 1818

60 Die Zweite Badische Kammer, 1845

61 Die »Göttinger Sieben«

62 Volksversammlung auf dem Judenbühl in Nürnberg

63 Titelkupfer von Philipp Otto Runge zu »Des Knaben Wunderhorn«

64/65 Doppelporträt der Brüder Grimm, Herausgeber der »Kinder- und Hausmärchen«. Zeichnung und Kupfer von Ludwig Grimm

MONVMENTA

GERMANIAE

HISTORICA

INDE AB ANNO CHRISTI QVINGENTESIMO
VSQVE AD ANNVM MILLESIMVM
ET QVINGENTESIMVM

A V S P I C I I S

SOCIETATIS APERIENDIS FONTIBVS
RERVM GERMANICARVM MEDII AEVI

66 Titelblatt des ersten Bandes der »Monumenta Germaniae Historica«, Hannover 1826

67 Steins Entwurf der Statuten der Gesellschaft für ältere deutsche Geschichtskunde, 1819

Es bildet sich ein Verein zur Beförderung
einer Gesamt Ausgabe der Quellen Schriftsteller
deutscher Geschichten des Mittelalters, der seinen
Sitz in Frankfurt hat.
Die Mitglieder des Vereins verbinden
sich jenen Zweck zu befördern
theils durch Geldbeiträge,
theils durch eine dem festgesetzten Plane
gemäße Bearbeitung der Quellen Schriftsteller

68 Das Kölner Dombaufest am 14. August 1848

69/70/71 Heinrich Heine, Georg Herwegh, Ludwig Börne

Der Hessische Landbote.

Erste Botschaft.

Darmstadt, im Juli 1834.

Vorbericht.

Dieses Blatt soll dem hessischen Lande die Wahrheit melden, aber wer die Wahrheit sagt, wird gehenkt, ja sogar der, welcher die Wahrheit liest, wird durch meineidige Richter vielleicht gestraft. Darum haben die welchen dies Blatt zukommt, folgendes zu beobachten:

1) Sie müssen das Blatt sorgfältig außerhalb ihres Hauses vor der Polizei verwahren;
2) sie dürfen es nur an treue Freunde mittheilen;
3) denen, welchen sie nicht trauen, wie sich selbst, dürfen sie es nur heimlich hinlegen;
4) würde das Blatt dennoch bei Einem gefunden, der es gelesen hat, so muß er gestehen, daß er es eben dem Kreisrath habe bringen wollen;
5) wer das Blatt nicht gelesen hat, wenn man es bei ihm findet, der ist natürlich ohne Schuld.

Friede den Hütten! Krieg den Pallästen!

Im Jahr 1834 siehet es aus, als würde die Bibel Lügen gestraft. Es sieht aus, als hätte Gott die Bauern und Handwerker am 5ten Tage, und die Fürsten und Vornehmen am 6ten gemacht, und als hätte der Herr zu diesen gesagt: Herrschet über alles Gethier, das auf Erden kriecht, und hätte die Bauern und Bürger zum Gewürm gezählt. Das Leben der Vornehmen ist ein langer Sonntag, sie wohnen in schönen Häusern, sie tragen zierliche Kleider, sie haben feiste Gesichter und reden eine eigne Sprache; das Volk aber liegt vor ihnen wie Dünger auf dem Acker. Der Bauer geht hinter dem Pflug, der Vornehme aber geht hinter ihm und dem Pflug und treibt ihn mit den Ochsen am Pflug, er nimmt das Korn und läßt ihm die Stoppeln. Das Leben des Bauern ist ein langer Werktag; Fremde verzehren seine Aecker vor seinen Augen, sein Leib ist eine Schwiele, sein Schweiß ist das Salz auf dem Tische des Vornehmen.

Im Großherzogthum Hessen sind 718,373 Einwohner, die geben an den Staat jährlich an 6,363,364 Gulden, als

1) Direkte Steuern	2,128,131	fl.
2) Indirecte Steuern	2,478,264	„
3) Domänen	1,547,394	„
4) Regalien	46,938	„
5) Geldstrafen	98,511	„
6) Verschiedene Quellen	64,198	„
	6,363,363	fl.

Dies Geld ist der Blutzehnte, der von dem Leib des Volkes genommen wird. An 700,000 Menschen schwitzen, stöhnen und hungern dafür. Im Namen des Staates wird es erpreßt, die Presser berufen sich auf die Regierung und die Regierung sagt, das sey nöthig die Ordnung im Staat zu erhalten. Was ist denn nun das für gewaltiges Ding: der Staat? Wohnt eine Anzahl Menschen in einem Land und es sind Verordnungen oder Gesetze vorhanden, nach denen jeder sich richten muß, so sagt man, sie bilden einen Staat. Der Staat also sind Alle; die Ordner im Staate sind die Gesetze, durch welche das Wohl Aller gesichert wird, und die aus dem Wohl Aller hervorgehen sollen. — Seht nun, was man in dem Großherzogthum aus dem Staat gemacht hat; seht was es heißt: die Ordnung im Staate erhalten!

72/73 Erste Seite des »Hessischen Landboten« von Georg Büchner

74 Das Hambacher Fest 1832

75 Jakob Siebenpfeiffer

76 Johann Georg August Wirth

77 Auf dem Hambacher Fest verteiltes Los

78 Sängerfest auf der Luisenburg bei Wunsiedel

Jahnus.

In Frankfurt.

„Eine Verschwörung der berüchtigsten Wühler ist im vollen Gange."

In Hanau.

„Auf, deutsche Männer, wir müssen Alles umwerfen!"

79 Karikatur auf Friedrich Ludwig Jahn

80 Schmuckblatt des Rheinliedes von Nicolaus Becker

Griechenlands Befreyung vom Türkenjoche.
Ietzt oder nie! – Des Schicksals Würfel liegen;
Ietzt gilt es, sterben oder siegen;
Euch ruft das Vaterland.
Ergreift die Waffen, Söhne der Hellenen!
Ein schöner Sieg wird eure Thaten krönen,
Des Nachruhms Unterpfand.
Ietzt oder nie — zerbrecht die Sclavenketten.
Setzt alles dran die Freiheit euch zu retten,
Des Lebens höchstes Gut.
Hoch aufgelodert sind der Rache Flammen
Sie schlagen über Mahmeds Tron zusammen,
Löscht sie mit Türkenblut.
Auf Stambuls Wälle pflanzt das Glaubenszeichen!
Der Halbmond muß dem Kreuze weichen,
Dem Griechen der Barbar.
Und wären ihrer auch wie Sand am Meere,
Euch bleibt der Sieg, Gott ist mit eurem Heere,
Drum ruhig, tapfre Schaar!

81 Flugblatt zum griechischen Freiheitskampf

82 Flugblatt zum polnischen Freiheitskampf

Die Forderungen des Volkes.

Unsere Versammlung von entschiedenen Freunden der Verfassung hat stattgefunden. Niemand kann derselben beigewohnt haben, ohne auf das Tiefste ergriffen und angeregt worden zu sein. Es war ein Fest männlicher Entschlossenheit, eine Versammlung, welche zu Resultaten führen muß. Jedes Wort, was gesprochen wurde, enthält den Vorsatz und die Aufforderung zu thatkräftigem Handeln. Wir nennen keine Namen und keine Zahlen. Diese thun wenig zur Sache. Genug, die Versammlung, welche den weiten Festsaal füllte, eignete sich einstimmig die in folgenden Worten zusammengefaßten Besprechungen des Tages an:

Die Forderungen des Volkes in Baden:

I. Wiederherstellung unserer verletzten Verfassung.

Art. 1. Wir verlangen, daß sich unsere Staatsregierung lossage von den Karlsbader Beschlüssen vom Jahr **1819**, von den Frankfurter Beschlüssen von **1831** und **1832** und von den Wiener Beschlüssen von **1834**. Diese Beschlüsse verletzen gleichmäßig unsere unveräußerlichen Menschenrechte wie die deutsche Bundesakte und unsere Landesverfassung.

Art. 2. Wir verlangen Preßfreiheit; das unveräußerliche Recht des menschlichen Geistes, seine Gedanken unverstümmelt mitzutheilen, darf uns nicht länger vorenthalten werden.

Art. 3. Wir verlangen Gewissens- und Lehrfreiheit. Die Beziehungen des Menschen zu seinem Gotte gehören seinem innersten Wesen an, und keine äußere Gewalt darf sich anmaßen, sie nach ihrem Gutdünken zu bestimmen. Jedes Glaubensbekenntniß hat daher Anspruch auf gleiche Berechtigung im Staate.

Keine Gewalt dränge sich mehr zwischen Lehrer und Lernende. Den Unterricht scheide keine Confession.

Art. 4. Wir verlangen Beeidigung des Militärs auf die Verfassung.

Der Bürger, welchem der Staat die Waffen in die Hand gibt, bekräftige gleich den übrigen Bürgern durch einen Eid seine Verfassungstreue.

Art. 5. Wir verlangen persönliche Freiheit.

Die Polizei höre auf, den Bürger zu bevormunden und zu quälen. Das Vereinsrecht, ein frisches Gemeindeleben, das Recht des Volkes sich zu versammeln und zu reden, das Recht des Einzelnen sich zu ernähren, sich zu bewegen und auf dem Boden des deutschen Vaterlandes frei zu verkehren — seien hinfüro ungestört.

II. Entwickelung unserer Verfassung.

Art. 6. Wir verlangen Vertretung des Volks beim deutschen Bunde.

Dem Deutschen werde ein Vaterland und eine Stimme in dessen Angelegenheiten. Gerechtigkeit und Freiheit im Innern, eine feste Stellung dem Auslande gegenüber gebühren uns als Nation.

Art. 7. Wir verlangen eine volksthümliche Wehrverfassung. Der waffengeübte und bewaffnete Bürger kann allein den Staat schützen.

Man gebe dem Volke Waffen und nehme von ihm die unerschwingliche Last, welche die stehenden Heere ihm auferlegen.

Art. 8. Wir verlangen eine gerechte Besteuerung.

Jeder trage zu den Lasten des Staates nach Kräften bei. An die Stelle der bisherigen Besteuerung trete eine progressive Einkommensteuer.

Art. 9. Wir verlangen, daß die Bildung durch Unterricht allen gleich zugänglich werde.

Die Mittel dazu hat die Gesammtheit in gerechter Vertheilung aufzubringen.

Art. 10. Wir verlangen Ausgleichung des Mißverhältnisses zwischen Arbeit und Capital.

Die Gesellschaft ist schuldig die Arbeit zu heben und zu schützen.

Art. 11. Wir verlangen Gesetze, welche freier Bürger würdig sind und deren Anwendung durch Geschwornengerichte.

Der Bürger werde von dem Bürger gerichtet. Die Gerechtigkeitspflege sei Sache des Volkes.

Art. 12. Wir verlangen eine volksthümliche Staatsverwaltung.

Das frische Leben eines Volkes bedarf freier Organe. Nicht aus der Schreibstube lassen sich seine Kräfte regeln und bestimmen. An die Stelle der Vielregierung der Beamten trete die Selbstregierung des Volkes.

Art. 13. Wir verlangen Abschaffung aller Vorrechte.

Jedem sei die Achtung freier Mitbürger einziger Vorzug und Lohn.

Offenburg, 12. September 1847.

84 Sturm auf das Palais Royal am 24. Februar 1848

85 Zerstörung der Mariahilfer Linie in Wien am 13. März 1848

86 Angriff der Kavallerie auf das Volk vor dem Schloß in Berlin am 18. März 1848

87 Sturm auf das Berliner Zeughaus am 14. Juni 1848

88 Hungerkrawall in Stettin, 1847

89 Der Brand des Schlosses Waldenburg am 5. April 1848

Beschlüsse

des

Arbeiter-Kongresses.

Erster Theil.

Statut für die Organisation der Arbeiter.

I. Die Lokal-Komites für Arbeiter.

§. 1. Es bilden die verschiedenen Gewerke und Arbeitergemeinschaften im weitesten Sinne des Worts Vereinigungen und wählen, je nach dem Verhältniß ihrer Zahl, Vertreter zu einem Lokal-Komite für Arbeiter. Für Gewerke, welche vereinzelt dastehen, dürfte der Kreis Vereinigungen bieten.

§. 2. Diejenigen Arbeiter, welche noch keine Gemeinschaften bilden, haben sich ebenfalls zu vereinigen und Vertreter zu wählen, z. B. die Eisenbahnarbeiter ꝛc.

§. 3. Das Lokal-Komite hat die Verpflichtung, a) regelmäßige Versammlungen der Arbeiter zu veranlassen; b) die Bedürfnisse und Uebelstände der Arbeiter in ihren Orten oder Kreisen genau zu erforschen und auf Abhülfe derselben hinzuwirken; c) aus sich einen Ausschuß zu wählen, der die Geschäfte leitet, bestehend aus 1 Vorsitzenden, 1 Beisitzer, 2 Schreibern, 1 Kassirer und 2 Kassenaufsehern.

§. 4. Die Lokal-Komites verschiedener Orte stehen mit einander in Verbindnng und zwar a) indem sie sich in kleinere oder größere Bezirke ordnen und für alle ein Bezirks-Komite bilden; b) durch briefliche Mittheilungen, welche sie an das Bezirks-Komite zur Beförderung an die einzelnen Lokal-Komites und an das Central-Komite machen; c) durch Absendung von Abgeordneten zu den Bezirksversammlungen und der vom Central-Komite ausgeschriebenen Generalversammlung für ganz Deutschland.

II. Die Bezirks-Komites

§. 5 haben vorläufig ihren Sitz in folgenden Städten: Danzig, Königsberg, Stettin, Cöln, Bielefeld, Frankfurt, Hamburg, Stutt-

91 Einzug des Vorparlaments in die Paulskirche am 30. März 1848

Forderungen
des deutschen Volkes.

Allgemeine Volksbewaffnung mit freier Wahl der Offiziere.

Ein deutsches Parlament, frei gewählt durch das Volk. Jeder deutsche Mann, sobald er das 21ste Jahr erreicht hat, ist wahlfähig als Urwähler und wählbar zum Wahlmann. Auf je 1000 Seelen wird ein Wahlmann ernannt, auf je 100,000 Seelen ein Abgeordneter zum Parlament. Jeder Deutsche, ohne Rücksicht auf Rang, Stand, Vermögen und Religion kann Mitglied dieses Parlaments werden, sobald er das 25ste Lebensjahr zurückgelegt hat. Das Parlament wird seinen Sitz in Frankfurt haben und seine Geschäfts-Ordnung selbst entwerfen.

Unbedingte Preßfreiheit.

Vollständige Religions-, Gewissens- und Lehrfreiheit.

Volksthümliche Rechtspflege mit Schwurgerichten.

Allgemeines deutsches Staatsbürger-Recht.

Gerechte Besteuerung nach dem Einkommen.

Wohlstand, Bildung und Unterricht für Alle.

Schutz und Gewährleistung der Arbeit.

Ausgleichung des Mißverhältnisses von Kapital und Arbeit.

Volksthümliche und billige Staats-Verwaltung.

Verantwortlichkeit aller Minister und Staatsbeamten.

Abschaffung aller Vorrechte.

Das Guckkasten-Lied vom großen Hecker.

(Nach bekannter Melodei zu singen.)

1.

Seht, da steht der große Hecker,
Eine Feder auf dem Hut,
Seht, da steht der Volkserwecker,
Lechzend nach Tyrannenblut!
Wasserstiefeln, dicke Sohlen,
Säbeln trägt er und Pistolen,
Und zum Peter sagte er:
„Peter sei du Statthalter!“

2.

„Peter“, sprach er, „du regiere
„Constanz und den Bodensee,
„Ich zieh' aus und commandire
„Unsre tapfre Arimée;
„Mit Polacken und Franzosen
„Wird der Herwegh zu mir stoßen,
„Und der stirbt lebendig eh'r,
„Als daß er ein Hundsfott wär'.“

Pflästerer und Schieferdecker,
Alles, niederig und hoch,
Alles jauchzte unserm Hecker,
Als er aus zum Kampfe zog.
Handwerksburschen, Literaten,
Tailleurs, Bauern, Advokaten,
Alles folgte rasch dem Zug,
Als er seine Trommel schlug.

Rumbidibum, so hört' man's schlagen,
Rumbidibum Dumdumdumbum;
Und bei Straf' ließ Weißhaar sagen
Rings im ganzen Land herum:
„Thut euch schnell zusammenraffen,
„Gebt mir Mannschaft, Pferde, Waffen,
„Oder ich bring' Alles um;
„Rumbidibum Dumdumdumbum.“

5.

Durch die Baar that man jetzt wandern,
Und hernach in's Wiesenthal,
Und daselbst stieß man bei Kandern
Auf Soldaten ohne Zahl.
Edler Gagern, wackre Hessen,
Wollt ihr euch mit Hecker messen?
Gagern, du kommst nicht zurück,
Vivat hoch die Republik!

6.

Gagern wollt' parlamentiren,
Doch das ist nicht Hecker's Art;
„Ich, sprach er, „soll retiriren,
„Ich mit meinem rothen Bart!?“ —
Ach! nun hört' man Schüsse knallen,
General Gagern sah man fallen —
Und der tapf're Hinckeldey
Saß zu Pferde auch dabei.

7.

Und als Gagern war gefallen,
Fing man leider auf dem Rhein,
Zur Bekümmerniß uns Allen,
Unsern edeln Struwel ein;
Man that ihn in Eisen legen,
Aber von des Heckers wegen
Ließ der Oberamtmann Schey
Den Gefang'nen wieder frei.

8.

Kaiser, Weishaar, Struwel, Peter,
Alle trieb man allbereits
Gleichsam als wie Uebelthäter
In die schöne, freie Schweiz.
Doch der Peter, der kam wieder,
Legt die Statthalterschaft nieder,
„Denn, sprach er, ich werde alt,
„Und verlier' sonst mein' Gehalt.“

9.

Hecker, sag, wo bist du, Hecker?
Legst die Hände in den Schooß?
Auf nun, du Tyrannenschrecker,
Jetzt geht es auf Freiburg los.
Badner, Hessen und Nassauer
Stehen dorten auf der Lauer.
Doch wir kommen schon hinein,
Denn neutral will Freiburg sein.

10.

All die schönen Stadtkanonen,
Großer Hecker, sie sind dein;
Und man ladet blaue Bohnen
Nebst Kartätschen schnell hinein.
Langsdorf will recognosciren,
Läßt sich auf den Münster führen,
Und guckt durch ein Perspektiv,
Ob es gut geht oder schief.

11.

Oben her vom Güntersthale,
Hinter Wald und Hecken vor,
Kam im Sturm mit einem Male,
Siegel's wildes, tapf'res Corps.
Aber uns're Hessenschützen
Ließen ihre Büchsen blitzen,
Und das Corps zog sich zurück,
Aus war's mit der Republik!

12.

Denn hinein zu allen Thoren
Stürmte jetzt das Militär,
Und die Freischaar war verloren
Trotz der tapfern Gegenwehr;
Alle, die sich blicken ließen,
That das Militär erschießen;
Alle Führer gingen durch,
Und erobert war Freiburg.

13.

Doch nun kamen Herwegh's Schaaren,
Er und seine Frau kam nach,
Kamen in der Chais gefahren
Auf ihrem Weg nach Dossenbach.
Doch zu ihrem großen Aerger
Sah man dort die Würtemberger;
Miller, dieser grobe Schwab,
Kam von einem Berg herab.

14.

Hecker's Geist und Schimmelpfennig
Machten da den Schwaben warm:
Herwegh sah's, er fuhr einspännig,
Und es fuhr ihm in den Darm.
Unter seinem Spritzenleder
Forcht' er sich vor'm Donnerwetter;
Heiß fiel es dem Herwegh bei,
Daß der Hinweg besser sei.

15.

„Ach, Madamchen, that er sagen,
„Aus ist's mit der Republik!
„Soll ich Narr mein Leben wagen?
„Nein! für jetzt nur schnell zurück!
„Laß für meinen Kopf uns sorgen,
„Komm' ich heut nicht, komm' ich morgen;
„Ach, wie kneipt's mich in den Leib,
„Wende um, mein liebes Weib!“

16.

Und Madam hieß ihn verkriechen
Sich in ihren treuen Schooß,
Denn er konnt' kein Pulver riechen,
Und es ging erschrecklich los;
Schimmelpfennig ward erstochen,
Manche Sense ward zerbrochen,
Und erschossen mancher Mann,
Die ich nicht all nennen kann.

17.

Also ist's in Baden gangen;
Was nicht fiel und nicht entfloh,
Ward vom Militär gefangen,
Liegt zu Bruchsal auf dem Stroh
Ich, ein Spielmann bei den Hessen,
Der kann Baden nicht vergessen,
Der den Feldzug mitgemacht,
Habe dieses Lied erdacht.

93 Volkstümliches Flugblatt auf Friedrich Hecker

94 Wahlversammlung des Berliner Politischen Clubs am 20. April 1848

95 Gedenkmünze zur Eröffnung der Nationalversammlung

96 Bayerische Wahlmännerliste 1848

Verzeichniß der Wahlmänner,

welche in den 5 Urwahl-Bezirken der Vorstadt Au zur Wahl der Abgeordneten für die allgemeine Volks-Vertretung am teutschen Bunde mit absoluter Stimmen-Mehrheit erwählt worden sind.

1. Herr Alexander Moser, rechtsk. Stadtschreiber.
2. „ Dr. Franz X. König, praktischer Arzt.
3. „ Joseph Simmet, Pelzwaarenhändler.
4. „ Joseph Hopf, Magistrats-Offiziant.
5. „ Franz X. Keller, Landarzt.
6. „ Martin Pögl, Tafernwirth.
7. „ Sebastian Witt, Apotheker.
8. „ Johann Köpel, Kupferschmiedmeister.
9. „ Joseph Vitzthum, Schneidermeister.
10. „ Johann Nepomuck Ertl, Zimmermeister.
11. „ van Mecheln, kgl. Landrichter.
12. „ Dr. Fürst, praktischer Arzt.
13. „ Matthäus Kluftinger, Mannheimerkoch.
14. „ von Stegmayr, Leihhausinhaber.
15. „ Jakob Erlinger, Bierwirth.
16. „ Johann Schoder, Schuhmachermeister.
17. „ Leonhard Rippolt, Glasermeister.
18. „ Georg Reis, Schullehrer.
19. „ Sebastian Erhardt, Krämer.
20. „ Michael Wagnmiller, Spießmüller.

Au, den 26. April 1848.

Die Wahl-Commission.

van Mecheln, k. Landrichter. Moser, rechtsk. Stadtschreiber.
Ertl, Magistrats-Rath. Betz, Magistrats-Rath. Köpel, Magistrats-Rath.

97 Eröffnung der Nationalversammlung in der Paulskirche am 18. Mai 1848

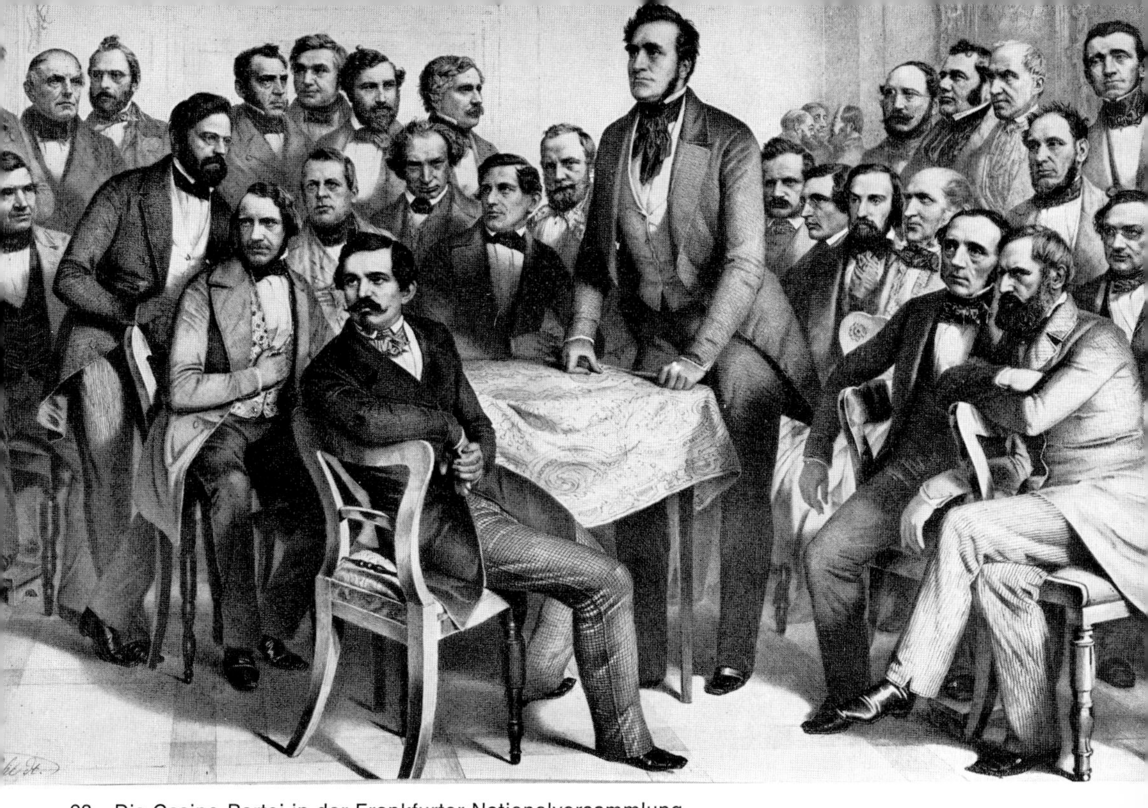

98 Die Casino-Partei in der Frankfurter Nationalversammlung

99 Die Linke in der Nationalversammlung

100 Demokraten-Versammlung in Berlin, 1848

Sitzung v. 24 Juni.
Ein kühner Griff.
Sitzung v. 26 October.
Ein mifs Griff.

101 Karikatur auf Gagerns »kühnen Griff«

102 Karikatur auf die Fülle der Anträge in der Nationalversammlung

Der Antragfabrikant.
Pedell: Aber um Gotteswillen was bringen Sie heute wieder einen Wagen voll Anträge
Antragsteller: Oho! Das ist noch gar nichts, wenn wir erst an die Verfassung kommen, da folgen noch ganz andere Partien.

103 Einzug des Reichsverwesers Erzherzog Johann in Frankfurt am Main am 11. Juli 1848

An das deutsche Volk.

Deutsche! Eure in Frankfurt versammelten Vertreter haben mich zum deutschen Reichsverweser erwählt.

Unter dem Zurufe des Vertrauens, unter den Grüßen voll Herzlichkeit, die mich überall empfingen, und die mich rührten, übernahm ich die Leitung der provisorischen Centralgewalt für unser Vaterland.

Deutsche! nach Jahren des Druckes wird Euch die Freiheit voll und unverkürzt. Ihr verdient sie, denn Ihr habt sie muthig und beharrlich erstrebt. Sie wird Euch nimmer entzogen, denn Ihr werdet wissen sie zu wahren.

Eure Vertreter werden das Verfassungswerk für Deutschland vollenden. Erwartet es mit Vertrauen. Der Bau will mit Ernst, mit Besonnenheit, mit ächter Vaterlandsliebe geführt werden. Dann aber wird er dauern, fest wie Eure Berge.

Deutsche! Unser Vaterland hat ernste Prüfungen zu bestehen. Sie werden überwunden werden. Eure Straßen, Eure Ströme werden sich wieder beleben, Euer Fleiß wird Arbeit finden, Euer Wohlstand wird sich heben, wenn Ihr vertrauet Euren Vertreten, wenn Ihr mir vertraut, den Ihr gewählt, um mit Euch Deutschland einig, frei und mächtig zu machen.

Aber vergeßt nicht, daß die Freiheit nur unter dem Schirme der Ordnung und Gesetzlichkeit wurzelt. Wirkt mit mir dahin, daß diese zurückkehren, wo sie gestört wurden. Dem verbrecherischen Treiben und der Zügellosigkeit werde ich mit dem vollen Gewichte der Gesetze entgegentreten. Der deutsche Bürger muß geschützt seyn gegen jede strafbare That.

Deutsche! Laßt mich hoffen, daß sich Deutschland eines ungestörten Friedens erfreuen werde. Ihn zu erhalten ist meine heiligste Pflicht.

Sollte aber die deutsche Ehre, das deutsche Recht gefährdet werden, dann wird das tapfere deutsche Heer für das Vaterland zu kämpfen und zu siegen wissen.

Frankfurt am Main, den 15. Juli 1848.

Der Reichsverweser

Erzherzog Johann.

Die Reichsminister

Schmerling. Peucker. Heckscher.

Druck von Benjamin Krebs

104 Proklamation des Reichsverwesers nach der Übernahme der provisorischen Zentralgewalt

105 Stürmische Debatte in der Frankfurter Nationalversammlung am 5. September 1848

106 Karikatur auf die Annahme des Waffenstillstands von Malmö

Politisches Wochenblatt.

№ 7.

Gera, Mittwoch, den 23. August 1848.

Die Republik.

Der Kampf zwischen Aristokratie und Demokratie ist besonders seit Kurzem seinem Endpunkte bedeutend nahe gerückt. Das Parlament in Frankfurt a. M. hat sich des Vertrauens der deutschen Nation in seiner Mehrheit unwürdig gezeigt, indem es dem Volke einen unverantwortlichen Reichsverweser gab und die Militärmacht um Hunderttausende vermehrte. Das Parlament in Frankfurt hat die Rechte des Volkes verletzt, indem es bei den Mannheimer und Mainzer Vorfällen die Partei der Regierung ergriff. Das Parlament in Frankfurt hat endlich die Ehre Deutschlands nicht gewahrt, indem es Oesterreich die Hand zur Unterdrückung eines freiheitliebenden Volkes bot. Bricht daher das Gebäude, das das deutsche Volk in Frankfurt errichtete, zusammen, so wird sich Deutschland nicht wundern, denn der Grund, auf dem es ruhte, ist verschwunden.

Als das deutsche Volk seine Vertreter nach Frankfurt sandte, da übertrug es die den Fürsten „angestammte" Majestät auf seine Abgeordneten, da hoffte es, daß sie in Wort und That im Sinne der Nation handelten, daß die Versammlung der Auserwählten ihre Sendung pünktlich erfüllen, und, auf der Hochwacht sitzend, die blutig errungenen Freiheiten wahren werde. Aber die Männer in der Paulskirche sie wollten den Zweck ihrer Sendung nicht erkennen, sie verließen ihre Posten und übertrugen die ihnen vom Volke anvertrauten Rechte einer Centralgewalt, an deren Spitze sie einen sogenannten unverantwortlichen Reichsverweser stellten.

Und als das Volk darüber murrte, da vermehrte die Nationalversammlung die Zahl der Soldateska von 400 auf 900,000 Mann, es vermehrte sie, sich und den Fürsten Deutschlands zum Schutze, gegen die Souveränität des deutschen Volkes.

Aber das Volk weiß seine Souveränität zu wahren, es wacht, wenn auch seine Vertreter schlafen, und es ist entschlossen, wenn es darauf ankömmt, mit den Waffen in der Hand seine Majestät aufrecht zu erhalten. Als in den Jahren 1790—93 der Absolutismus Frankreich den Untergang geschworen hatte, da tönte der Ruf: „Das Vaterland ist in Gefahr" durch Frankreichs Gefilden, und Frankreich — siegte. Auch bei uns wird einst dieser Ruf ertönen und Deutschlands Söhne sie werden Gut und Blut der Freiheit zum Opfer bringen und — sie werden siegen. Der in Frankfurt neu, wenn auch unter einem andern Namen errichtete Bundestag mag beschließen was er will, das deutsche Volk wird sich nicht zum zweiten Male täuschen lassen.

Als die deutsche Nation im März sich erhob, da mußten ihr die Fürsten die so lange vorenthaltenen Constitutionen geben; aber die Fürsten achteten die damit errungenen Rechte nicht und ein großer Theil unsers Volkes verlangt jetzt eine neue Constitution, und diese Constitution, nennt sich „Republik." Hätten die Fürsten den Bitten des gutmüthigen Volkes, Gehör gegeben, wahrlich, der Ruf nach Republik wäre längst im Keime erstickt, aber die Geschichte unseres Vaterlandes zeigt deutlich, daß viele Fürsten Deutschlands eher ihr Volk zu Grunde richten lassen, als daß sie einige ihrer Privilegien, die sie von Gottes Gnaden besitzen wollen, abtreten.

Wenn oben die Centralgewalt moderner Bundestag genannt wurde, so beruht dies auf dem

107 Titelblatt des »Politischen Wochenblatts« mit einem gegen die Nationalversammlung gerichteten Artikel

108 Österreichische und preußische Truppen werfen den Frankfurter Septemberaufstand nieder

109 Gustav von Struve ruft vom Lörracher Rathaus die Deutsche Republik aus

Deutsche Republik!

Wohlstand, Bildung, Freiheit für Alle.

Im Namen des deutschen Volkes verfügt die provisorische Regierung Deutschlands wie folgt:

Art. 1. Sämmtliche auf dem Grund und Boden haftende mittelalterliche Lasten, so wie sämmtliche mittelalterliche persönliche Dienste, Zehnten, Gülten, Frohnden, und welchen Namen sie sonst tragen, sind ohne alle Entschädigung sofort abgeschafft. Alle Ablösungsschuldigkeiten für solche Lasten werden ebenfalls getilgt.

Art. 2. Sämmtliche bisher an den Staat, die Kirche und die adeligen Grundherren bezahlten Abgaben hören von diesem Tage auf; eine das Einkommen des Unbemittelten nicht berührende progressive Einkommensteuer tritt an die Stellen sämmtlicher bisherigen Abgaben; nur die an den Grenzen Deutschlands erhobenen Zölle bleiben für's Erste bestehen.

Art. 3. Sämmtliches Grundeigenthum des Staats, der Kirche und der auf Seite der Fürsten kämpfenden Staatsbürger geht provisorisch, unter Vorbehalt späterer Ausgleichungen, an die Gemeinden über, in deren Gemarkung es liegt.

Art. 4. Um alle in den vorstehenden Artikeln enthaltenen Erleichterungen zu sichern, wird eine allgemeine Erhebung des Volkes angeordnet.

Alle waffenfähigen Männer von vollendetem achzehntem bis zum vollendeten vierzigsten Jahre ergreifen die Waffen zur Rettung des bedrohten Vaterlandes.

Von heute an herrscht das Kriegsgesetz, bis das deutsche Volk seine Freiheit errungen haben wird.

Im Namen der provisorischen Regierung Deutschlands

G. Struve.

Der Schriftführer:

Karl Blind.

Hauptquartier Lörrach am ersten Tag der deutschen Republik, am einundzwanzigsten September 1848.

Aufruf Struves vom 21. September 1848

111 Erschießung Robert Blums in der Brigittenau bei Wien am 9. November 1848

112 Brand der Wiener Bibliothek nach der Einnahme der Stadt durch die Truppen von Windischgrätz

„Das ist immer das Unglück der Könige gewesen, daß sie die Wahrheit nicht hören wollen!“

Der König hat die mit Ueberreichung der bereits bekannten Adresse von der National-Versammlung beauftragte Deputation empfangen. Nach Verlesung derselben faltete der König die Adresse zusammen und wandte sich mit kurzer Verbeugung zum Fortgehen. Als nun der Präsident Unruh das Wort zu ergreifen zauderte, trat der Abgeordnete Jacobi vor und sprach dem, der Deputation in der Adresse ausdrücklich ertheilten Auftrage zufolge, die Worte:

„Majestät! Wir sind nicht blos hierher gesandt, um eine Adresse „zu überreichen, sondern auch, um Ew. Majestät mündlich über „die wahre Lage des Landes Auskunft zu geben. Gestatten Ew. „Majestät daher —

hier unterbrach der König mit dem Worte:

„Nein!!“

Jacobi entgegnete:

„Das ist immer das Unglück der „Könige gewesen, daß sie die Wahr„heit nicht hören wollen!“

Der König entfernte sich.

Der Abgeordnete Jacobi hat sich hierdurch den Dank des gesammten Vaterlandes verdient. Möge er und seine Freunde in diesem hochwichtigen Augenblicke nicht nachlassen, die in Wien wie in Berlin bedrohte Sache des Volkes und der Wahrheit zu vertreten, dann werden alle ihm mit Gut und Blut zur Seite stehen, um endlich eine von Fürstenlaune unabhängige Grundlage der Volksfreiheit und des Volksglückes zu erlangen!

Berlin, den 3. November 1848.

Der democratische Club.

113 Flugblatt des Demokratischen Clubs in Berlin, November 1848

114 Die gewaltsame Auflösung der preußischen Nationalversammlung am 14. November 1848

115 *»Neue Wrangel'sche Straßenreinigungsmaschine«*: Karikatur auf den Einmarsch Wrangels in Berlin

116 Bürgerwehr schießt auf aufständische Arbeiter am 16. Oktober 1848 in Berlin

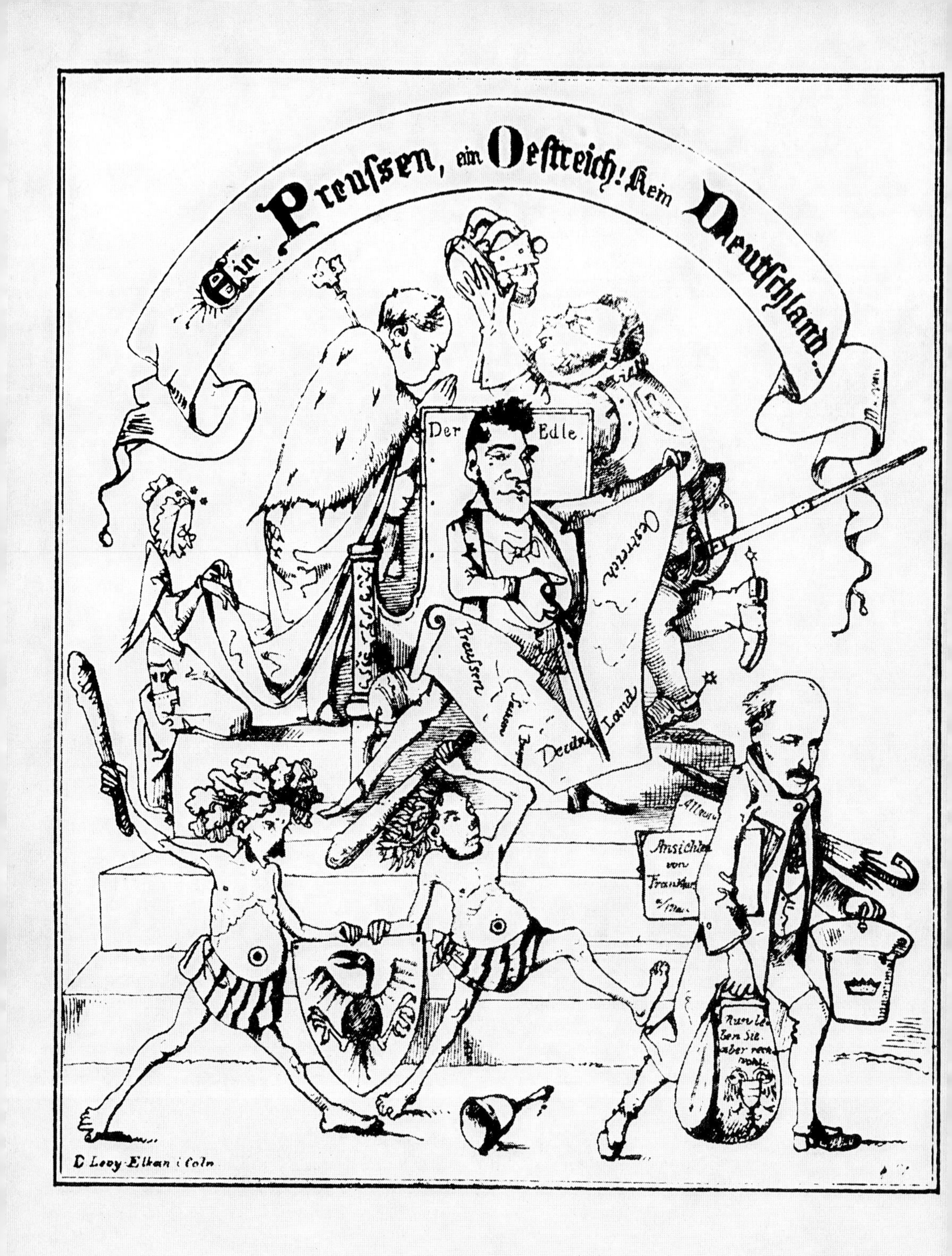

117 *»Die Folgen des Gagern'schen Programms«:* Zeitgenössische Karikatur

118 Medaille auf die Wahl Friedrich Wilhelms IV. von Preußen zum »Kaiser der Deutschen«

119 Friedrich Wilhelm IV. empfängt die »Kaiserdeputation« der Nationalversammlung, 2. April 1849

120 *»Wat heulst'n kleener Hampelmann?« – »Ick habe Ihr'n Kleenen 'ne Krone geschnitzt, nu will er se nich!«* (Heinrich von Gagern und Germania)

121 Einzug pfälzischer Freischaren in Karlsruhe, Mai 1849

122 Aufruf der Heidelberger Bürgerwehr zur Verteidigung der Reichsverfassung 1849

Feierliche öffentliche Erklärung der Heidelberger Bürgerwehr am 8. Mai 1849.

Wir, die hier versammelten sämmtlichen Bürgerwehrmänner der Stadt Heidelberg, erklären aus eigenem Antrieb, und freiem Willen, öffentlich und feierlichernst, daß wir die, von der deutschen verfassungsgebenden National=Versammlnng in Frankfurt a. M. geschaffene, und bekannt gemachte deutsche Reichsverfassung samt den Grundrechten und dem Wahlgesetz nicht nur für ganz Deutschland verbindlich anerkennen, sondern denselben auch allgemeine Geltung zu verschaffen jeder Zeit bereit sind, und sie mit allen Kräften gegen alle hochverrätherische Pläne und Umtriebe, sie verfassungswidrig irgendwie abzuändern oder gar zu verdrängen, mag ein solches Beginnen kommen von wem oder von welcher Seite und unter welchem Vorwande es wolle, mit Leib und Leben, Gut und Blut zu schützen und zu vertheidigen. Obgleich wir diese Verfassung nur als das geringste Maß gerechter Forderungen ansehen, so begrüßen wir sie doch als das Band, womit vor der Hand das ganze deutsche Volk zu einem in Freiheit erblühenden Frei=Staaten=Bund geeinigt werden kann.

Treue diesem unserem deutschen Vaterland! Muth und Waffe gegen seine Feinde! Diesem geeinigten, freien, deutschen, großen Gesammt=Vaterland ein dreifaches, donnerndes

Hoch ! ! !

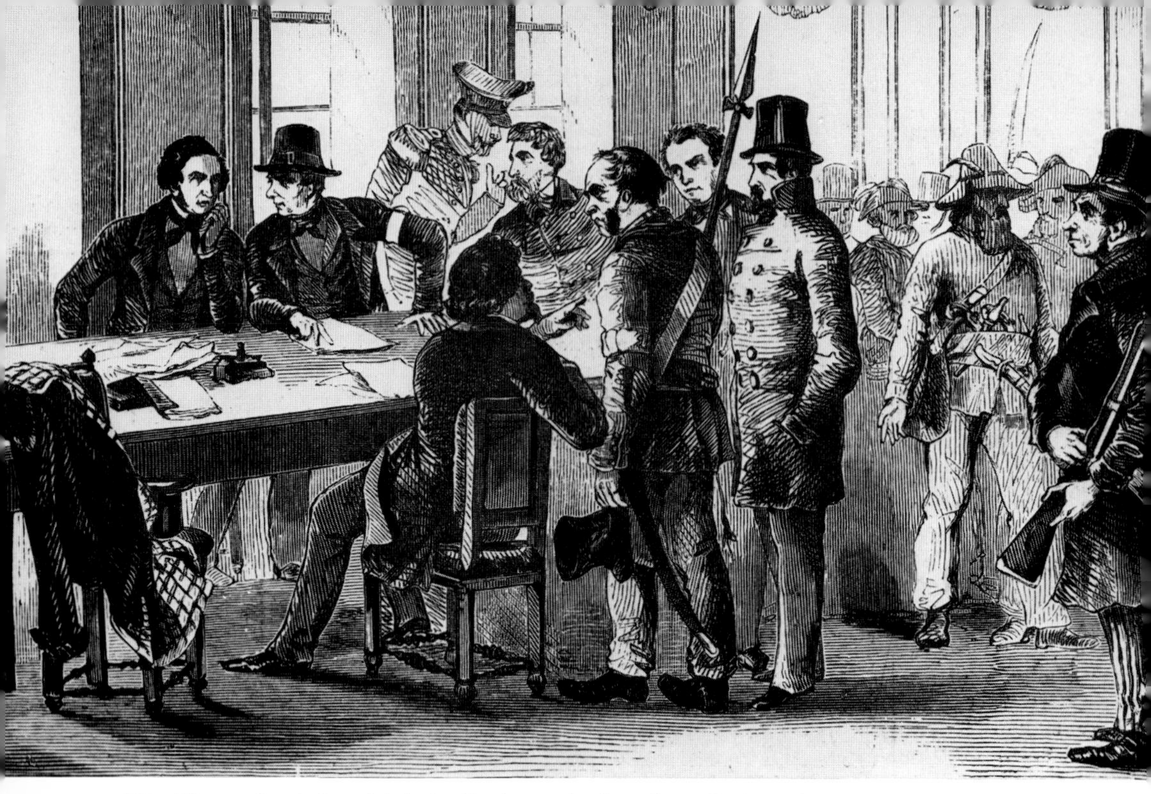

123 Die provisorische sächsische Regierung im Dresdener Rathaus, Mai 1849

124 Aufruf der provisorischen sächsischen Regierung

Mitbürger!

Der König und die Minister sind entflohen. Das Land ist ohne Regierung, sich selbst überlassen worden. Die Reichsverfassung ist verleugnet.

Mitbürger! Das Vaterland ist in Gefahr! Es ist nothwendig geworden, eine provisorische Regierung zu bilden. Der Sicherheitsausschuß zu Dresden und die Abgeordneten des Volks haben nun unterzeichnete Mitbürger zur provisorischen Regierung ernannt.

Die Stadt Dresden ist dem Vaterlande mit dem rühmlichsten Beispiele vorangegangen und hat geschworen, mit der Reichsverfassung zu leben und zu sterben.

Wir stellen Sachsen unter den Schutz der Regierungen Deutschlands, welche die Reichsverfassung anerkannt haben.

Zuzug von allen Ortschaften des Vaterlandes ist angeordnet und wird hiermit angeordnet.

Wir fordern den strengsten Gehorsam für die Befehle der provisorischen Regierung und des Obercommandanten Oberstleutnant Heinze!

Wir werden Parlamentäre an die Truppen senden und sie auffordern, den Befehlen der provisorischen Regierung gleichfalls Gehorsam zu leisten. Auch sie bindet keine andere Pflicht, als die für die bestehende Regierung, für die Einheit und Freiheit des deutschen Vaterlandes!

Mitbürger, die große Stunde der Entscheidung ist gekommen! Jetzt oder nie! Freiheit oder Sklaverei! Wählt!

Wir stehen zu Euch, steht Ihr zu uns!

Dresden, den 4. Mai 1849.

Die provisorische Regierung.

Tzschirner. Heubner. Todt.

Die Landesversammlung in Offenburg

erklärt:

Deutschland befindet sich fortwährend im Zustand voller Revolution, aufs neue hervorgerufen durch die Angriffe der größeren deutschen Fürsten auf die von der deutschen Nationalversammlung endgültig beschlossenen Reichsverfassung und die Freiheit überhaupt. — Die deutschen Fürsten haben sich zur Unterdrückung der Freiheit verschworen und verbunden; der Hochverrath an Volk und Vaterland liegt offen zu Tage; es ist klar, daß sie sogar Rußlands sämmtliche Armeen zur Unterdrückung der Freiheit zu Hülfe rufen. — Die Deutschen befinden sich also im Stande der Nothwehr, sie müssen sich verbinden, um die Freiheit zu retten; sie müssen dem Angriff der fürstlichen Rebellen den bewaffneten Widerstand entgegensetzen.

Die deutschen Stämme haben die Verpflichtung, sich gegenseitig die Freiheit zu gewährleisten, um den Grundsatz der Volkssouveränität vollkommen durchzuführen; sie müssen daher unterstützen überall, wo sie angegriffen werden. —

Das badische Volk wird daher die Volksbewegung in der Pfalz mit allen ihm zu Gebote stehenden Mitteln unterstützen.

Die Landesversammlung des badischen Volkes in Offenburg hat nach vorhergegangener Berathung die gestellten Anträge in dem Landeskongresse der Volksvereine, nach ferner stattgefundener öffentlicher Berathung, wobei Abgeordnete aus allen Landestheilen vertreten waren, nach fernerer ausführlicher Diskussion in der Versammlung des Volkes

beschlossen:

1) Die Regierung muß die Reichsverfassung, wie sie nun nach der durch die Ereignisse beseitigten Oberhauptsfrage feststeht, unbedingt anerkennen und mit der ganzen bewaffneten Macht, deren Durchführung in andern deutschen Staaten zunächst in der baierischen Pfalz unterstützen.
2) Das gegenwärtige Ministerium ist sofort zu entlassen, und Bürger Brentano, Obergerichtsadvokat zu Mannheim, und Bürger Peter, Reichstagsabgeordneter von Konstanz mit der Bildung eines neuen Ministeriums zu beauftragen.
3) Es muß alsbald unter sofortiger Auflösung der jetzigen Ständekammern eine verfassungsgebende Landesversammlung berufen werden, welche in sich die gesammte Rechts- und Machtvollkommenheit des badischen Volkes vereinigt; — diese Landesversammlung soll gewählt werden von und aus den sämmtlichen volljährigen Staatsbürgern des Landes und zwar unter Beibehaltung der für die bisherige II. Kammer beanstandenen Wahlbezirke.
4) Es muß ohne allen Verzug die Volksbewaffnung auf Staatskosten in's Leben gerufen werden, und es sind alle ledigen Männer von 18—30 Jahren als erstes Aufgebot sofort mobil zu machen. — Alle diejenigen Gemeindebehörden, welche nicht alsbald die Bewaffnung ihrer Bürger anordnen, sind augenblicklich abzusetzen.
5) Die politischen Flüchtlinge sind sofort zurück zu rufen, die politischen Militär- und Civilgefangenen zu entlassen und alle politischen Prozesse nieder zu schlagen; — namentlich verlangen wir aber auch die Entlassung derjenigen Militärgefangenen, welche in Folge der politischen Bewegungen wegen sogenannter Disciplinar- und Insubordinationsvergehen bestraft wurden. —
6) Die Militärgerichtsbarkeit muß aufgehoben werden. —
7) Bei dem Heere soll eine freie Wahl der Offiziere stattfinden.
8) Wir verlangen alsbaldige Verschmelzung des stehenden Heeres mit der Volkswehr.
9) Es müssen sämmtliche Grundlasten unentgeldlich aufgehoben werden.
10) Es müssen die Gemeinden unbedingt selbständig erklärt werden, sowohl was die Verwaltung des Gemeindevermögens, als die Wahl der Gemeindevertreter betrifft; es müssen alsbald im ganzen Lande neue Wahlen für die Gemeindevertretung stattfinden.
11) Es werden sämmtliche von den s. g. Kammern in Karlsruhe seit dem 17. Januar d. J. gefaßten Beschlüsse für null und nichtig erklärt und darunter namentlich das s. g. Wahlgesetz vom 10. v. M., welches einen förmlichen Angriff auf die in den Reichsgesetzen gegebenen Bestimmungen enthält.
12) Die Geschwornengerichte sind augenblicklich einzuführen und kein einziger Criminal-Prozeß darf mehr von Staatsrichtern entschieden werden.
13) Die alte Verwaltungsbüreaukratie muß abgeschafft werden und an ihre Stelle die freie Verwaltung der Gemeinden oder andern Körperschaften treten.
14) Errichtung einer Nationalbank für Gewerbe, Handel und Ackerbau zum Schutze gegen das Uebergewicht der großen Kapitalisten.
15) Abschaffung des alten Steuerwesens, hierfür Einführung einer progressiven Einkommensteuer nebst Beibehaltung der Zölle.
16) Errichtung eines großen Landespensionsfonds, aus dem jeder arbeitsunfähig gewordene Bürger unterstützt werden kann. — Hierdurch fällt der besondere Pensionsfond für die Staatsdiener von selbst weg.

Der Landesausschuß der Volksvereine besteht aus folgenden Mitgliedern:

L. Brentano von Mannheim.
J. Fickler von Konstanz.
A. Goeg von Mannheim.
Peter von Konstanz.
Werner von Oberkirch.
Rehmann von Offenburg.
Stay von Heidelberg.
Willmann von Pfohren.
K. Steinmetz von Durlach.
Wernwag von Kenzingen.
Richter von Achern.
Degen von Mannheim.
K. Ritter von Karsau, } Soldaten aus der Garnison
J. Stark von Lottstetten, } in Rastatt.

Als Ersatzmänner wurden gewählt:

H. Hoff von Mannheim.
Torrent von Freiburg.
K. Rotteck von Freiburg.
Happel von Mannheim.
Junghanns von Mosbach.
Kiefer von Emmendingen.

Ersatzmänner der Soldaten:

Aurelius Cordel aus Philippsburg.
Sebastian Bannwarth aus Bleichheim, Amts Kenzingen.

Derselbe wird beauftragt, die nöthigen Anordnungen zur Durchführung dieser Beschlüsse mit allen ihm zu Gebote stehenden Mittel zu treffen, und von dem Ergebniß der heutigen Volksversammlung dem Landesausschuß in Rheinbaiern, sowie den Landesausschüssen der übrigen Nachbarstaaten sofort Nachricht zu geben.

Offenburg, den 13. Mai 1849.

Im Namen der Landes-Volksversammlung.

Goegg.

* Der Landes-Ausschuß hat sich in zahlreicher Begleitung von Offenburg nach der Festung Rastatt begeben, wo er vorerst inmitten der Bürgerschaft und der braven 6000 Mann starken Besatzung in Permanenz berathet. Heute (14. Mai) Nacht 3 Uhr trafen die befreiten Bürger Struve, Blind, Bornstedt nebst den gleichfalls vom Volke aus den Bruchsaler Kerkern befreiten Soldaten in Rastatt ein.

125 Beschlüsse der Offenburger Landesversammlung

126 Der Ausbruch des Rastatter Aufstandes am 13. Mai 1849

127 *»Begnadigt zu Pulver und Blei«*

128 *»Die Reaktion am Baume der Freiheit«*, Karikatur auf die Gegenrevolution, Holzschnitt von W. Scholz

Neue Rheinische Zeitung

Organ der Demokratie.

№ 301. Köln, Samstag, den 19. Mai. 1849.

Abschiedswort der Neuen Rheinischen Zeitung.

Kein offner Hieb in offner Schlacht –
Es fällen die Nücken und Tücken,
Es fällt mich die schleichende Niedertracht
Der schmutzigen West-Kalmücken!
Aus dem Dunkel flog der tödtende Schaft,
Aus dem Hinterhalt fielen die Streiche –,
Und so lieg' ich nun da in meiner Kraft,
Eine stolze Rebellenleiche!

Auf der Lippe den Trotz und den zuckenden Hohn,
In der Hand den blitzenden Degen,
Noch im Sterben rufend: „Die Rebellion!“ –
So bin ich mit Ehren erlegen.
O, gern wohl bestreuten mein Grab mit Salz
Der Preuße zusammt dem Czare –
Doch es schicken die Ungarn, es schickt die Pfalz
Drei Salven mir über die Bahre!

Und der arme Mann im zerriß'nen Gewand,
Er wirft auf mein Haupt die Schollen;
Er wirft sie hinab mit der fleißigen Hand,
Mit der harten, der schwielenvollen.
Einen Kranz auch bringt er aus Blumen und Mai'n,
Zu ruh'n auf meinen Wunden;
Den haben sein Weib und sein Töchterlein
Nach der Arbeit für mich gewunden.

Nun Ade, nun Ade, du kämpfende Welt,
Nun Ade, ihr ringenden Heere!
Nun Ade, du pulvergeschwärztes Feld,
Nun Ade, ihr Schwerter und Speere!
Nun Ade – doch nicht für immer Ade!
Denn sie tödten den Geist nicht, ihr Brüder!
Bald richt' ich mich rasselnd in die Höh',
Bald kehr' ich reisiger wieder!

Wenn die letzte Krone wie Glas zerbricht,
In des Kampfes Wettern und Flammen,
Wenn das Volk sein letztes „Schuldig!“ spricht,
Dann stehn wir wieder zusammen!
Mit dem Wort, mit dem Schwert, an der Donau, am Rhein, –
Eine allzeit treue Gesellin
Wird dem Throne zerschmetternden Volke sein
Die Geächtete, die Rebellin!

F. FREILIGRATH.

An die Arbeiter Kölns.

Wir warnen Euch schließlich vor jedem Putsch in Köln. Nach der militärischen Lage Kölns wäret ihr rettungslos verloren. Ihr habt in Elberfeld gesehen, wie die Bourgeoisie die Arbeiter ins Feuer schickt und sie hinterher aufs Niederträchtigste verräth. Der Belagerungszustand in Köln würde die ganze Rheinprovinz demoralisiren und der Belagerungszustand wäre die nothwendige Folge jeder Erhebung von Eurer Seite in diesem Augenblicke. Die Preußen werden an Eurer Ruhe verzweifeln.

Die Redakteure der Neuen Rheinischen Zeitung danken Euch beim Abschiede für die ihnen bewiesene Theilnahme. Ihr letztes Wort wird überall und immer sein: Emancipation der arbeitenden Klasse!

Die Redaktion der Neuen Rhein. Zeitung.

Deutschland.

* Köln, 18. Mai. Vor einiger Zeit wurde von Berlin aus an eine hiesige Behörde die Forderung gestellt, abermals den Belagerungszustand über Köln zu verhängen. Man bezweckte die standrechtliche Beseitigung der „Neuen Rheinischen Zeitung,“ aber man stieß auf unerwarteten Widerstand. Später wandte sich die Kölnische Regierung an das hiesige Parket, um denselben Zweck durch willkürliche Verhaftungen zu erreichen. Sie scheiterte an dem juristischen Bedenken des Parkets, wie sie schon zweimal an dem gesunden Menschenverstand der rheinischen Geschwornen gescheitert war. Es blieb nichts andres übrig, als zu einer Polizeifinte seine Zuflucht zu nehmen und man hat für den Augenblick seinen Zweck erreicht. Die Neue Rheinische Zeitung hört einstweilen auf zu erscheinen. Am 16. Mai wurde ihrem Redacteur en chef Carl Marx folgender Regierungswisch mitgetheilt:

„In ihren neuesten Stücken (!) tritt die N. Rh. Z. mit der Aufreizung zur Verachtung der bestehenden Regierung, zum gewaltsamen Umsturz und zur Einführung der socialen Republik immer entschiedener hervor. Es ist daher ihrem Redacteur en chef, dem Dr. Karl Marx, das Gastrecht (!), welches er so schmählich verletzt, zu entziehen, und da derselbe eine Erlaubniß zum ferneren Aufenthalt in den hiesigen Staaten nicht erlangt hat, ihm aufzugeben, dieselben binnen 24 Stunden zu verlassen. Sollte er der an ihn ergehenden Aufforderung nicht freiwillig Genüge leisten, so ist derselbe zwangsweise über die Gränze zu bringen.“

Köln, den 11. Mai 1849.

Königl. Regierung.
Moeller.

An den Königl. Polizeidirektor Herrn Geiger hier.

Proklamation an die Frauen.

Seit dem 1. Juni 1848, wo die „Neue Rheinische Zeitung“ wie ein fremder Wunderstern drohend und prächtig über Ländern und Meeren heraufstieg und wo das Feuilleton wie ein humoristischer Kometenschweif hinterdrein flackerte, hat dieser Kometenschweif so unbeschreiblich viel geleistet, daß meine freundlichen Leserinnen weinend ihre holden Gesichter verhüllen werden, wenn sie die schreckliche Kunde vernehmen, daß auch dieser Kometenschweif in der augenblicklichen Götterdämmerung der Neuen Rheinischen Zeitung, dem Auge profaner Sterblicher entrückt wird, um vielleicht erst später wieder den Himmel mit seinem lustigen Zickzack zu durchschießen.

„Und scheint die Sonne noch so schön,
Am Ende muß sie untergehn.“

Ich habe mich von jeher an die Frauen gehalten; für Männer interessire ich mich selten.

An Euch, ihr schönen Frauen, wende ich mich daher mit diesem Abschiedsstrauß, in dem ich alle Rosen und Disteln meiner unerforschlichen Seele zusammenband. Die Rosen sind natürlich für Euch; die Disteln für Eure allenfallsigen Männer.

Treffliche Männer habt Ihr. Seht nur, was aus Euern Männern geworden ist! Aus jenen großen Staatsmännern, mit denen man nicht einmal mehr die kleinen Kinder bange macht; aus jenen berühmten Gelehrten, vor denen nicht einmal die tollen Hunde die Wasserscheu bekommen; aus jenen gefeierten Bänkelsängern, die durch alle ihre patriotische Begeisterung nur zu einer rothen Nase gelangten, und aus jenen stillen Schwärmern Ur-Deutschlands, die gleich melancholischen Heidschnucken, mit verhangten Schwänzen, über die Lüneburgerheide der Gegenwart, der Sahara der Zukunft entgegenwedeln.

Es thut mir leid, Frau Regierungsräthin, daß Sie sich in Ihrem Herrn Gemahle so geirrt haben. Sie hielten ihn für einen Solon und da kommt er aus der Berliner Nationalversammlung nach Hause zurück und es findet sich, daß er ein rechter Gimpel ist. Ich bedaure dies, Frau Regierungsräthin. Trösten Sie Ihren Mann damit, daß er ein verkanntes Genie sei, aber vor allen Dingen: schaffen Sie sich diesen Menschen vom Halse — ja, ihr Frauen, gebt Euern Männern den Abschied, sie sind keinen Schuß Pulver werth. — — Wer möchte ein Kameel umarmen!

Wunderlich haben uns die Familienväter in den Berliner und Frankfurter Nationalversammlungen mitgespielt. Wärt Ihr Frauen am Ruder gewesen, wahrlich, Alles wäre anders geworden. Lachend hättet Ihr eure ambrosischen Locken geschüttelt und nach kurzen Debatten hättet Ihr irgend einen Adonis zum deutschen Kaiser gemacht und nach drei Tagen hättet Ihr ihn geköpft und aus seinem Blute wären blutrothe Rosen gewachsen, die Blumen der Liebe und der Republik!

Aber das ganze Unheil ist nur deßhalb über Deutschland gekommen, weil man die deutsche Politik bisher für eine ernste, wichtige und nicht für eine Herzenssache hielt. Ihr Frauen seid dazu berufen, diesem Mißverständniß ein für allemal abzuhelfen.

Fragt nicht nach dem: Wie? Ihr wißt es selbst am besten. Laßt eure alten Männer laufen; nehmt neue Männer, revolutionäre Männer — voilà tout!

Wenn es vor vierzig oder fünf und vierzig Jahren hieß: „die Franzosen kommen!“ da liefen alle jungen Mädchen und Frauen eilig an's Fenster und schoben die Gardinen bei Seite und schauten in die Straße hinaus, halb lüstern, halb verschämt, bis der Tambourmajor kam mit seinem großen Stock, und hinterdrein die lustigen, kleinen Kerle, die ohne Weiteres in die Stadt und in jedes Herz hineinmarschirten. — — Niemals hat es hübschere Kinder gegeben, als nach jenen gesegneten Feldzügen!

Heute heißt es nicht mehr: „die Franzosen kommen!“ nein, „die Ungarn kommen!“ und diese Ungarn sollt Ihr freundlich empfangen. Dies ist die Herzenssache der deutschen Politik. Die Ungarn sind die Franzosen des neunzehnten Jahrhunderts!

Früher lispelten die deutschen Mädchen im Momente des höchsten Glückes: „Du machst mich unglücklich!“ Bald werden sie jubeln: „Du machst mich glücklich!“ Denn die Ungarn werden sich in Deutsche verwandeln und die Deutschen in Ungarn und der Kuß der glücklichen Lippen wird durch Berge und Wälder brennen, bis die Schneefelder Sibiriens aufthauen, und die Kosacken darin ersaufen vom Don bis zum Dniester.

Von Anbeginn seid Ihr Frauen gescheidter gewesen als alle Schriftgelehrten und Pharisäer, aber von Anbeginn wart ihr auch leidenschaftlicher als alle Schriftgelehrten und Pharisäer.

So fahrt denn heraus mit Eurer flammenden Leidenschaft und ergreift Eure zahmen Männer bei ihren liederlichen Zöpfen und hängt sie als Vogelscheuchen wohin Ihr wollt — nur fort mit ihnen!

Die Guillotine wird uns retten und die Leidenschaft der Weiber.

Im Uebrigen empfehle ich mich Euch von ganzem Herzen. Die Nachtigallen singen in den Büschen, die Kugeln pfeifen und meine Proklamation ist zu Ende.

Georg Weerth.

129 Letzte Ausgabe der »Neuen Rheinischen Zeitung« vom 19. Mai 1849

130 Der Geschworenenprozeß gegen Johann Jacoby im Dezember 1850

131 Auswandererschiff, 1850

132 Ansicht eines Eisenwalzwerkes in Hagen

133 Großer Saal der Berliner Börse

134 *»Die Aktionäre«*, Karikatur von Honoré Daumier

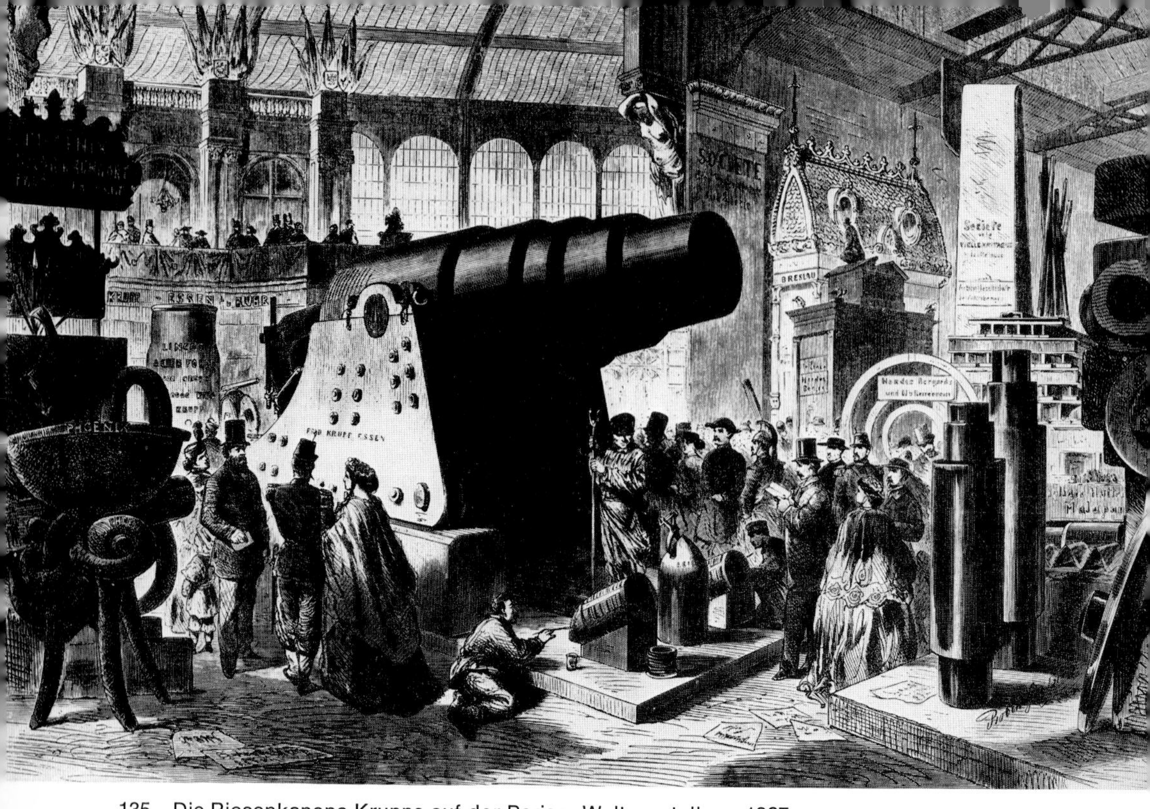

135 Die Riesenkanone Krupps auf der Pariser Weltausstellung 1867

136 Besuch König Wilhelms I. von Preußen auf der Weltausstellung

137 Die Krupp-Werke in Essen, Anfang der sechziger Jahre

138 Barackenstadt vor Berlin um 1875

139 Berliner Volksküche

Manifest

der

Kommunistischen Partei.

Ein Gespenst geht um in Europa—das Gespenst des Kommunismus. Alle Mächte des alten Europa haben sich zu einer heiligen Hetzjagd gegen dies Gespenst verbündet, der Papst und der Czar, Metternich nnd Guizot, französische Radikale und deutsche Polizisten.

Wo ist die Oppositionspartei, die nicht von ihren regierenden Gegnern als kommunistisch verschrieen worden wäre, wo die Oppositionspartei, die den fortgeschritteneren Oppositionsleuten sowohl, wie ihren reaktionären Gegnern den brandmarkenden Vorwurf des Kommunismus nicht zurückgeschleudert hätte?

Zweierlei geht aus dieser Thatsache hervor.

Der Kommunismus wird bereits von allen europäischen Mächten als eine Macht anerkannt.

Es ist hohe Zeit daß die Kommunisten ihre Anschauungsweise, ihre Zwecke, ihre Tendenzen vor der ganzen Welt offen darlegen, und den Mährchen vom Gespenst des Kommunismus ein Manifest der Partei selbst entgegenstellen.

Zu diesem Zweck haben sich Kommunisten der verschiedensten Nationalität in London versammelt und das folgende Manifest entworfen, das in englischer, französischer, deutscher, italienischer, flämmischer und dänischer Sprache veröffentlicht wird.

140/141 Karl Marx und die erste Seite des Kommunistischen Manifestes

142/143/144 Die Neue Ära in Preußen: Wilhelm I., Graf Schwerin, Fürst von Hohenzollern-Sigmaringen

145 Karikatur auf die Neue Ära in Preußen

Ein moralisches Wettrennen.
Deutschland's moralische Eroberung
Finanzen
Concordat.
neue Aera.
Bruder Berliner. Na siehst du — du kommst mir nicht vor!
Bruder Wiener. Weißt', wenn i das Päckl da wegthu', nachher schau zu, wo du bleibst!

146/147/148 Die Neue Ära in Baden: Großherzog Friedrich I., Anton Stabel, August Lamey

149 Die Osterproklamation Großherzog Friedrichs I. von Baden vom 7. April 1860

Friedrich, von Gottes Gnaden

Großherzog von Baden, Herzog von Zähringen.

In einem ernsten Augenblicke, der manche Gemüther mit bangen Zweifeln erfüllt, ergreife Ich Mein schönstes Vorrecht, und richte aus der Tiefe des Herzens Friedensworte an Mein theures Volk.

Beklagenswerthe Irrungen mit dem Oberhirten der katholischen Kirche des Landes bewogen Mich, durch unmittelbare Verhandlungen mit dem päpstlichen Stuhle eine Ausgleichung anzubahnen, von dem innigen Wunsche beseelt, an die Stelle des Streites Eintracht, und an die Stelle gegenseitiger Erbitterung Wohlwollen und Frieden treten zu lassen.

Nach langen und mühevollen Verhandlungen wurde eine Uebereinkunft abgeschlossen, welche zur Erreichung dieses Zieles Hoffnung gab.

Mit tiefer Betrübniß erfüllte Mich die Wahrnehmung, daß die getroffene Vereinbarung Viele Meines Volkes in Besorgniß versetzte, und den lauten Bedenken, ob nicht die verfassungsmäßigen Organe darüber zu hören seien, konnte Ich Meine ernste Aufmerksamkeit nicht versagen.

Ein Beschluß der zweiten Kammer Meiner getreuen Stände hat diesen Bedenken einen Ausdruck gegeben, der einen verhängnißvollen Verfassungsstreit zwischen Meiner Regierung und den Ständen befürchten ließ.

Daß ein solcher Streit umgangen und die Rechtsunsicherheit vermieden werde, welche aus einem Zwiespalt der gesetzgebenden Gewalten hervorgehen müßte, fordern nicht minder die Interessen der katholischen Kirche, als die Wohlfahrt des Landes.

Es ist Mein entschiedener Wille, daß der Grundsatz der Selbstständigkeit der katholischen Kirche in Ordnung ihrer Angelegenheiten zur vollen Geltung gebracht werde. Ein Gesetz, unter dem Schutz der Verfassung stehend, wird der Rechtsstellung der Kirche eine sichere Grundlage verbürgen. In diesem Gesetze und den darauf zu bauenden weiteren Anordnungen wird der Inhalt der Uebereinkunft seinen berechtigten Ausdruck finden.

So wird Meine Regierung begründeten Forderungen der katholischen Kirche auf verfassungsmäßigem Wege gerecht werden und, in schwerer Probe bewährt, wird das öffentliche Recht des Landes eine neue Weihe empfangen.

Es ist Mir heute eine ebenso werthe Pflicht, von Meiner eigenen Mir theuern Kirche zu reden. Den Grundsätzen getreu, welche für die katholische Kirche Geltung erhalten sollen, werde Ich darnach streben, der evangelisch-protestantisch-unirten Landeskirche auf der Grundlage ihrer Verfassung eine möglichst freie Entwickelung zu gewähren.

Ich wünsche, daß der gleiche Grundsatz auch auf anderen Gebieten des Staatslebens fruchtbar werde, um alle Theile des Ganzen zu dem Einklange zu vereinen, in welchem die gesetzliche Freiheit ihre segenbringende Kraft bewähren kann.

An den erprobten Patriotismus und ernsten Bürgersinn Meines Volkes richte Ich nun die Mahnung, alle Trennungen zu vergessen, welche die jüngste Zeit hervorgerufen hat, damit unter den verschiedenen Confessionen und ihren Angehörigen Eintracht und Duldung herrsche, wie sie die christliche Liebe uns Alle lehrt.

Manche Gefahren können unser Vaterland bedrohen. Das Einzige, was stark macht, ist Einigkeit.

Ohne Haß über Gegensätze, welche der Vergangenheit angehören müssen, stehet fest in dem Vertrauen zu einer Zukunft, die Niemand verletzen wird, weil sie gegen Alle gerecht sein will.

Gegeben zu Karlsruhe, den 7. April 1860.

Friedrich.

Stabel. Ludwig. Nüßlin. A. Lamey. Vogelmann.

Auf Seiner Königlichen Hoheit höchsten Befehl:

Schunggart.

150 Die Eröffnung des Österreichischen Reichsrates

151 Der Frankfurter Fürstentag von 1863

152/153/154 Führende Vertreter der Deutschen Fortschrittspartei: Schulze-Delitzsch, Virchow, Mommsen

155 *»... oben stoßen wir leider häufig an.«* Karikatur auf die Schwierigkeiten des Nationalvereins

Das Einzige und der Einzige

156 Karikatur auf die Schiller-Feiern 1859

Statut

des

Allgemeinen Deutschen Arbeitervereins.

§. 1.

Unter dem Namen

„Allgemeiner Deutscher Arbeiterverein“

begründen die Unterzeichneten für die Deutschen Bundesstaaten einen Verein, welcher, von der Ueberzeugung ausgehend, daß nur durch das allgemeine gleiche und direkte Wahlrecht eine genügende Vertretung der sozialen Interessen des Deutschen Arbeiterstandes und eine wahrhafte Beseitigung der Klassengegensätze in der Gesellschaft herbeigeführt werden kann, den Zweck verfolgt,

auf friedlichem und legalem Wege, insbesondere durch das Gewinnen der öffentlichen Ueberzeugung, für die Herstellung des allgemeinen gleichen und direkten Wahlrechts zu wirken.

§. 2.

Jeder Deutsche Arbeiter wird durch einfache Beitrittserklärung Mitglied des Vereins mit vollem gleichen Stimmrecht und kann jeder Zeit austreten.

157/158 Ferdinand Lassalle und das Statut des Allgemeinen Deutschen Arbeitervereins von 1863

159 Gedenkblatt zum »Vereinigungsparteitag« 1875

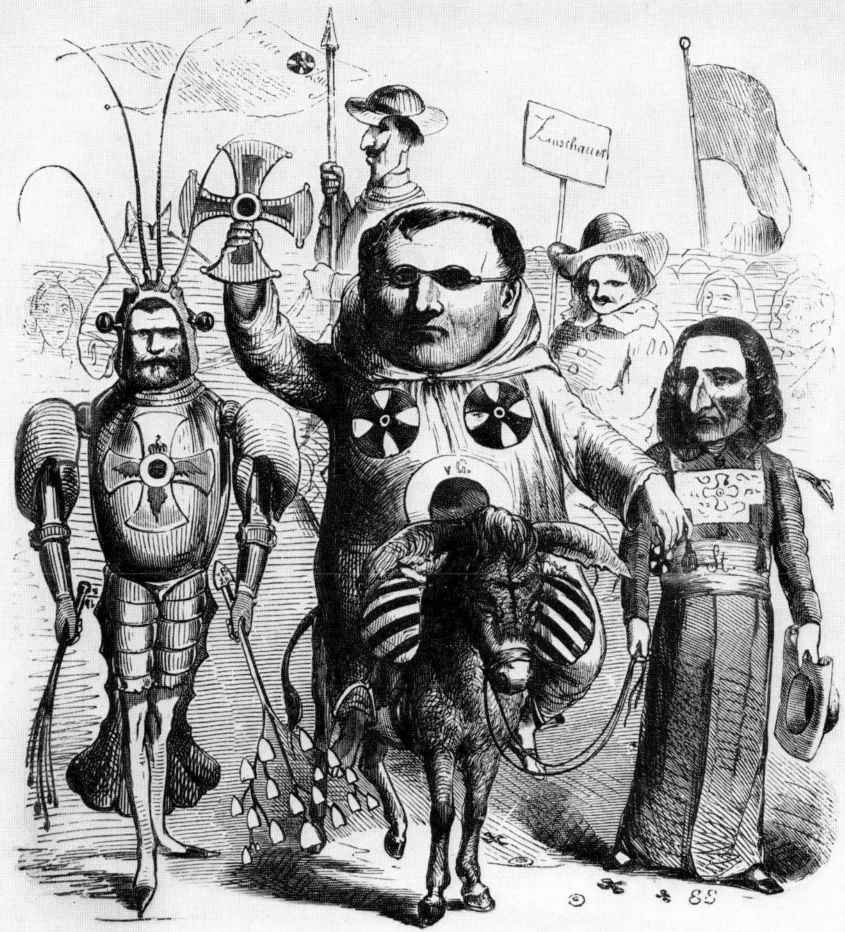

Der neue Peter von Amiens und die Kreuzfahrer.
Zuschauer
Es hält Sankt Stahl des Esels Zaum, Sankt Gerlach führt die Truppen,
Zur Seite steht Herr Bismarck treu, der Erzschelm, in Panzer und Schuppen.

160–163 Führende Vertreter der Konservativen in Preußen: Friedrich Julius Stahl, Leopold und Ludwig von Gerlach

164 Otto von Bismarck als Botschafter in Paris im Jahre 1862

Politischer Eiertanz.

Und den politischen Eiertanz
Hält Bismarck sehr von Nöten,
Er glaubt, sie blieben alle ganz
Und keines ging zertreten,
Zertreten, nein! wie Ihr ja seht,
Dieweil er jedes — Recht — umgeht.

165 Karikatur auf Bismarck als Konfliktminister im preußischen Heereskonflikt

166 Karikatur auf den dänischen Versuch, Schleswig zu annektieren

167 Treffen König Wilhelms I. und Kaiser Franz Josephs am 19. August 1865 in Salzburg

168 Das Schlachtfeld von Königgrätz, 3. Juli 1866

169 Die Friedenskonferenz in Nikolsburg, Juli 1866

170 *»Ein neuer Gulliver«*: Karikatur von Honoré Daumier auf die preußischen Annexionen 1866

171 Karikatur auf die Haltung der Abgeordneten zur Indemnitätsvorlage am 3. September 1866

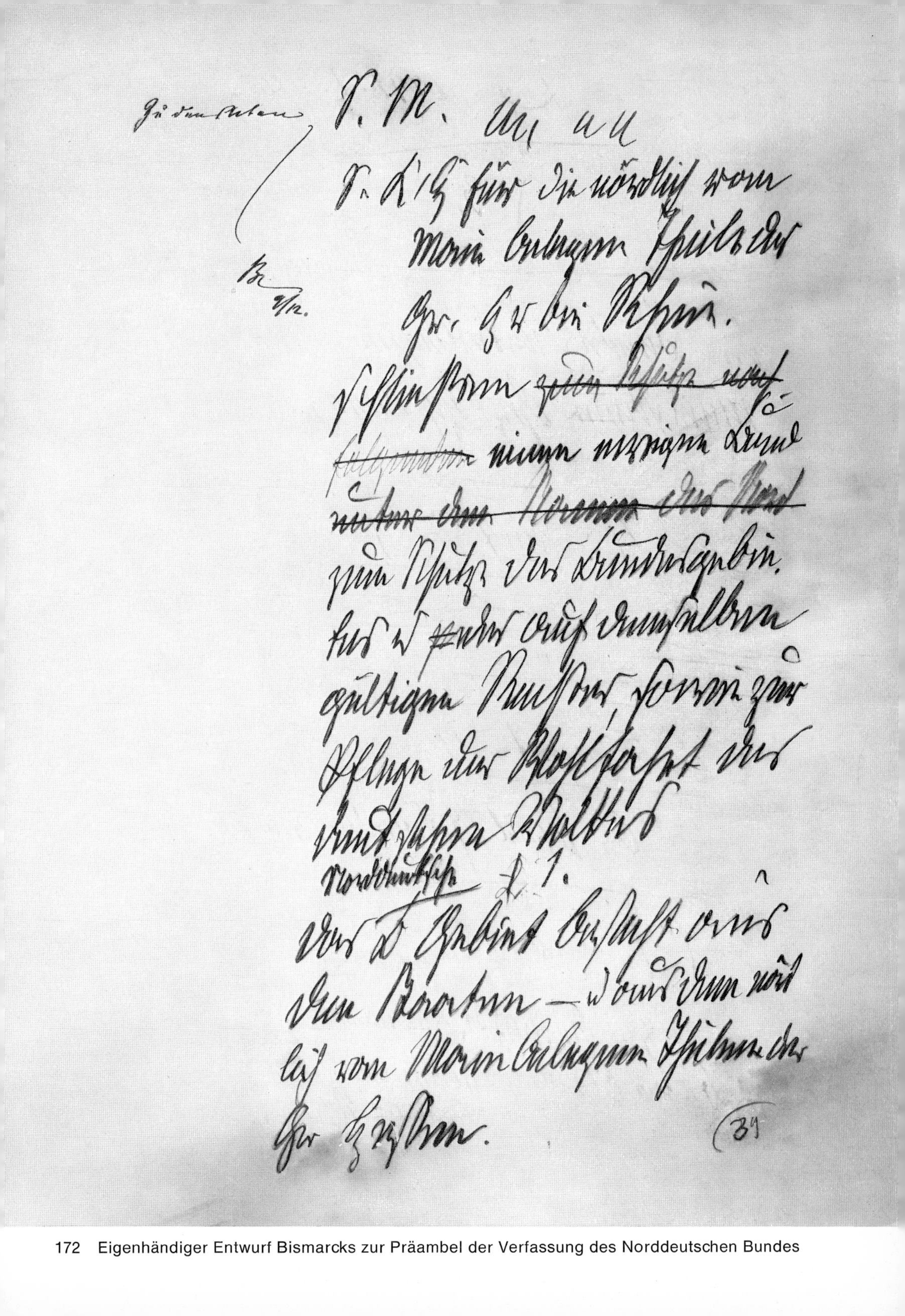

172 Eigenhändiger Entwurf Bismarcks zur Präambel der Verfassung des Norddeutschen Bundes

173 Wahl zum Norddeutschen Reichstag im Februar 1867

174 Bismarck vor dem Norddeutschen Reichstag, Karikatur aus dem Wiener »Figaro«

175 Wilhelm I. und der französische Gesandte Benedetti in Bad Ems

176 Kriegsbegeisterung in Paris am 19. Juli 1870

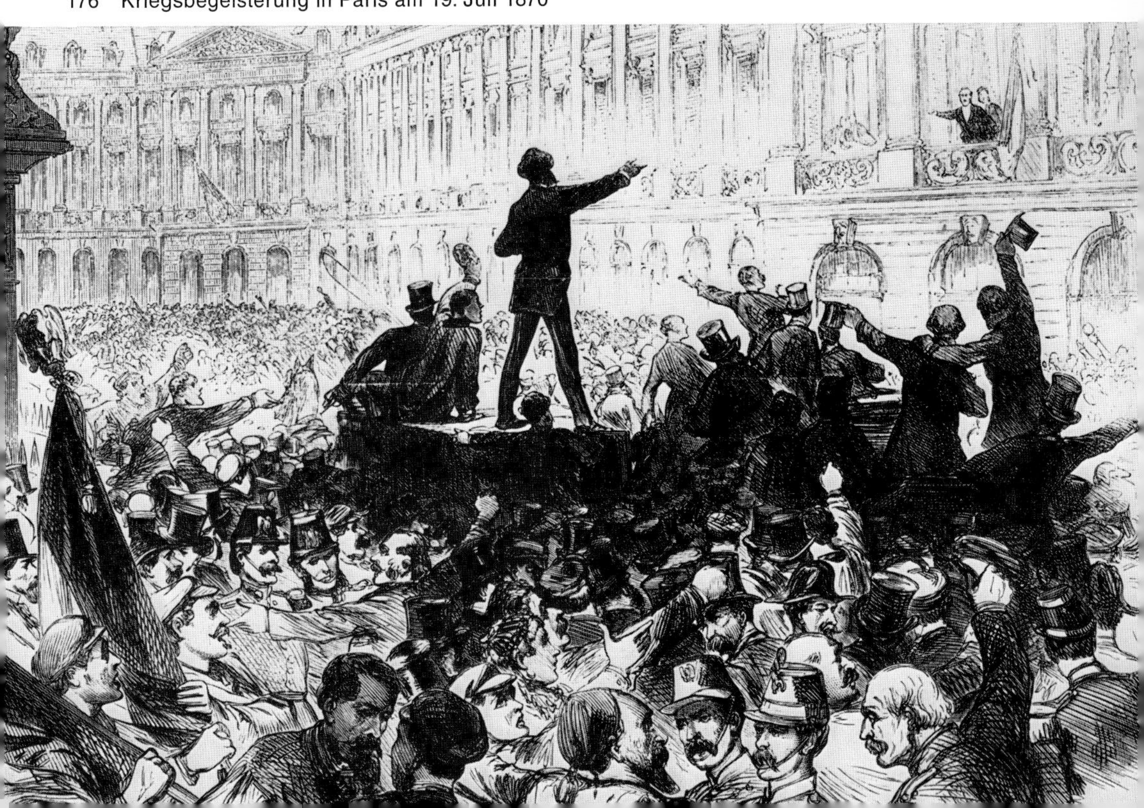

Berlin, 13 Juli 1870.　　A. 2301.　　Cito

212

Chiffr. Telegr.
en clair

An

1. Gf. v. Eichmann Dresden
2. Gf. v. Werthern München No 10
3. Gf. Radolinski Stuttgart No 17
4. Gf. Flemming Carlsruhe No 4
5. Preuß. Gesandtsch. Darmstadt No 8
6. H. v. Magnus Hamburg No 1
7. H. v. Rock Weimar No 1

Nachdem die Nachrichten von der Entsagung des Erbprinzen von Hohenzollern der Kaiserlich französischen Regierung von der Königlich spanischen amtlich mitgetheilt worden sind, hat der französische Botschafter in Ems an S. Maj. den König noch die Forderung gestellt, ihn zu autorisiren, daß er nach Paris telegraphire, daß S. Maj. der König sich für alle Zukunft verpflichte, niemals wieder seine Zustimmung zu geben, wenn die Hohenzollern auf ihre Kandidatur wieder zurückkommen sollten. Seine Maj. der König hat es darauf abgelehnt, den franz. Botschafter nochmals zu empfangen, und demselben durch den Adjutanten vom Dienst sagen lassen, daß S. Majestät dem Botschafter nichts weiter mitzutheilen habe.

Theilen Sie dies dort mit. (Zusatz ad 6:) Nach Bremen, Lübeck, Schwerin, Rostock ersucht direkte Mittheilung.
N. d. C.　　v. B.

Zusatz ad 7: sowie in Gotha und Meiningen mitth.

Zusatz ad 1 - sowie in Altenburg und Dessau.

1-7 z. Tg 11 Uhr 15 Ab. No 1216.

177 Die von Bismarck redigierte Fassung der »Emser Depesche«

39ste Depesche
vom
Kriegs-Schauplatz.

Der Königin Augusta in Berlin.

Vor Sedan, den 2. September, ½2 Uhr Nachm.

Die Capitulation, wodurch die ganze Armee in Sedan kriegsgefangen, ist soeben mit dem General Wimpfen geschlossen, der an Stelle des verwundeten Marschalls Mac-Mahon das Commando führte. Der Kaiser hat nur sich selbst Mir ergeben, da er das Commando nicht führt und Alles der Regentschaft in Paris überläßt. Seinen Aufenthaltsort werde Ich bestimmen, nachdem Ich ihn gesprochen habe in einem Rendezvous, das sofort stattfindet.

Welch' eine Wendung durch Gottes Führung!

Wilhelm.

Berlin, den 3. September 1870.

Königliches Polizei-Präsidium.
von Wurmb.

A. 4475 pr. 2 September 1870. 6.

p. [illegible] 2/9

Monsieur mon frère

N'ayant pas pu mourir au milieu de mes troupes il ne me reste qu'à remettre mon épée entre les mains de Votre Majesté

Je suis de votre Majesté le bon frère

Napoléon

Sedan le 1 Sept. 1870

179 Die Kapitulation Napoleons III.

180 Wilhelm I. auf dem Schlachtfeld von Sedan am 2. September 1870

181 Die Sedanfeier in Berlin am Abend des 2. September 1870

182 Medaille auf Wilhelm I. nach der Kaiserproklamation

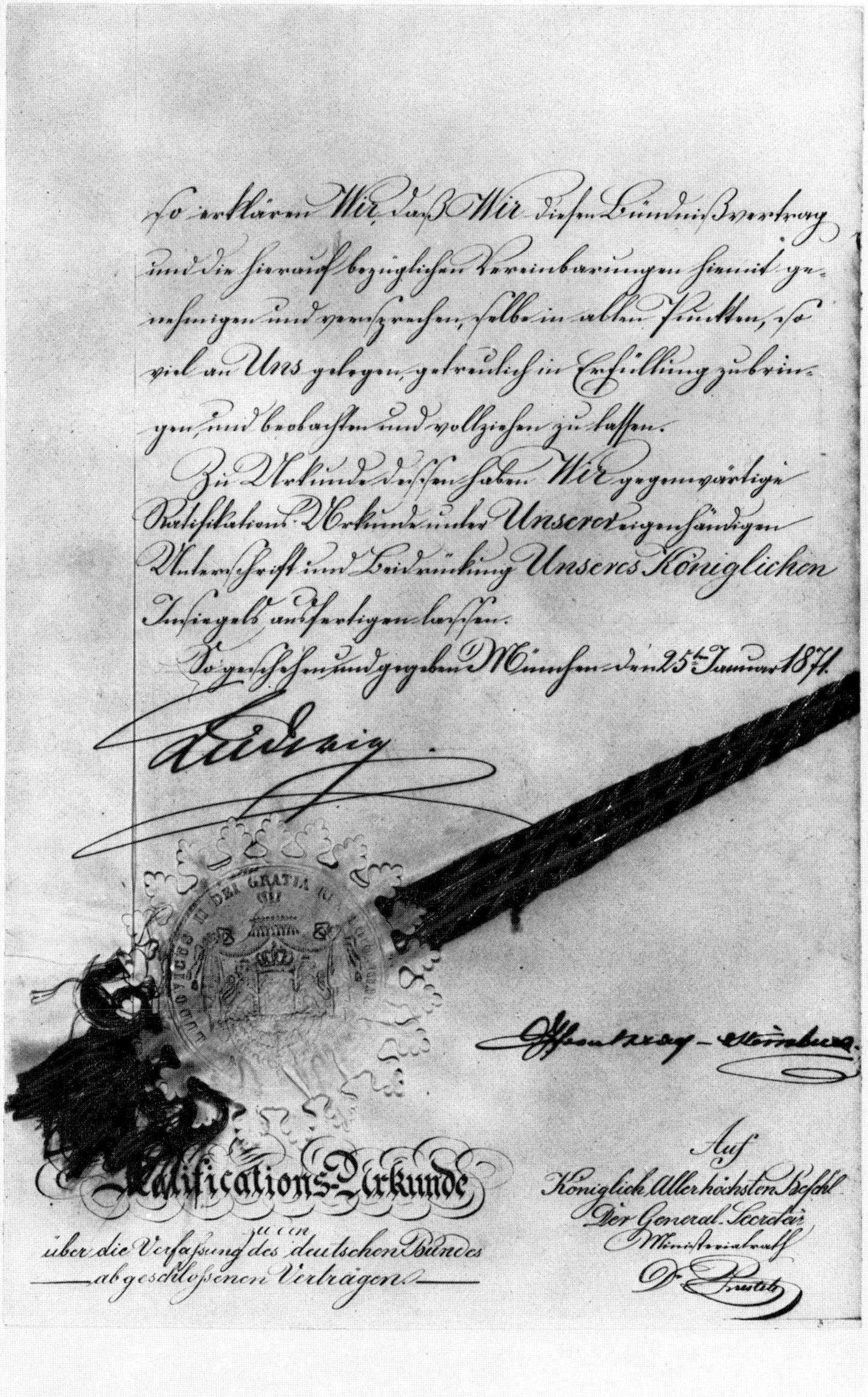

so erklären Wir, daß Wir diesen Bündnißvertrag und die hierauf bezüglichen Vereinbarungen hiermit genehmigen und versprechen, selbe in allen Punkten, so viel an Uns gelegen, getreulich in Erfüllung zu bringen, und beobachten und vollziehen zu lassen.

Zu Urkunde dessen haben Wir gegenwärtige Ratifications-Urkunde unter Unserer eigenhändigen Unterschrift und Beidrückung Unseres Königlichen Insiegels ausfertigen lassen.

So geschehen und gegeben München den 25. Januar 1871.

Ludwig

LUDOVICUS II DEI GRATIA [illegible]

Bray-Steinburg

Auf Königlich Allerhöchsten Befehl
Der General-Secretär
Ministerialrath
[illegible]

Ratifications-Urkunde
über die Verfassung des deutschen Bundes u. von abgeschlossenen Verträgen

183 Bayerns Beitritt zum »Deutschen Bund«

184 *»Bilanz des Jahres 1871«*, Lithographie von Honoré Daumier

185 Ludwig Windthorst

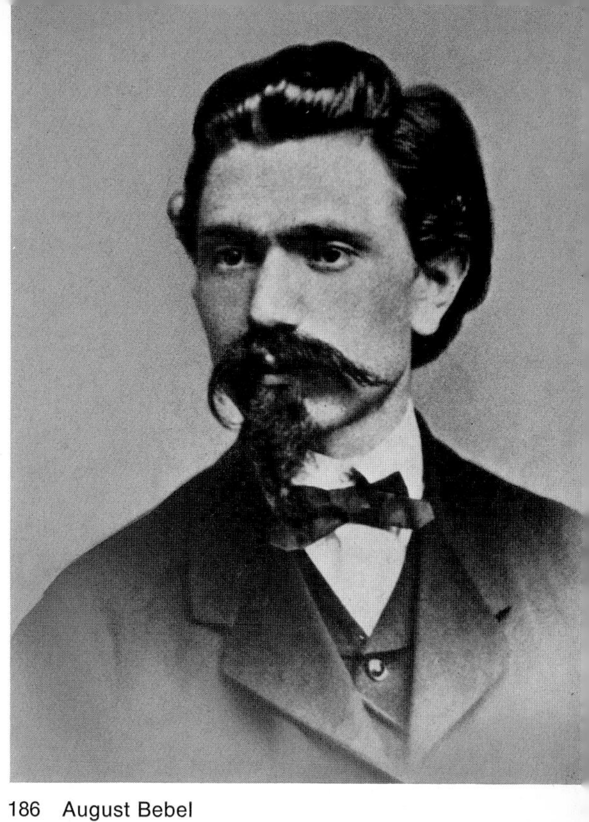

186 August Bebel

187 Eugen Richter

188 Eduard Lasker

Wir Wilhelm,
von Gottes Gnaden
Deutscher Kaiser, König von Preußen,
etc etc etc

verordnen im Namen des Deutschen Reichs, nach erfolgter Zustimmung des Bundesraths und des Reichstags, was folgt:

§. 1.

Der Orden der Gesellschaft Jesu und die ihm verwandten Orden und ordensähnlichen Congregationen sind vom Gebiet des Deutschen Reichs ausgeschlossen.

Die Errichtung von Niederlassungen derselben ist untersagt. Die zur Zeit bestehenden Niederlassungen sind binnen einer vom Bundesrath zu bestimmenden Frist, welche sechs Monate nicht übersteigen darf, aufzulösen.

§. 2.

Die Angehörigen des Ordens der Gesellschaft Jesu oder der ihm verwandten Orden oder ordensähnlichen Congregationen können, wenn sie Ausländer sind, aus dem Bundesgebiet ausgewiesen werden; wenn sie Inländer sind, kann ihnen der Aufenthalt in bestimmten Bezirken oder Orten versagt oder angewiesen werden.

§. 3.

Die zur Ausführung und zur Sicherstellung des Vollzugs dieses Gesetzes erforderlichen Anordnungen werden vom Bundesrathe erlassen.

Urkundlich unter Unserer Höchsteigenhändigen Unterschrift und beigedrucktem Kaiserlichen Insiegel.

Gegeben Bad Ems, den 4ten Juli 1872.

Wilhelm

Gesetz,
betreffend
den Orden der Gesellschaft Jesu.

v. Bismarck

189 Reichsgesetzblatt: Verbot des Jesuitenordens

190 Hödels Attentat auf Kaiser Wilhelm I. in Berlin am 11. Mai 1878

Reichs-Gesetzblatt.

№ 34.

Inhalt: Gesetz gegen die gemeingefährlichen Bestrebungen der Sozialdemokratie. S. 351.

(Nr. 1271.) Gesetz gegen die gemeingefährlichen Bestrebungen der Sozialdemokratie. Vom 21. Oktober 1878.

Wir Wilhelm, von Gottes Gnaden Deutscher Kaiser, König von Preußen rc.

verordnen im Namen des Reichs, nach erfolgter Zustimmung des Bundesraths und des Reichstags, was folgt:

§. 1.

Vereine, welche durch sozialdemokratische, sozialistische oder kommunistische Bestrebungen den Umsturz der bestehenden Staats- oder Gesellschaftsordnung bezwecken, sind zu verbieten.

Dasselbe gilt von Vereinen, in welchen sozialdemokratische, sozialistische oder kommunistische auf den Umsturz der bestehenden Staats- oder Gesellschaftsordnung gerichtete Bestrebungen in einer den öffentlichen Frieden, insbesondere die Eintracht der Bevölkerungsklassen gefährdenden Weise zu Tage treten.

Den Vereinen stehen gleich Verbindungen jeder Art.

§. 2.

Auf eingetragene Genossenschaften findet im Falle des §. 1 Abs. 2 der §. 35 des Gesetzes vom 4. Juli 1868, betreffend die privatrechtliche Stellung der Erwerbs- und Wirthschaftsgenossenschaften, (Bundes-Gesetzbl. S. 415 ff.) Anwendung.

Auf eingeschriebene Hülfskassen findet im gleichen Falle der §. 29 des Gesetzes über die eingeschriebenen Hülfskassen vom 7. April 1876 (Reichs-Gesetzbl. S. 125 ff.) Anwendung.

§. 3.

Selbständige Kassenvereine (nicht eingeschriebene), welche nach ihren Statuten die gegenseitige Unterstützung ihrer Mitglieder bezwecken, sind im Falle des

Ausgegeben zu Berlin den 22. Oktober 1878.

191 Das »Gesetz gegen die gemeingefährlichen Bestrebungen der Sozialdemokratie«, das 1878 vom Reichstag beschlossen wurde.

192 Das Sozialistengesetz auch als Waffe gegen die Liberalen, Karikatur aus dem Jahre 1878

193 Polizei löst eine Arbeiterversammlung auf

…genden tiefen, sozialen Schäden hingewiesen, welche nicht bloß den innern Frieden des Deutschen Reichs, sondern den gesammten Bestand der nationalen Kulturarbeit, die bestehende Staats-, Rechts-, Besitz- und Erwerbsordnung bedrohen. Ich erachte es für Meine und Meiner Bundesgenossen unabweisliche Pflicht, mit allen Kräften bemüht zu sein, um die gründliche Heilung dieser Schäden zu erreichen.

194 Entwurf der Kaiserlichen Botschaft mit der Ankündigung der Sozialversicherung 1881
(links Handschrift Bismarcks)

195 Karikatur auf Bismarcks Sozialpolitik

196 Bismarck auf dem Berliner Kongreß 1878, Holzstich nach einem Gemälde von Anton von Werner

Wenn ich arbeitsfähig
wäre, könnte ich das Bild ver-
vollständigen und feiner ausarbeiten, welches mir vorschwebt:
nicht das irgend eines Ländererwer-
bes, sondern das einer politischen
Gesammtsituation, in welcher alle
Mächte außer Frankreich unserer
bedürfen, und von Coalitionen
gegen uns durch ihre Beziehungen
zu einander nach Möglichkeit abgehalten werden.

197 Ausschnitt aus dem Kissinger Diktat vom 16. Juni 1877 in der Handschrift Herbert von Bismarcks

198 Versinnbildlichung des Dreibunds, *»Friedensschild«* von Hermann Dürrich, 1894

Protocole additionnel et très secret.

Afin de compléter les stipulations des Articles II et III du traité secret conclu à cette même date, les deux Cours sont tombées d'accord sur les points suivants:

1.

L'Allemagne prêtera, comme par le passé, Son concours à la Russie afin de rétablir en Bulgarie un Gouvernement régulier et légal. — Elle promet de ne donner en aucun cas Son consentement à la restauration du Prince de Battenberg.

2.

2.

Dans le cas où Sa Majesté l'Empereur de Russie se verrait dans la nécessité d'assumer Lui-même la tâche de défendre l'entrée de la Mer Noire pour sauvegarder les intérêts de la Russie, l'Allemagne s'engage à accorder Sa neutralité bienveillante et Son appui moral et diplomatique aux mesures que Sa Majesté jugerait nécessaire de prendre pour garder la clef de Son Empire.

3.

Le présent protocole fait partie intégrante du traité secret signé en ce jour à Berlin et

aura

aura même force et valeur.

En foi de quoi, les Plénipotentiaires respectifs l'ont signé et y ont apposé le sceau de leurs armes.

Fait à Berlin, le dix-huitième jour du mois de Juin mil huit cent quatre-vingt-sept.

199 Das ganz geheime Zusatzabkommen zum Rückversicherungsvertrag zwischen Deutschland und Rußland 1887

habe, darf ich in Ehrfurcht
annehmen, daß ich mit
diesem meinem Entlassungsgesuch den Wünschen Eurer
Majestät entgegenkomme
und also auf eine huld-
reiche Bewilligung meines
Gesuches mit Sicherheit
rechnen darf.

v B

Ich würde die Bitte um
Entlassung aus meinen
Ämtern,
schon vor Jahr u. Tag Ew.
M. unterbreitet haben,
wenn ich nicht den Ein-
druck gehabt hätte, daß
es Ew. M. erwünscht wäre
die Erfahrungen u. Fähigkeiten
eines treuen Dieners Ihrer Vorfahren
zu benutzen. Nachdem ich si-
cher bin, daß Ew. M. derselben nicht bedürfen
darf ich aus dem
politischen Leben zurücktreten, ohne zu befürchten, daß mein Entschluss von der öffentl. Meinung als un-
zeitig verurtheilt werde.

200 Bismarcks Entlassungsgesuch vom 18. März 1890, letzte Seite

201 *»Der Lotse verläßt das Schiff«*, Karikatur von Sir John Teniel aus dem »Punch«, März 1890

202 Wilhelm II., Gemälde von Max Koner, 1890

Abonnements

werden beim Verlag und dessen bekannten Agenten entgegengenommen, und zwar zum voraus zahlbaren Vierteljahrspreis von:
Mk. 4,40 für Deutschland (direkt per Brief-Couvert)
dto. 2,75 für Oesterreich (direkt per Brief-Couvert)
Shill. 2.— für alle übrigen Länder des Weltpostvereins (Kreuzband)

Inserate
die dreigespaltene Petitzeile
3 Pence = 25 Pfg. = 30 Cts.

Der Sozialdemokrat

Organ der Sozialdemokratie deutscher Zunge.

Erscheint
wöchentlich einmal
in
London.

Verlag
der
German Cooperative Publishing Co.
E. Bernstein & Co., London N. W.
114 Kentish Town Road.

Postsendungen
franko gegen franko.
Gewöhnliche Briefe
nach England kosten Doppelporto.

№ 10.

8. März 1890.

Briefe an die Redaktion und Expedition des in Deutschland und Oesterreich verbotenen „Sozialdemokrat" wolle man unter Beobachtung äußerster Vorsicht abgehen lassen. In der Regel schicke man uns die Briefe nicht direkt, sondern an die bekannten Deckadressen. In zweifelhaften Fällen eingeschrieben.

20 Mandate im ersten Wahlgang, 16 in der Stichwahl.
1,341,587 sozialdemokratische Wähler — 567,405 Zuwachs

Im ersten Wahlgang gewählt:

Glauchau-Meerane:
J. Auer, Sattler (Schriftsteller) in München.

Hamburg I.:
A. Bebel, Drechslermeister (Schriftsteller) in Dresden.

Hamburg II.:
J. H. W. Dietz, Buchdrucker in Stuttgart.

Greiz:
C. Förster, Zigarrenarbeiter in Hamburg.

Altona:
Karl Frohme, Schlosser (Schriftsteller) in Hannover.

Leipzig-Land:
F. Geyer, Zigarrenarbeiter in Großenhain.

Nürnberg:
K. Grillenberger, Schlosser (Korrektor) in Nürnberg.

Barmen-Elberfeld:
F. Harm, Weber (Gastwirth) in Barmen.

Mülhausen i./Elsaß:
F. Hickel, Schreiner in Mülhausen.

Berlin VI.:
W. Liebknecht, Schriftsteller in Borsdorf.

Hamburg III.:
Wilhelm Metzger, Spengler (Journalist) in Hamburg.

Chemnitz:
Max Schippel, Schriftsteller in Berlin.

Mittweida-Limbach:
A. Schmidt, Buchdrucker in Berlin.

Solingen:
Gg. Schumacher, Gerber in Solingen.

Schneeberg-Stollberg:
J. Seifert, Schuhmacher in Zwickau.

Berlin IV.:
P. Singer, Kaufmann in Dresden.

Zwickau-Crimmitschau:
W. Stolle, Gärtner (Gastwirth) in Gesau.

München II und Magdeburg:
G. Vollmar, Schriftsteller in München.

Gera:
E. Wurm, Schriftsteller in Dresden.

Unser die Welt, trotz alledem!
1890
20 Febr.

In der Stichwahl wurden gewählt:

München I:
J. Birk, Gastwirth in München.

Braunschweig:
W. Blos, Schriftsteller in Stuttgart.

Bremen:
J. Bruhns, Zigarrenarbeiter in Bremen.

Mannheim:
A. Dreesbach, Tischler (Kaufm.) Mannheim.

Calbe-Aschersleben:
Aug. Heine, Hutfabrikant in Halberstadt.

Mainz:
Franz Jöst, Tischler in Mainz.

Halle a./Saale:
Fritz Kunert, Lehrer (Redakteur) in Breslau.

Hannover:
H. Meister, Zigarren-Arbeiter in Hannover.

Ottensen-Pinneberg:
H. Molkenbuhr, Zig.-Arbeiter in Kellinghusen.

Frankfurt a./M.:
Wilh. Schmidt, Lithograph in Frankfurt.

Sonneberg:
P. Reißhaus, Schneider in Erfurt.

Königsberg i./Pr.:
Carl Schultze, Zigarrenarbeiter in Königsberg.

Lübeck:
Th. Schwartz, Koch (Gastwirth) in Lübeck.

Nieder-Barnim:
Arth. Stadthagen, Rechtsanwalt in Berlin.

Breslau-Ost:
Franz Tutzauer, Tischler in Berlin.

Offenbach-Dieburg:
Carl Ulrich, Schlosser (Redakteur) in Offenbach.

Siegreiche Stichwahlen:

	1890	1887	Stichwahl
München I	7,570	4,563	10,432
Braunschweig	13,621	10,656	15,000
Bremen	14,843	7,743	16,404
Mannheim	8,701	5,128	12,601
Calbe-Aschersleben	12,514	4,837	16,373
Mainz	8,000	5,526	10,000
Halle a./S	12,618	6,590	14,500
Hannover	16,570	12,210	19,000
Ottensen	10,820	6,520	13,010
Königsberg	12,327	7,987	18,138
Frankfurt a. M.	12,654	8640	18,090
Lübeck	6,389	4,254	7,316
Nieder-Barnim	18,628	5,680	15,400
Breslau-Ost	9,296	7,781	12,337
Offenbach	10,384	8,024	13,000
Sonneberg	7,215	4,659	10,000

203 Das in London erscheinende Organ der deutschen Sozialdemokratie meldet den Wahlsieg in den Reichstagswahlen 1890

204 Kaiser Wilhelm II. bei einer Flottenparade, Gemälde von Willy Stower, 1912

Ich bestimme hiermit: Das Deutsche Heer und die Kaiserliche Marine sind nach Maßgabe des Mobilmachungsplans
für das Deutsche Heer und die Kaiserliche Marine kriegs-
bereit aufzustellen.

Der 2. August 1914 wird als erster Mobilmachungstag
festgesetzt. – Berlin, den 1. August 1914

Wilhelm
I.R.

v. Bethmann Hollweg

An den Reichskanzler (Reichs-Marineamt) und den Kriegsminister

205 Mobilmachungsbefehl vom 1. August 1914

206 Kriegsbegeisterung Anfang August 1914 in Berlin

207 Deutsche Reservisten auf dem Weg zur Westfront, August 1914

208 Meuterei der Flotte in Wilhelmshaven, Anfang November 1918

209 Massendemonstration im Berliner Regierungsviertel am 9. November 1918

2. Extraausgabe Sonnabend, den 9. November 1918.

Berliner Volksblatt.

Zentralorgan der sozialdemokratischen Partei Deutschlands.

Der Kaiser hat abgedankt!

Der Reichskanzler hat folgenden Erlaß herausgegeben:

Seine Majestät der Kaiser und König haben sich entschlossen, dem Throne zu entsagen.

Der Reichskanzler bleibt noch so lange im Amte, bis die mit der Abdankung Seiner Majestät, dem Thronverzichte Seiner Kaiserlichen und Königlichen Hoheit des Kronprinzen des Deutschen Reichs und von Preußen und der Einsetzung der Regentschaft verbundenen Fragen geregelt sind. Er beabsichtigt, dem Regenten die Ernennung des Abgeordneten Ebert zum Reichskanzler und die Vorlage eines Gesetzentwurfs wegen der Ausschreibung allgemeiner Wahlen für eine verfassungsgebende deutsche Nationalversammlung vorzuschlagen, der es obliegen würde, die künftige Staatsform des deutschen Volk, einschließlich der Volksteile, die ihren Eintritt in die Reichsgrenzen wünschen sollten, endgültig festzustellen.

Berlin, den 9. November 1918. **Der Reichskanzler.**
Prinz Max von Baden.

Es wird nicht geschossen!

Der Reichskanzler hat angeordnet, daß seitens des Militärs von der Waffe kein Gebrauch gemacht werde.

Parteigenossen! Arbeiter! Soldaten!

Soeben sind das Alexanderregiment und die vierten Jäger geschlossen zum Volke übergegangen. Der sozialdemokratische Reichstagsabgeordnete Wels u. a. haben zu den Truppen gesprochen. Offiziere haben sich den Soldaten angeschlossen.

Der sozialdemokratische Arbeiter- und Soldatenrat.

210 Titelseite des sozialdemokratischen »Vorwärts« vom 9. November 1918

211 Philipp Scheidemann ruft am 9. November 1918 von einem Balkon des Reichstagsgebäudes die Republik aus

Auto mit Maschinengewehren
des Arbeiter- und Soldatenrates am Brandenburger Tor.

212 Revolutionäre Soldaten am Brandenburger Tor, November 1918

213 Spartakisten mit Maschinengewehr im Anmarsch auf das Redaktionsgebäude des Vorwärts

214 Präsident David verkündet in der Nationalversammlung in Weimar Eberts Wahl zum Reichspräsidenten

215 Inflation Berlin 1923: Wartende Schlange vor einer Ausgabe von Freibankfleisch

216 Inflationsgeld 1923

REICHSBANKNOTE
G·01513203
Eine Billion Mark
zahlt die Reichsbankhauptkasse in Berlin gegen diese Banknote dem Einlieferer. Vom 1. Februar 1924 ab kann diese Banknote aufgerufen und unter Umtausch gegen andere gesetzliche Zahlungsmittel eingezogen werden
Berlin, den 1. November 1923
REICHSBANKDIREKTORIUM
Wer Banknoten nachmacht oder verfälscht, oder nachgemachte oder verfälschte sich verschafft und in Verkehr bringt, wird mit Zuchthaus nicht unter zwei Jahren bestraft
1000
MILLIARDEN

217 Die Totenfeier für den Reichspräsidenten Friedrich Ebert: Aufbahrung des Sarges am Potsdamer Bahnhof in Berlin 1925

218 Hindenburg und Reichswehrminister Gessler vor der Ehrenkompanie bei Hindenburgs Amtsantritt als Reichspräsident

219 Außenminister Stresemann vor dem Völkerbund in Genf

220 Heinrich Brüning, Reichskanzler 1930–1932

dgebung der »Nationalen Opposition« in Harzburg 1931, Vorbeimarsch an Adolf Hitler

222 Arbeitslosenschlange während der Weltwirtschaftskrise, Berlin 1931

223 Versammlung von Arbeitslosen, Berlin 1930

224 *»Der Sinn des Hitlergrußes«:* Plakat von John Heartfield

225 Der Staatsakt von Potsdam

226 Der gleichgeschaltete Reichstag

227 Jubelnde Menschen vor dem Mercedes des »Führers« am Tag der Machtergreifung

228 Erinnerungsfoto der SA: Abtransport eines sozialdemokratischen Funktionärs

erhetzer u. Novemberverbrecher Kuhnt auf de Fahrt
zur Reinigung de

229 SS auf dem Reichsparteitag in Nürnberg 1935

230 Trommlerkorps der Hitlerjugend

231 Winterhilfswerk: Aufruf zur nationalen Solidarität. Das Geld fließt in die Rüstung

Zug um Zug zerriß Adolf Hitler das Diktat v. Versailles!

1933 Deutschland verläßt den Völkerbund von Versailles!

1934 Der Wiederaufbau der Wehrmacht, der Kriegsmarine und der Luftwaffe wird eingeleitet!

1935 Saargebiet heimgeholt! Wehrhoheit des Reiches wiedergewonnen!

1936 Rheinland vollständig befreit!

1937 Kriegsschuldlüge feierlich ausgelöscht!

1938 Deutsch-Oesterreich dem Reiche angeschlossen! Großdeutschland verwirklicht!

Darum bekennt sich ganz Deutschland am 10. April zu seinem Befreier Adolf Hitler

Alle sagen: Ja!

V 13

232 Plakat April 1938: Volksabstimmung über den Anschluß Österreichs und Wahlen zum Großdeutschen Reichstag

233 Rüstungsindustrie

234 Hitler mit dem Chef des Oberkommandos der Wehrmacht, Generaloberst Keitel

235 Aufzeichnungen des Generalleutnants Liebmann vom 3. 2. 1933

236 Die letzten Überlebenden des Warschauer Ghettos

237 Stalingrad, Dezember 1942

Widerstand im Dritten Reich: 238 Julius Leber

239 Claus Graf Schenk von Stauffenberg

240 Carl Friedrich Goerdeler

241 Harro Schulze-Boysen

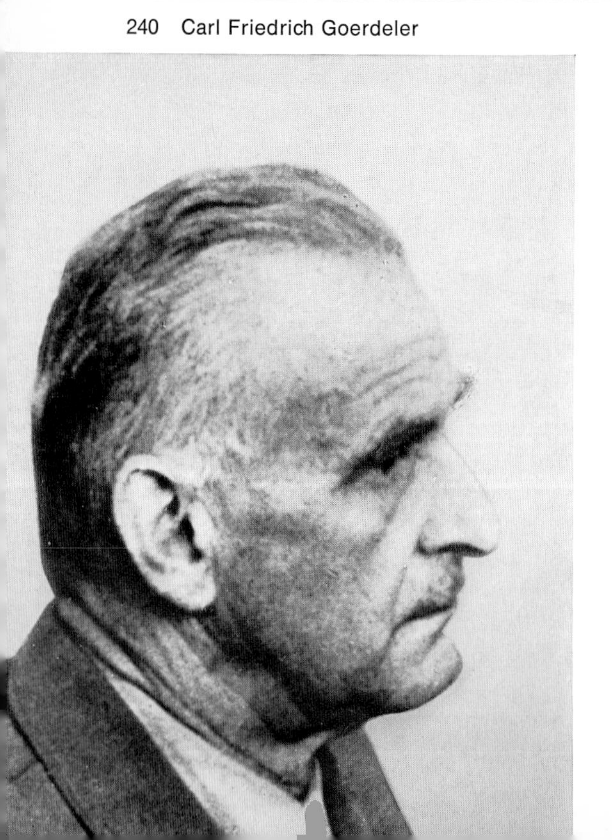

242 Kapitulation der Deutschen Wehrmacht in Berlin-Karlshorst am 8. Mai 1945

243 Flüchtlingslager 1945

244 Die Potsdamer Konferenz 1945

245 Mauerschrift gegen die Demontage

246 Wiederaufbau mit den Mitteln des Marshallplans in den Westzonen

247 Kollektivierung der Landwirtschaft in der sowjetischen Besatzungszone

248 Die Sowjetunion überträgt am 10. Oktober 1949 ihre Verwaltungsfunktionen der Regierung der DDR

249 Antrittsbesuch Bundeskanzler Adenauers bei den Hohen Kommissaren am 21. September 1949